Teología y misión en América Latina

Dr. Rodolfo Blank

La impresión de *Teología y misión en América Latina* ha sido posible gracias a una donación de la Secretaría para América Latina, Junta de Misiones de la Iglesia Luterana Sínodo de Misuri.

Editor: Héctor Hoppe
Diagramación: Cathie Wakeland
Portada: Bill Clark

3558 South Jefferson, St. Louis, MO 63118-3968
Impreso en los Estados Unidos de Norteamérica.

1 2 3 4 5 6 7 8 9 10 05 04 03 02 01 99 98 97 96

Contenido

Introducción 5

1 Teología y misión en la Edad de la Exploración 7

2 Teología y misión en la Edad de la Conquista 21

3 Métodos misioneros en la Era de los Conquistadores 35

4 El catolicismo tradicional en Iberoamérica 52

5 La religiosidad popular 71

6 Dios, María, y los santos en la religiosidad popular 89

7 La cultura de la pobreza 111

8 Factores culturales 130

9 La llegada de las iglesias del protestantismo histórico a América Latina 155

10 Factores en el crecimiento del protestantismo 181

11 El pentecostalismo en América Latina 200

12 La teología de la liberación 224

13 Las comunidades de base 248

14 La opción preferencial por los pobres 271

15 La cristología de la teología de la liberación 294

Introducción

La celebración del Quinto Centenario del "descubrimiento" de las Américas por Cristóbal Colón en 1992 ha levantado una ola de controversia a lo largo de América Latina en relación al significado del evento. Para algunos, el año 1492 significa la gloriosa llegada de la civilización occidental al Nuevo Mundo. Con los españoles y portugueses llegó a nuestro hemisferio la luz de los pueblos europeos; con sus ciencias, filosofías, tecnologías y la proclamación de la verdadera religión, los europeos pusieron fin a la ignorancia, superstición, idolatría y canibalismo de los pueblos que vivían en las Américas. Actualmente existe un movimiento en Argentina que busca la beatificación de Isabel la Católica por el importante papel que desempeñó en la Edad del Descubrimiento y de la Colonización. Para otros, el año 1492 fue el comienzo de la tragedia más grande en la historia de la raza humana, porque significó el genocidio y exterminio de miles de pueblos indígenas que fueron ultrajados, explotados y esclavizados por los conquistadores en el nombre de Dios y la humanidad. ¿Se deben celebrar las hazañas de quienes fueron culpables de los crímenes más inhumanos y más antibíblicos en la historia humana?

La historia del "descubrimiento" y la "conquista" es la historia de nosotros, los hispanos. Según un conocido autor latinoamericano, en el aspecto cultural todos somos hijos mestizos del conquistador español y la mujer india. La contradicción implícita en el debate sobre la civilización y la conquista del Nuevo Mundo es nuestra contradicción. A lo largo de la presente obra, se pretende descubrir y conocer nuestras propias raíces, con el fin de comprendernos mejor como miembros de un pueblo hispano que se encuentra viviendo entre conflictos y cambios en un mundo en el que el Espíritu Santo nos ha llamado a ser un linaje escogido, un real sacerdocio, una nación santa y un pueblo adquirido por Dios (1 P 2.9).

Rodolfo Blank
Pascua de Resurrección, 1995

1

Teología y misión en la Edad de la Exploración

Sin duda la Era del Descubrimiento y de la Conquista es una de las más interesantes y conflictivas en la historia de nuestro planeta. Para entender el significado de esta época, necesitaremos no solamente meditar sobre los hechos históricos, sino también investigar las ideas y las creencias que influyeron en los actores de este drama histórico. Tendremos que ver a los grandes exploradores no solamente como navegantes y soldados, sino también como teólogos y misioneros. Al comparar la teología y la misión de los grandes actores de la Era del Descubrimiento con nuestra propia teología y misiología, abrigamos la esperanza de entender mejor cuál es la misión a la que Dios nos ha llamado en este tiempo y en este lugar.

Cristóbal Colón como teólogo y misionero

Comenzaremos dando una mirada al gran almirante Cristóbal Colón. Al estudiar la vida y las obras de Colón nos preguntamos: ¿qué teología y qué misiología animaron al descubridor del Nuevo Mundo?

La gran ciudad de Constantinopla cayó en manos de los otomanos en el año 1453. Con la caída de Constantinopla, mil años de civilización cristiana en esta perla del Oriente llegaron a su fin. Fue ahí cuando los infieles, seguidores del profeta Mahoma, propinaron a los cristianos de Europa una de sus derrotas más costosas. Después, los cristianos se vieron obligados a buscar nuevas rutas comerciales hacia el Lejano Oriente; las viejas rutas quedaron en poder de los musulmanes. La caída de Constantinopla, sin embargo, despertó en los cristianos del Occidente el sueño de lanzar una nueva cruzada contra los seguidores del profeta Mahoma para liberar a la ciudad de Jerusalén, y para arrebatar de las manos infieles todos los lugares sagrados en la Tierra Santa.

En el año 1455 el papa español, Calixto III, redactó una bula en la que autorizó una nueva cruzada contra los turcos. Los turcos habían arrebatado la tierra de Palestina de manos de los mamelucos en 1517. Entre las naciones cristianas de la Europa Medieval se encontraba una que se creyó divinamente escogida para dirigir una nueva cruzada contra el Islam, y contra toda clase de herejía e idolatría. Ese país era España.

España durante siete siglos había luchado, con la ayuda de Dios y el apóstol Santiago, para librarse del dominio de los mahometanos. Una vez que lograron retomar su territorio, se encontraron con el gran desafío de reevangelizar los territorios liberados. Entre los métodos misioneros empleados en la reevangelización de la península ibérica estuvieron las órdenes militares y la famosa Inquisición. En el año 1492, la ciudad de Granada fue reconquistada por los españoles, y la península quedó libre del dominio de los seguidores del profeta Mahoma. En el mismo año, los judíos fueron expulsados de España. El año 1492 también fue el mismo año en el que el explorador, misionero y cruzado, Cristóbal Colón, salió de España con sus tres carabelas para flanquear las posiciones de los turcos y dar a España una nueva ruta a los tesoros del Lejano Oriente.

Lo que animó al gran marinero en su viaje de exploración no fue solamente el deseo de enriquecerse. Colón salió imbuido de un espíritu profético y misionero que esperaba el pronto establecimiento del Reino de Cristo en la tierra. El deseaba encontrar riquezas para contribuir a financiar una gran cruzada en contra de los infieles con el fin de liberar a Jerusalén y a la Iglesia del Santo Sepulcro.[1] Lo que había motivado al príncipe Enrique, el navegante, a fundar una escuela de navegación en Portugal unos años antes, fue el deseo de aventajar a los turcos en la carrera iniciada para extender la fe. El hecho de que las carabelas de Colón, así como las de otros conquistadores, llevaran cruces estampadas en sus velas es una prueba de que los exploradores y conquistadores se consideraron como auténticos cruzados que se encontraban librando una nueva guerra santa.

Cristóbal Colón fue el mayor de cinco hijos. Dos de sus hermanos, Bartolomé y Diego, acompañaron a Cristóbal en su viaje al Nuevo Mundo. Los padres de Colón, Domenico Colombo y Susana Fontanarosa, venían de una familia de tramadores de lana. A temprana edad Colón buscó empleo como marinero. Sus viajes lo llevaron a las partes más remotas del mundo de aquél entonces, incluyendo Irlanda e Islandia. Como cristiano devoto, nunca permitió que sus tiempos de oración fuesen interrumpidos. Se mudó a Portugal donde se casó con una mujer de una familia noble, Felipa Peretrealo Muñiz. El único hijo que tuvieron se llamó Diego, y nació en la Isla de Madeira. Doña Felipa murió a temprana edad. Cristóbal Colón contaba con 34 años de edad cuando enviudó.

---

[1] Brigham, Kay, *Cristóbal Colón* (Terrassa, España, Libros CLIE, 1990), pp.105–106.

El sueño de Colón era navegar al Lejano Oriente en un viaje de exploración hacia el Occidente. Para poder realizar sus sueños, el gran marinero buscó financiamiento y barcos de los soberanos de Portugal, Francia e Inglaterra. Las negativas de estos soberanos obligaron a Colón a viajar a España donde encontró refugio entre los frailes franciscanos en el monasterio de La Rábida. Los hermanos franciscanos se encargaron de la educación de Diego y mostraron a Cristóbal el significado bíblico de su proyectado viaje de descubrimiento. El rey Fernando y la reina Isabel la Católica, mostraron interés en su proyecto. Pero la pareja real se encontraba demasiado comprometida económicamente en la guerra contra los moros para liberar Granada, como para ser capaz de financiar al marinero genovés. Sin embargo, para no perder los derechos exclusivos del ambicioso proyecto de Colón, Fernando e Isabel continuaron pagando los gastos de Colón durante siete años.

Mientras permaneció en España, Colón vivió en concubinato con Beatriz Enríquez de Arana, quien llegó a ser madre de Fernando, segundo hijo del marinero. Colón paulatinamente fue perdiendo la esperanza de recibir mayor respaldo de la pareja real de España por lo que determinó abandonar el país ibérico y buscar su fortuna en otra parte. Mientras que marchaba rumbo a la frontera, Colón fue alcanzado por un mensajero que le informó que la guerra había terminado con una rotunda victoria para los españoles. Fernando e Isabel se encontraban ahora dispuestos a sufragar los gastos del proyectado viaje de Colón.

Zarpando de España, Colón viajó por aguas desconocidas hasta encontrar su primera recalada en las Bahamas, donde fue recibido por indígenas amistosos. La isla a la cual Colón arribó recibió el nombre de El Salvador. Durante este primer viaje, Colón también visitó Cuba y La Española (actualmente la República Dominicana y Haití). Colón llevó consigo algunos indígenas al regresar a España, donde fueron bautizados en la fe católica.

Los objetivos de Colón en su segundo viaje de exploración, fueron establecer una colonia, encontrar nuevas tierras, y llevar la fe cristiana a los indios. Su flota incluyó 17 carabelas, 1200 hombres y un grupo de frailes. Durante este viaje el almirante tuvo oportunidad de visitar Domínica, Guadalupe, las Antillas Menores y Puerto Rico. En sus exploraciones, los hombres de Colón encontraron las primeras evidencias de canibalismo. Jóvenes emasculados por los caníbales eran engordados en corrales para después ser devorados. Muchachas embarazadas eran guardadas a fin de utilizar sus crías recién nacidas como aperitivos. Al volver a La Española, donde Colón había dejado un fortín con cuarenta hombres, descubrió que los indígenas se habían levantado, terminando la revuelta con la masacre de sus hombres.

Durante su tercer viaje de exploración Colón alcanzó el continente sudamericano. Al ver la rica vegetación del Delta del Orinoco y los cuatro brazos de ese gran río venezolano, Colón creyó que había descubierto el Paraíso perdido con sus cuatro ríos: el Pisón, el Gihón, el Hidekel y el Éufrates (Génesis 2.10–14). "Y salía de Edén un río para regar el huerto, y de allí se repartía en cuatro brazos" (v. 10). Entretenido en sus exploraciones, desafortunadamente Colón prácticamente abandonó la administración de las Indias. Las condiciones en Santo Domingo se tornaron caóticas. Chismes e informes negativos en cuanto a la administración de las Indias llegaron a los oídos de los soberanos católicos en España. Como resultado, Francisco Bobadilla fue comisionado para investigar los rumores. Debido a la anarquía que Bobadilla encontró en Santo Domingo, Colón fue arrestado y enviado encadenado a España. Nicolás de Ovando fue nombrado nuevo gobernador de las Indias.

Durante el tiempo de su desgracia e inactividad entre el tercer y cuarto viajes, Colón escribió su *Libro de Profecías*. En esta obra, recién encontrada, podemos comprobar que Colón no era solamente un gran marinero y explorador sino también un teólogo que meditaba profundamente sobre el significado de las Escrituras y su aplicación a los eventos históricos. Después de terminar el *Libro de Profecías*, Colón fue amnistiado. Como consecuencia de su indulto, se le concedió emprender un nuevo viaje de exploración. El marinero estuvo firmemente convencido de que esta expedición sería el comienzo de la última cruzada. Durante este viaje, Colón visitó lo que hoy son los países de Panamá, Colombia y Jamaica. Escribió que el distrito de Veragua, en Panamá, era la región donde estaban ubicadas las minas del rey Salomón y donde serían encontradas las joyas que se habrían de utilizar en la reconstrucción del templo de Jerusalén.[2] Poco después del regreso de Colón a España, su hijo Diego fue nombrado gobernador y cabeza de la línea de los duques de Veragua. Cristóbal Colón murió en Valladolid en el año 1506.

---

[2] Phelan, John Leddy, *The Millennial Kingdom of the Franciscans in the New World* (Berkeley, University of California Press, 1970), p. 22.

El *Libro de Profecías* muestra a Colón persuadido de que Dios lo había escogido para ser un instrumento divino en el cumplimiento de muchas profecías de las Sagradas Escrituras. Creyó que Dios lo había llamado para rescatar a Jerusalén, con sus reliquias y los lugares sagrados, del dominio de los turcos. Como Fernando e Isabel la Católica, Colón era una persona intensamente religiosa y estaba vivamente preocupado por la evangelización del mundo y el cumplimiento de la Gran Comisión. Aunque nunca gozó de la oportunidad de recibir una educación formal, Colón llegó a ser un amante de la lectura. Estudió con avidez las obras de Joaquín de Fiore, Josefo, Séneca, Gregorio I y San Agustín. Cuando Colón llegó a Portugal, a la edad de 25 años, era un analfabeto funcional. Pero con la ayuda de Fray Gaspar de Gorricio, aprendió a estudiar las Escrituras y a aplicarlas a los acontecimientos de su época.

Colón estaba convencido de que el Señor estaba apresurando el fin del mundo y el establecimiento del Reino de Cristo sobre la tierra. Según Mateo 24.14, sería necesaria la evangelización de todos los pueblos de la tierra antes del fin del mundo: "Y será predicado este evangelio del reino en todo el mundo, para testimonio a las naciones, y entonces vendrá el fin."

Colón creyó que Dios lo había escogido para realizar sus descubrimientos a fin de que las nuevas tierras fuesen evangelizadas. Para Colón sus viajes de descubrimiento se realizaron bajo la inspiración del Espíritu Santo.[3] Sus viajes, de esta manera, serían la última señal que faltaba para la realización del reino.

Joaquín de Fiore (1130–1202 d.c.) había profetizado que el Templo Santo, ubicado sobre el Monte Sión, sería reconstruido en los últimos días por un hombre proveniente de España. Este hombre predestinado vendría lleno del espíritu del Cid, y con el siguiente grito de guerra: "Con la ayuda de Dios y Santiago." Colón creyó, naturalmente, que él era el hombre de quien Joaquín había profetizado.[4] Por lo tanto, Colón afirmó que Dios pronto establecería su reino en Jerusalén y reemplazaría todos los gobiernos terrenales con su reino divino. Las promesas acerca de la reconstrucción del templo tendrían su cumplimiento gracias a un instrumento, instrumento que, desde luego, el mismo Colón se autoconsideró ser. En su *Libro de Profecías,* Colón anotó las siguientes profecías bíblicas que habrían de

---

[3] *Ibíd.*, p. 20.

[4] Brigham, *Op. Cit.*, p. 106.

cumplirse: Salmo 69.9; Salmo 102.13, 15, 16, 21; Isaías 52.1, 2, 8, 9; Amós 9.11, 14–15; Isaías 60.1–3, 5; Miqueas 4.1–2, 7.

Además, Colón también recibió inspiración proveniente de las obras del poeta hispano-romano, Lucio Anneo Séneca (4 d.c.–65 d.c.). Colón tradujo del latín al castellano varias profecías de Séneca. Entre estas profecías se encuentra una que afirma:

> Vendrá en los tardos años del mundo ciertos tiempos en los cuales el mar Oceano afloxerá los atamentos de las cosas, y se abrirá una grande tierra, y un nuebo marinero como aquel que fué guya de Jasón, que obe nombre Tiphi, descobrirá nuebo mundo, y entonces no será la ysla de Tile (Islandia) la postrera de las tierras.[5]

En una copia, propiedad de Colón, de las obras de Séneca, Fernando Colón, hijo del marinero, escribió: "Esta profecía se cumplió en el año 1492, gracias a mi padre."[6]

Al meditar sobre "Los Cantos del Siervo de Dios" en Isaías 49.1–6, Isaías 42.1–12, Isaías 52.7, Colón creyó que había encontrado nuevas referencias a su papel en la evangelización del mundo. Estos cantos hablan de un siervo divino, quien será el instrumento de Dios en la conversión de las lejanas islas, al llevar la salvación y la luz hasta los fines de la tierra.

"Oídme, costas, y escuchad, pueblos lejanos, Jehová me llamó desde el vientre, desde las entrañas de mi madre tuvo mi nombre en memoria . . . Poco es para mí que tú seas mi siervo para levantar las tribus de Jacob, y para que restaures el remanente de Israel; también te di por luz de las naciones, para que seas mi salvación hasta lo postrero de la tierra " (Is 49.1 y 6).

Colón interpretó los sufrimientos del Siervo en Isaías 52 en términos de sus propios sufrimientos y encarcelamiento después de su tercer viaje al Nuevo Mundo. También interpretó la copa de Jeremías 25.17–22 como la copa de salvación que Colón, según su llamamiento, habría de llevar al Nuevo Mundo. Así Colón consideró su papel en la historia del

---

5 Lockward, Alfonso, *Algunas Cruces Altas* (Miami, Editorial Unilit, 1991), p. 114.

6 Brigham, *Op. Cit.*, p. 118.

mundo, como la del misionero divinamente escogido para llevar el evangelio hasta los fines de la tierra.[7]

En sus interpretaciones de las Escrituras, Colón, como muchos teólogos de su tiempo, siguió el método cuádruple en boga en las universidades. Según este método, cada texto de la Biblia tenía una interpretación literal, una interpretación alegórica, una interpretación anagógica y una interpretación tropológica. Colón creyó que la providencia divina le había dado el nombre Cristóbal o Cristóforo, que significa "portador de Cristo", ya que él sería el encargado de llevar el nombre de Cristo hasta los fines de la tierra. Por lo tanto, la primera isla descubierta por Colón recibió el nombre de San Salvador.[8]

Antes de morir, Colón dio instrucciones a su hijo Diego para que estableciera una iglesia y un hospital en Santo Domingo. En su testamento también ordenó que una parte de su herencia fuese utilizada para emplear a cuatro buenos maestros para convertir, entrenar e instruir a los indios.[9]

En su lecho de muerte, Colón tomó el hábito de franciscano del Tercer Orden. En su testamento del 22 de febrero, estipuló que una porción de sus ingresos anuales fuesen depositados en el banco de San Jorge en Génova, con el fin de establecer un fondo para financiar la liberación del Santo Sepulcro en Jerusalén.

La segunda venida de Cristo fue la motivación más grande que Colón tuvo durante sus viajes de exploración. Debido al cumplimiento de las señales del fin, que Colón consideró ver durante sus días, llegó también a creer que faltaba poco tiempo para el fin del mundo; concluyó que Cristo regresaría pronto para establecer su reino sobre la tierra.[10] Según sus interpretaciones bíblicas, Mahoma era el anticristo; la ocupación de Jerusalén por los turcos significaba la manifestación de la abominación desoladora mencionada por Cristo en Marcos 13.14. Sólo hacía falta la proclamación del evangelio hasta los fines de la tierra para que se inaugurara el Reino de Dios. Colón llegó a considerar su vida, a lo largo de ella y

---

[7] *Ibíd.*, p. 129.

[8] *Ibíd.*, p. 144.

[9] *Ibíd.*, p. 150.

[10] *Ibíd.*, p. 155.

mediante el estudio de las Escrituras, dentro de la providencia divina en términos de una misión mesiánica. Por medio de Colón, Dios se encontraba trabajando para llevar a cabo los tres eventos cumbres que traerían el fin del mundo. Estos eventos eran: 1) el descubrimiento de las Indias; 2) la conversión de los gentiles; y 3) la liberación del Santo Sepulcro.

Ya se ha subrayado el hecho de que los conquistadores no solamente fueron exploradores, explotadores y buscadores de oro; también fueron misioneros. Todo misionero, consciente o inconscientemente, refleja y actúa con una teología de misiones. Se ha visto algo acerca de la teología de misiones que inspiró a Cristóbal Colón en sus cuatro viajes al Nuevo Mundo. Según John L. Phelan,[11] existieron tres tipos de teologías de misiones entre los españoles y portugueses durante la Edad de la Exploración y de la Conquista. Se puede resumir brevemente estas tres teologías de misiones de la siguiente forma:

Misión es civilización

La primera teología de misiones consideraba que los habitantes del Nuevo Mundo eran simplemente salvajes. Estaban tan atrasados moral y espiritualmente que difícilmente se pudieron considerar como seres humanos en el mismo sentido que los españoles. Culturalmente los españoles eran mil veces más adelantados que los bárbaros del Nuevo Mundo. Los indígenas no estaban cultural o moralmente preparados para entender y creer en el Evangelio. En primer lugar necesitaban ser civilizados, es decir debían ser como los españoles; tenían que cambiar de cultura antes de cambiar de religión. Su vieja cultura tenía que ser destruida juntamente con todas sus formas y símbolos, a fin de que la mente y el alma del indio llegaran a ser como "una tábula rasa" sobre la cual se pudiera escribir una nueva ley. Todo lo viejo tenía que ser destruido a fin de que lo nuevo pudiera nacer.

Apoyándose en tal concepto de hacer misión, muchos misioneros se dedicaron a destruir todos los templos, obras de arte, música indígena y múltiples rasgos culturales de las diferentes tribus americanas. Los protagonistas de esta teología de misiones fueron hombres como Gonzalo Fernández de Oviedo y Váldez y el famoso oponente de Las Casas: Juan Ginés de Sepúlveda. Vale mencionar que gran parte de la inspiración de Sepúlveda y sus seguidores provenía del humanismo italiano. Se pueden

---

[11] Phelan, *Op. Cit.*, p. 129.

observar semejanzas de esta teología de misiones con aquella teología de misiones de los judaizantes de Galacia en los días de San Pablo. Para los judaizantes, un gentil, aquél que no era judío, tenía que convertirse en judío antes de convertirse en cristiano.

Misión es contextualización

La segunda clase de una teología de misiones que articularon los misioneros españoles consistió principalmente en la opinión que Dios podía encarnarse en la cultura de cualquier pueblo y transformar dicha cultura desde adentro, o internamente. Según esto, no existe una cultura superior a las demás culturas; es decir, todas las culturas son, en términos generales, buenas y malas. No obstante, Dios es capaz de utilizar cualquier civilización o cultura como su instrumento en la comunicación del evangelio. Por lo tanto, no es necesario destruir la cultura de un pueblo para poder evangelizarlo. Este fue el punto de vista de los misioneros domínicos, tales como Francisco de Vitoria, Domingo de Soto, Melchor Cano y Bartolomé de Las Casas. La inspiración de los domínicos se originó en la lógica aristotélica y la ley canónica romana. Preocupados por la naturaleza de la soberanía de España sobre las Indias, los domínicos afirmaron que los laicos españoles no podían justificar la explotación de los indígenas bajo el pretexto de que simultáneamente estaban siendo evangelizados. Según Phelan, Vitoria debe ser considerado más como un exponente del humanismo moderno que un humanista cristiano.[12] Vitoria consideraba que todas las naciones y todos los pueblos pertenecían a una sola comunidad universal. El denominador común en esta comunidad universal es el estado o la nación, el "jus gentilum" de la ley romana. Este concepto es la base del humanismo moderno. En el humanismo cristiano de la Edad Media el denominador común era el ser humano.

Misión como expresión de un milenialismo místico

La tercera teología de misiones que se observa entre los primeros misioneros al Nuevo Mundo es aquélla que Colón asimiló de sus mentores: los frailes franciscanos del monasterio de la Rábida. Esta misiología apocalíptica y profética tiene sus raíces en la vida de San Francisco de Asís. Además refleja la vida y práctica de los seguidores de San Francisco: los franciscanos espirituales y observantes. La teología de esta tercera forma

---

[12] *Ibid.*, p. 129.

de misiología dependía en gran parte de una interpretación tipológica de las Sagradas Escrituras.

Una de las ideas claves en la interpretación tipológica sugiere que el lenguaje de la Biblia, bajo la inspiración del Espíritu Santo, nos transmite verdades que son demasiado difíciles para ser entendidas por la razón humana normal. Se le da el nombre de interpretación tipológica porque se basa en la idea de que existe una relación figurada o tipológica entre nuevas verdades y personas, objetos y eventos en la Biblia. La nueva verdad se llama antitipo. La relación entre el antitipo y el significado literal es como la relación entre el cuerpo y el alma. El antitipo, como el alma, es espiritual, mientras que el significado literal es material. La verdad espiritual es considerada como la verdad divina que el Espíritu Santo siempre intentó comunicar al Pueblo de Dios sin hacerlo inmediatamente. Según esta clase de interpretación bíblica hay tres diferentes niveles de significado tipológico, cada uno basado en el carácter de la relación que existe entre el tipo y el antitipo. El antitipo puede ser una verdad en la cual debemos creer (interpretación alegórica), o puede ser una bendición que esperamos recibir (interpretación anagógica), o puede ser una virtud que debemos practicar (interpretación tropológica).[13]

La parábola de la gran cena en la misiología de los conquistadores

Se puede apreciar la diferencia entre las distintas teologías de misión mencionadas arriba, al considerar la forma en que los representantes de cada misiología interpretaban la parábola de la gran cena en Lucas 14.16–24.

Según Jerónimo de Mendieta en su *Historia Eclesiástica Indiana*, el huésped en la parábola es Cristo. El banquete representa la eterna felicidad en el cielo. Las tres distintas invitaciones simbolizan los diferentes métodos misioneros que deben ser empleados para convertir a los miembros de las tres grandes religiones que se encuentran al margen del cristianismo, a saber: los judíos, los mahometanos y los gentiles. La hora del banquete es el fin del mundo. La conversión de estos tres grupos quiere decir que el fin del mundo está cerca. Cuando se llegue al número predeterminado de los salvados, el mundo llegará a su fin. Detrás de esta

---

13 *Ibid.*, p. 7.

interpretación se encontraba la idea popular medieval de que Dios había creado a los seres humanos para llenar los puestos celestiales que quedaron vacíos cuando los ángeles caídos fueron expulsados del cielo. Según esta creencia, el pecado original había frustrado el plan de Dios para repoblar las regiones celestiales. La redención obrada por Cristo, como consecuencia, hizo posible la reanudación de esta tarea divina.

Cada invitación en la parábola es, entonces, el prototipo de los distintos métodos evangelísticos que deben ser empleados en la conversión de judíos, mahometanos y gentiles.[14] Los gentiles deben ser obligados a entrar, sin trato duro, pues de lo contrario solamente serviría para enajenarlos y distanciarlos aún más.

Juan Ginés de Sepúlveda y Bartolomé de Las Casas, "el Defensor de los Indios," polemizaron sobre la interpretación correcta de Lucas 14.16–24 en un debate celebrado en Valladolid durante los años 1550-1551. En su libro *Del Único Modo de Atraer a Todos los Pueblos a la Verdadera Religión,* el misionero Las Casas insistió en que la iglesia debe usar solamente los métodos misioneros establecidos por Cristo y los doce apóstoles. Cristo y sus discípulos evangelizaron provistos solamente "de paciencia, humildad, fe y una blanda persuasión, y de una vida intachable . . . sin forzar ni molestar a ninguno." Argumentando esto, Las Casas insistía en la ilegitimidad de los españoles al emplear la fuerza, la violencia o la guerra para convertir a los indios.[15] Cristo instruyó a sus discípulos a sacudir el polvo de sus pies como un testimonio en contra de los pueblos que rechazaran la predicación del evangelio (Mateo 10.14), pero el Señor nunca autorizó el uso de las armas para sancionar la renuencia de los gentiles a la verdad divina. Hacer tal cosa sería desplazar al Señor de su papel como único juez de vivos y muertos.

Sepúlveda, en cambio, afirmó que la primera invitación en la parábola de la gran cena corresponde a los métodos misioneros usados por la iglesia primitiva en los años previos al reinado de Constantino (311–337 d.c.). Durante tal período era ilícito usar la coerción en la evangelización. La segunda invitación trataba de los métodos evangelísticos necesarios para la conversión de los musulmanes. La tercera invitación en la parábola

---

[14] *Ibid.*, p. 8.

[15] Casas, Bartolomé de Las, *Del Único Modo de Atraer a Todos los Pueblos a la Verdadera Religión* (México, Fondo de Cultura Económica, 1942), p. 222.

corresponde al tiempo del establecimiento de la sociedad cristiana (Christianorum Imperium) en los años posteriores a Constantino. Durante ese período se unió el brazo secular con el brazo espiritual bajo el control de la Santa Sede. Semejante unión de ambos brazos, el secular y el espiritual, justificaba el uso de la fuerza para convertir a los gentiles.[16]

Sepúlveda, siguiendo su interpretación de la parábola de la gran cena, subrayó el hecho que Jesús dijo: "Vé por los caminos y vallados y fuérzalos a entrar" (Lc 14.23). Sepúlveda sostuvo que los apóstoles forzaron a los incrédulos a creer por medio de milagros, señales y curaciones, pero con la muerte de ellos el tiempo de los milagros llegó a su fin. Por lo tanto Sepúlveda habló de la necesidad de utilizar equivalentes funcionales de los milagros para forzar a los gentiles a entrar en el reino. Las armas y la fuerza militar fueron para Sepúlveda los equivalentes funcionales de los milagros.

Aún los franciscanos, que lucharon para defender a los indios de los abusos de las encomiendas, defendieron el uso de la fuerza para destruir la idolatría de los indígenas y acabar con la oposición de los indios a los misioneros. Mendieta consideró que la campaña militar de Cortés en contra de Tenochtitlan, no solamente fue lícita y necesaria, sino también fue inspirada por el Espíritu Santo. Los franciscanos, sin embargo, sostuvieron que una vez destruida la resistencia de los indios a los misioneros sería innecesaria la fuerza como método misionero. Según los franciscanos, la fuerza podría ser utilizada para destruir el paganismo, pero no para obligar a los indios a bautizarse. Las Casas y los domínicos, en cambio, se opusieron tenazmente a todo uso coercitivo. Ésta era la gran divergencia de opinión entre franciscanos y domínicos, la cual, por cierto, provocó mucha polémica entre Las Casas y los franciscanos, entre los cuales se encontraba el famoso misionero Toribio de Motolinía. Otros teólogos españoles, como Martín Fernández de Enciso, afirmaron que "así como Dios había quitado la Tierra Santa a los filisteos y cananeos para castigar su idolatría, así también Dios había quitado las tierras del Nuevo Mundo a los indígenas idólatras para regalárselas a su nuevo pueblo escogido", representado por los españoles.[17]

---

16 Phelan, *Op. Cit.*, p. 9.

17 *Ibid.*, p. 131.

Según el franciscano Mendieta, la raza española, bajo sus benditos reyes, había sido escogida por Dios para emprender la conversión final de los mahometanos, judíos y gentiles antes del fin del mundo.[18] Los españoles fueron el nuevo pueblo escogido de Dios. Según la visión de Mendieta, los españoles no eran los sucesores legítimos del Imperio Romano, sino de la teocracia de Israel del Antiguo Testamento. Además, según Mendieta, en el Antiguo Testamento no había una separación entre iglesia y estado, entre rey y sacerdote: todos eran misioneros. Los reyes eran reyes misioneros. Esta idea está arraigada en el concepto medieval de la dignidad real, la cual fundamentó a su vez el Patronato Real de las Indias. Según este concepto, los reyes de España habían recibido autoridad de la Santa Sede para ser los responsables supremos de la misión apostólica a los indios y para el establecimiento de la iglesia entre los indios.

Para franciscanos como Mendieta, el rey de España, entonces, tenía la última palabra en cuanto a los métodos misioneros que debían ser utilizados en la evangelización entre los indígenas del Nuevo Mundo. Para Mendieta, el rey de España era identificado con el esperado rey mesiánico que iba a defender al cristianismo ante los turcos y convertir con el evangelio a los gentiles. Entre los pueblos cristianos de la Europa medieval existía una firme creencia de que emergería un rey justo para establecer la paz en todo el mundo. Esta creencia en la venida de un rey justo y salvador fue el resultado de un mito popular sobre el advenimiento de un nuevo rey Barbarroja (Federico II, 1194–1250 d.c.) en Alemania, y un nuevo Carlo Magno en Francia. En la visión de muchos teólogos de la Edad de la Exploración y de la Conquista, el rey Fernando y la reina Isabel la Católica estaban cumpliendo con una misión divina al extirpar a los falsos profetas mahometanos, la incredulidad pérfida de los judíos y la idolatría de los gentiles utilizando para ello la Santa Inquisición. Solamente así se podría asegurar la venida del fin del mundo y el establecimiento del reino de Dios. Sólo después de vencer a los enemigos de Cristo se podría comenzar el reino milenial de Cristo. Los métodos violentos del rey Felipe II de España, consecuentemente, fueron apoyados por una teología de misiones bien definida. En el capítulo siguiente se analizarán más a fondo las raíces históricas de dicha teología.

---

[18] *Ibid.*, p. 11.

Lecturas adicionales:

1. González, Justo L., *La Era de Los Conquistadores* (Miami, Editorial Caribe, 1980), Capítulos I al III, páginas 17–68.

2. Mackay, Juan, *El Otro Cristo Español* (México, D.F., Casa Unida de Publicaciones, Segunda Edición 1988). Capítulo 1, páginas 31–49.

3. Morison, Samuel Eliot, *El Almirante de la Mar Océano* (México D.F., Fondo de Cultura Económica 1991).

2

Teología y misión en la Edad de la Conquista

Ya se ha visto la existencia de diferentes teologías de misión entre los conquistadores y misioneros que llegaron al Nuevo Mundo con el propósito de evangelizar a sus habitantes. Aún Cristóbal Colón tuvo la influencia de la enseñanza de los Padres Franciscanos Observantes, quienes, a su vez, fueron herederos de los Franciscanos Espirituales. Además, Colón se inspiró en sus estudios sobre las profecías y los escritos teológicos de Joaquín de Fiore, un gran místico y profeta apocalíptico del siglo XIII.

Había mucho del espíritu de los Franciscanos Espirituales y de Joaquín de Fiore en algunos individuos que llegaron a ser importantes en la evangelización de las Américas, entre los cuales se encontraron el cardenal Ximénez de Cisneros, el arzobispo Zumárraga, Jerónimo de Mendieta y los Doce Apóstoles de México bajo el liderazgo de Martín de Valencia. Debido a que los franciscanos desempeñaron un destacado papel en la evangelización del Nuevo Mundo, es necesario investigar la teología que sustentaban y que los motivó. Ahora se pasará a considerar, en forma general, la vida y la teología de los Franciscanos Espirituales y de Joaquín de Fiore.

La misiología milenialista de los franciscanos

Tras la muerte de San Francisco de Asís surgió una división entre sus seguidores. Un grupo, el de los Franciscanos Espirituales, se inclinó a seguir tenazmente el ejemplo del voto de pobreza absoluta de su fundador. Los Espirituales, mediante la santificación de la pobreza, buscaron alcanzar la perfección ascética. Otro grupo, el de los Franciscanos Conventuales, aspiraron a atenuar la disciplina y el fanatismo de su fundador. Los Conventuales buscaron la manera de vivir en armonía con la Santa Sede mientras que los Espirituales continuaron denunciando y atacando los abusos y la baja moralidad de la iglesia institucional. Al paso del tiempo, los Franciscanos Espirituales lograron establecer un vínculo con los seguidores de Joaquín de Fiore, uno de los grandes místicos de la iglesia medieval, y un individuo que estuvo profundamente preocupado en denunciar y corregir los abusos de la iglesia papal.

Las tres edades de Joaquín de Fiore

Joaquín de Fiore nació en Calabria en 1135 y murió en 1202. Era un monje, profeta y místico que enseñó un dispensacionalismo apocalíptico según el cual la historia de la iglesia estaba dividida en tres épocas o edades. Cada una de estas tres edades correspondía a una de las personas de la Santa Trinidad. La primera edad en el esquema de Joaquín de Fiore correspondía a Dios el Padre, y fue vivida bajo el signo de la ley. La edad del Padre comenzó con los apóstoles y terminó con la conversión de Constantino. Durante esta época, la iglesia verdadera existió como una minoría en medio del paganismo del imperio romano. Las características de esta edad fueron la persecución, la pobreza y una verdadera espiritualidad.

La segunda época era la edad del Hijo Jesucristo. Esta edad estuvo bajo el signo de la gracia, y dio inicio con la conversión de Constantino. Joaquín profetizó que la edad del Hijo habría de terminar en el año 1260 d.c. Las características de la segunda edad fueron: una creciente institucionalización de la iglesia, y una apostasía en aumento. En la edad del Hijo, los verdaderos seguidores de Cristo vivieron como una minoría justa dentro del paganismo de la iglesia romana. Según los seguidores de Joaquín de Fiore, el papa era identificado con el anticristo.

Joaquín y sus seguidores esperaban una pronta venida de la tercera edad de la iglesia: la edad del Espíritu Santo. Durante la tercera edad, la decadente iglesia institucional habría de ser transformada en una verdadera iglesia espiritual. La purificación de la iglesia y la conversión de los judíos y los gentiles durante la edad del Espíritu, serían señales del advenimiento de Cristo para establecer su reino de mil años sobre la tierra.[1]

La visión profética de Joaquín de Fiore ha ejercido una gran influencia en la historia de la iglesia y muchos movimientos políticos. Se puede afirmar que las ideas de Joaquín, en cuanto al establecimiento de una perfecta comunidad humana en el mundo, han tenido su influencia en las utopías de Tomás Moro y Francisco Bacon. Además, se observa su influencia en el intento de Tomás Münzer para establecer el "reino de los santos" en el tiempo de la Reforma. Algo de la visión de Joaquín de Fiore

---

[1] Eliade, Mircea, *Historia de las Creencias y de las Ideas Religiosas* (Madrid, Ediciones Cristiandad, 1983), Tomo III/1, pp. 120-123.

perdura en los esfuerzos del Marxismo para establecer una sociedad justa dentro de la historia.[2]

La idea de un reino milenial en la tierra siempre ha llevado dentro de sí las semillas que pudieran ser utilizadas para justificar levantamientos populares y revoluciones sociales en el mundo. Por lo tanto, la iglesia tradicional siempre ha buscado la manera de impedir la propagación de semejantes ideas milenialistas. Desde el tiempo de la primera cruzada hasta el tiempo de los anabaptistas en el siglo XVI, han surgido movimientos milenialistas en la historia de la Europa occidental. También en la teología de la liberación se habla mucho de las utopías como vehículos de denuncia. Por medio de las visiones utópicas de una sociedad justa e igualitaria en la tierra, los pobres y los oprimidos pueden demostrar cuán lejos de Dios están las estructuras existentes del nuevo mundo. Históricamente las clases oprimidas han usado profecías y visiones utópicas para demandar una distribución más equitativa de los recursos materiales del planeta.

Las ideas de Joaquín de Fiore, entonces, desempeñaron un papel importante durante las guerras de los campesinos alemanes en el período de la Reforma. No obstante, donde más impactaron las ideas de Joaquín, sin lugar a dudas, fue dentro del movimiento de los Franciscanos Espirituales.

Joaquín, o uno de sus discípulos escribiendo en su nombre, profetizó que la tercera edad del Espíritu habría de ser inaugurada por un nuevo Adán o nuevo Cristo, el cual sería el fundador de una nueva orden monástica.[3] Este nuevo Mesías ayudaría a transformar la iglesia papal en una iglesia espiritual, en la cual todos seguirían una vida contemplativa, practicando la pobreza apostólica y gozando de una naturaleza angelical.[4] Algunos escritores franciscanos identificaron a este mesías profetizado con su fundador, San Francisco de Asís. Así, la fundación de la Orden Franciscana era, para los Franciscanos Espirituales, una prueba de que la iglesia estaba en los últimos tiempos y que el Reino de Cristo era inminente.

Los Franciscanos Espirituales, siguiendo las enseñanzas de San Francisco y de Joaquín de Fiore, buscaron conformar sus labores misioneras

---

[2] Braaten, Carl E., *The Apostolic Imperative* (Minneapolis, Augsburg Publishing House, 1985), pp. 82-83.

[3] Phelan, *Op. Cit.*, p. 14.

[4] *Ibid.*, p. 15.

al modelo establecido por los doce apóstoles de Jesucristo. Aspiraron volver a la Edad de Oro de la iglesia apostólica. Con su movimiento de reforma, Francisco de Asís intentó escapar de los vicios y corrupciones, cosas que consideraba el resultado de la riqueza y el poder que habían invadido al pueblo de Dios. A fin de purificar a la iglesia y a la sociedad, Francisco y sus seguidores quisieron volver a la pobreza y a la pureza de la iglesia primitiva. Se pensó que un retorno a la pobreza de los primeros cristianos pudiera dar a los cristianos un nuevo nacimiento, en el cual los fieles tendrían la sencillez y la inocencia de Adán. Los discípulos de Joaquín de Fiore profetizaron que durante la tercera edad, la del Espíritu, todos los seres humanos alcanzarían la perfección de los ángeles celestiales.

La oposición oficial a los Espirituales y al joaquinismo

La idea de la pobreza llegó a ser una de las señales de la verdadera iglesia tanto para los Espirituales como para los joaquinistas. En capítulos posteriores se verá cómo la teología de la liberación está pregonando una nueva forma de esta creencia. La pobreza, para los Franciscanos Espirituales, era considerada como "el octavo sacramento." La Santa Sede, preocupada por las denuncias y el fanatismo de los Franciscanos Espirituales, apoyó durante la polémica, al bando contrario: los Franciscanos Conventuales. Las predicaciones de los Espirituales, dirigida a reemplazar a la iglesia carnal de los papas con una iglesia del Espíritu Santo, no fueron bien recibidas en Roma. Finalmente, el papa Juan XXII declaró que los Franciscanos Espirituales eran herejes, por lo cual dicha Orden fue suprimida. Más tarde se organizó un nuevo grupo de Franciscanos, los Observantes, los cuales siguieron en la tradición de los Espirituales, pero con menor fanatismo.

La iglesia oficial también buscó la manera de apagar el fuego apocalíptico de los seguidores del místico de Calabria. Joaquín de Fiore fue condenado por el Cuarto Concilio Lateranense por enseñar el triteísmo. En la perspectiva de Joaquín, las tres personas de la Santa Trinidad no formaron una unidad íntima sino, más bien, fueron como tres amigos. Su unidad fue meramente colectiva, aparente, y no esencial. Debido a su condenación, el movimiento joaquinista menguó por algunos siglos. Sin embargo, en los días de Fernando e Isabel la Católica, el movimiento comenzó a recobrar fuerzas. Importantes eventos históricos sirvieron para provocar un nuevo brote del joaquinismo dentro de las filas de los Franciscanos Observantes.

Los franciscanos y la gran comisión

Desde el principio de su movimiento, los franciscanos habían estado profundamente interesados en la evangelización del mundo. Recuérdese que el propio San Francisco de Asís fue a Egipto, donde logró una entrevista con el Sultán e intentó convertirlo a Cristo. También fue un franciscano, fray Juan Pian de Carpine, el que, durante sus viajes evangelísticos, descubrió una ruta por tierra al Lejano Oriente (1245-1247). Los franciscanos, ansiando cumplir con la gran comisión y así contribuir al apresuramiento de la segunda venida de Cristo, comenzaron a enviar misioneros a la China a fin de convertir a los gentiles del Lejano Oriente. La dinastía del Gengis Kan había adoptado una actitud de tolerancia hacia los misioneros franciscanos y permitió que predicasen el evangelio.

La labor de los misioneros franciscanos en el Lejano Oriente terminó al convertirse los tártaro al Islam. Este evento significó el cierre de la ruta terrestre utilizada por los misioneros para llegar al Lejano Oriente. ¿Cómo sería posible en esa nueva situación para los misioneros llegar a la China y al Japón a convertir a los gentiles y asegurar así el cumplimiento de la profecía que afirmaba que era necesario predicar el evangelio a todas las naciones antes de la venida del Reino de Cristo? Los portugueses intentaron flanquear a los mahometanos y alcanzar el Lejano Oriente costeando el continente africano. El explorador portugués, Vasco da Gama, logró llegar hasta el Océano Indico en el año 1499. Estos viajes de exploración comenzaron a reavivar en los franciscanos, así como en muchos otros cristianos, sus esperanzas mesiánicas.

Las profecías de Joaquín de Fiore se tornaron populares de nuevo y fueron estudiadas y leídas por muchos. A mediados del siglo XIV, otro profeta de Calabria, Johannis de Rupescissa, profetizó que los Tártaro y los Judíos habrían de convertirse y los mahometanos serían derrotados. Después de un corto tiempo de tribulación vendría el fin. Johannis era un precursor de Colón, quien como ya hemos visto, fue animado por la visión de convertir a todas las naciones del mundo, y así apresurar el fin del mundo y el establecimiento del Reino milenial de Cristo.

La influencia del joaquinismo en la Edad de la Conquista

Francisco Ximénes de Cisneros, uno de los personajes claves en la historia de la iglesia española, recibió mucha influencia del espíritu e ideales de Joaquín de Fiore. Este hombre fue un miembro de la Orden de los Franciscanos Observantes; llegó a ser arzobispo de Toledo y primado de toda la iglesia española. Fue nombrado confesor de su majestad, la reina Isabel la Católica. Apoyándose en los ideales humanistas de Erasmo de Rotterdam y la visión profética de Joaquín de Fiore, este gran eclesiástico reformó al clero español teniendo como guía los principios de su orden franciscana. Fue un gran estudiante de las letras y de la Biblia. Fundó la Universidad de Alcalá y publicó la versión políglota de las Sagradas Escrituras. Este franciscano, con el paso del tiempo, se convirtió en cardenal de la iglesia. Con este oficio también fue designado para desempeñar las funciones reales mientras que el rey estuviera fuera de España.[5]

Sin embargo, Cisneros y Colón no eran los únicos que recibieron inspiración de las profecías de Joaquín de Fiore en la Edad de la Exploración y de la Conquista. Otros personajes que también fueron animados por la visión milenial de Joaquín fueron el misionero e historiador Jerónimo de Mendieta y el primer obispo de México, Juan de Zumárraga. Zumárraga fue un Franciscano Observante y discípulo de Erasmo y Tomás Moro. El fracasado experimento de los franciscanos para fundar una colonia ideal en Cumaná, utilizando medios pacíficos, se fundamentó, por lo menos en parte, en la visión joaquiniana de una sociedad perfecta. El ministro general de la Orden de San Francisco, Francisco de los Ángeles, se despidió de los doce apóstoles franciscanos en la víspera de su salida a México con palabras que hicieron referencia a la misión de aquellos como la última proclamación del evangelio antes del fin del mundo.[6] Personajes católicos como De los Ángeles, estaban convencidos que vivían en los últimos tiempos. Todas las profecías, a su juicio, estaban cumpliéndose. El evangelio estaba llegando al fin del mundo y el anticristo había anunciado su llegada. Para los teólogos españoles, Lutero era el verdadero anticristo y su reforma era la abominación desoladora profetizada por nuestro Señor Jesucristo. Sin lugar a dudas, el regreso de Cristo era inminente.

Otro aspecto fascinante en el estudio de la misiología de los conquistadores, es el hecho de que muchos cristianos, en la Edad de la Exploración, creyeron que los indios americanos provenían de las diez

---

5 *Ibid.*, p. 15.

6 *Ibid.*, p. 23.

tribus perdidas de la antigua nación de Israel. Según Apocalipsis 7.4–9 las tribus perdidas debían reaparecer en el día del juicio final.[7] Mendieta creyó que Quetzalcóatl, de quien hablaban los aztecas, era realmente el mesías que esperaban los judíos. Creyó que los indios de las Américas eran descendientes de los judíos que habían escapado de la destrucción de Jerusalén realizada por Tito y Vespaciano en el año 70 d.c. Al llegar al Nuevo Mundo, los judíos, en sus peregrinaciones, se convirtieron en indios, al olvidar el alfabeto, el rito de la circuncisión, y la avaricia de sus antepasados.[8]

Otros escritores, como el domínico Durán, afirmaron que la conquista de los indios, realizada por los españoles, fue un castigo divino que Dios impuso a las diez tribus por su idolatría. Los franciscanos Motolinía y Juan de Torquemada también compartieron esta opinión. El origen judío de los indios fue una idea que se hizo muy popular, no solamente entre los españoles, sino también entre algunos protestantes eminentes como John Eliot, Roger Williams y Cotton Mather.[9] Más tarde, esta idea popular fue retomada por José Smith convirtiéndose en uno de los conceptos claves del Libro de Mormón.

Interpretación tipológica en la misiología de Mendieta

Para apreciar el impacto de cómo una interpretación apocalíptica y tipológica de las Escrituras puede influir en el desarrollo de la teoría y práctica de la misiología, se retornará a Fray Jerónimo de Mendieta, O.F.M. Jerónimo de Mendieta nació en Vitoria, España en 1525. Fue el último de los cuarenta hijos legítimos que tuvo su padre con sus tres esposas. A temprana edad, Mendieta se hizo franciscano y pronto se embarcó para dedicar su vida en la evangelización de la Nueva España. Con la excepción de una visita a su tierra natal, Mendieta dedicó toda su vida a trabajar en la evangelización de los indios de México. Su importante y fascinante libro *Historia Eclesiástica Indiana* es uno de los mejores recursos de información acerca de la evangelización en el México colonial.

---

7 *Ibíd.*, p. 24.

8 *Ibíd.*, p. 26.

9 *Ibíd.*, p. 26.

La *Historia Eclesiástica Indiana* de Mendieta ilustra la importancia que tiene la elaboración de una misiología bíblica. Una teología de misiones tendrá una influencia grande en los métodos evangelísticos escogidos por los misioneros. La visión milenialista y la interpretación tipológica empleada por Mendieta, lo obligó a dar una importancia singular al papel desempeñado por Hernán Cortés en la conquista del Nuevo Mundo. En la perspectiva de Mendieta, fue la providencia divina la que había escogido a Cortés para conquistar a los aztecas y así abrir la puerta al Nuevo Mundo a los evangelizadores de los indios.[10]

En la misiología tipológica de Mendieta y sus correligionarios, Cortés era el nuevo Moisés que Dios había escogido y enviado para librar a los pueblos americanos. Dios oyó el clamor de los miles de indios, quienes fueron sacrificados sobre los altares del dios azteca de la guerra, Huitzilopochtli. Respondiendo al clamor de su pueblo, Cortés fue enviado al Nuevo Mundo como el salvador del pueblo oprimido. Según *La Historia Eclesiástica Indiana*, Hernán Cortés nació el mismo día del año 1485 en que el templo de Huitzilopochtli fue dedicado con el sacrificio de 80.000 pobres infelices.[11] Como nuevo Moisés, Cortés condujo al pueblo escogido de la tierra de servidumbre a la tierra prometida, la cual era la Santa Iglesia Apostólica y Romana. El líder y opresor pagano de los aztecas desempeñaba el papel de un nuevo faraón. Cortés, como Moisés, tuvo que hablarle al faraón por medio de intérpretes. La victoria de Cortés con su pequeña banda de seguidores sobre tantos miles de enemigos era prueba indiscutible de que el conquistador fue guiado por la providencia divina.

Mendieta afirmó que mientras el nuevo Moisés estaba construyendo la iglesia de Dios en el Nuevo Mundo, Lutero, el anticristo, estaba destruyendo la iglesia en el Viejo Mundo.[12] Para Mendieta, el acto más loable realizado por Cortés fue la bienvenida que concedió a los doce apóstoles franciscanos a su llegada a la Ciudad de México en la primavera de 1524. Arrodillándose delante de los santos padres, Cortés besó sus manos. Aquí el conquistador, bajo la inspiración del Espíritu Santo, logró conquistarse a sí mismo. En otra crónica, el discípulo de Mendieta, Juan de Torquemada, afirmó que Cortés se despojó de su manto y lo extendió en el

---

10 *Ibíd.*, p. 29.

11 *Ibíd.*, p. 30.

12 *Ibíd.*, p. 32.

camino ante los doce apóstoles para que les sirviera de alfombra. La entrada de los doce apóstoles a la ciudad santa de los aztecas corresponde a la entrada triunfal de Jesucristo en Jerusalén en el Domingo de Ramos. El gesto de Cortés no significó que él había sido conquistado por los frailes, sino que los frailes habían sido conquistados por Cortés.[13]

Mendieta aprobó la desconfianza que Cortés tuvo hacia el clero secular. Escribió a Carlos V pidiendo que los poderes episcopales fueran dados a los padres franciscanos a fin de que los frailes fuesen los administradores de la iglesia del Nuevo Mundo. En la misiología de Mendieta, la conquista fue una obra divina en la que los frailes y Cortés fueron los instrumentos de la voluntad divina. Cortés fue el conquistador de los cuerpos de los indígenas mientras que los franciscanos fueron los conquistadores de las almas.

La Edad de Oro en la evangelización de México

Según Mendieta, el tiempo entre 1524 y 1564 fue la Edad de Oro de la Iglesia Indiana. Este período correspondió, en la interpretación tipológica de Mendieta, al tiempo de la monarquía en el Antiguo Testamento. El tiempo después de 1564, en cambio, correspondió al tiempo de la Cautividad Babilónica y las tribulaciones del libro del Apocalipsis. La época de Carlos V fue la Edad de Oro en la cual los franciscanos creyeron factible la construcción del reino milenial de Dios en las tierras del Nuevo Mundo. Aquí, en las tierras vírgenes de la Nueva España, los frailes tuvieron la oportunidad de construir aquella iglesia espiritual profetizada por Joaquín de Fiore. La iglesia del Viejo Mundo era un caso perdido. La corrupción del papado, el nominalismo de las masas, y las herejías de los luteranos, la habían hundido. Sin embargo, en el Nuevo Mundo existió la posibilidad de realizar el sueño del profeta calabrés. Sabemos que Vasco de Quiroga, quien entre 1530-1535 fue el primer obispo de Michoacán y fundador de los celebrados hospitales de la Santa Fe, se inspiró en el libro *Utopia* de Tomás Moro, por lo cual también compartió la visión de construir una iglesia perfecta en el Nuevo Mundo.

Lamentablemente, cuando Mendieta estaba escribiendo su crónica, el sueño ya estaba comenzando a esfumarse. Los franciscanos comenzaron

13 *Ibid.*, p. 35.

a perder sus privilegios bajo el gobierno del nuevo rey español, Felipe II. El clero secular, con sus malas costumbres y su falta de dedicación apostólica, amenazó con destruir todo lo que los frailes habían logrado. Un peligro aún más grande se cernía en el horizonte: los hijos rescatados de la servidumbre del faraón azteca estaban siendo aniquilados.

Los estudios hechos por Borah, Cook y Simpson[14] indican que cuando llegaron los españoles a la Nueva España en 1519, existían 25.200.000 indios viviendo principalmente en lo que hoy es la República Mexicana. En el año 1548 quedaban solamente 6.300.000. Hacia el año 1605 este número se redujo a 1.075.000. Epidemias de viruela y sarampión diezmaron la población en los años 1576–1579; de nuevo las epidemias brotaron entre 1595-1596 provocando una alarmante disminución de la población indígena. Los frailes se preguntaron: ¿Qué dirán los pobres indios de una religión que viene acompañada de enfermedades tan terribles? ¿Perderán su fe? Los indios no perdieron su fe por causa de las epidemias y la mortandad. Las epidemias ayudaron a aumentar la fe de los indígenas debido a que la nueva fe ofreció a los indios algo que no tenían antes: la esperanza ante la muerte.

El domínico Betanzos, también conocido como el apóstol de México, había emitido una profecía según la cual Dios habría de despoblar al Nuevo Mundo de sus habitantes originales como castigo por los sacrificios humanos y el paganismo practicado por ellos. Mendieta interpretó la causa de las epidemias de una forma distinta: Dios estaba llenando los puestos vacantes en el cielo con los indios, y estaba así castigando a los españoles por su maltrato hacia los indígenas. Ahora, los españoles tendrían que dedicarse a cultivar la tierra con el sudor de sus rostros porque no quedaban indios para servir como sus esclavos. Mendieta también afirmó que las epidemias significaban la venida de las tribulaciones finales que tenían que ocurrir antes del fin del mundo.[15]

---

[14] Citados en Gibson, Charles, *Los Aztecas Bajo el Dominio Español* (México D. F., Siglo Veintiuno Editores S. A., 1986), p. 96.

[15] Phelan, *Op. Cit.*, p. 96.

Los franciscanos como protectores de los indios

La Edad de Oro terminó con las epidemias, con el poder creciente del clero secular y con la llegada de los jesuitas en 1574. Mendieta lamentó amargamente la pérdida de la jurisdicción exclusiva que gozaban los franciscanos sobre los indios. Los franciscanos lucharon para defender sus privilegios, no tanto porque codiciaban el poder y la autoridad, sino porque deseaban proteger a los indios de la explotación de los encomenderos, de las malas costumbres de los laicos españoles y los miembros del clero secular. También anhelaron la oportunidad de poner en práctica su sueño de construir una iglesia dedicada a la pobreza evangélica. Había sido el sueño de San Francisco de Asís y sus seguidores ayudar a engendrar una verdadera iglesia espiritual, una iglesia no contaminada por los vicios de obispos y cardenales ansiosos de riqueza y poder eclesiástico. Los intentos de los franciscanos para construir tal iglesia en la Europa medieval fueron frustrados por el sistema, los cristianos falsos y el diablo.

Para los franciscanos, el Nuevo Mundo era el lugar ideal para construir su utopía espiritual. El Viejo Mundo ya no tenía salvación. A juicio de Mendieta, la iglesia de los frailes y los indios era la Ciudad de Dios mientras que la iglesia de los laicos españoles y el clero secular era la Ciudad del Hombre. Siglos más tarde, filósofos franceses, como A. C. Condorcet, también llegaron a creer que el Nuevo Mundo era el lugar ideal donde se podía realizar el viejo sueño humanista de la perfecta sociedad democrática. Debido a tal ideal, Condorcet apoyó la revolución norteamericana.

A fin de no perder la oportunidad de levantar entre los indios la iglesia espiritual de la tercera edad del Espíritu, Mendieta y sus hermanos franciscanos lucharon para proteger de toda influencia nociva a los nuevos cristianos del continente americano. Para Sepúlveda, los indios eran menos civilizados que los españoles. Por lo tanto, necesitaban guardianes para civilizarlos y gradualmente educarlos hasta que llegasen al nivel de los españoles. Mendieta, en oposición a Sepúlveda, afirmó que los indios en su puerilidad e inocencia no eran inferiores sino superiores a los españoles. Los indios eran como aquellos niños de quienes dijo el Señor en Mateo 18.3 "De cierto os digo, que si no os volvéis y os hacéis como niños, no entraréis en el reino de los cielos".[16]

---

[16] *Ibid.*, p. 66.

Para Mendieta, el indio era el salvaje noble, por lo que no necesitaba recibir la ordenación eclesiástica, pues ya era poseedor de una perfección que había recibido de su Creador.[17] Además, el indio practicaba por naturaleza aquellas virtudes que nuestro Señor había requerido de sus discípulos en el sermón del monte. En capítulos posteriores se verá cómo el romanticismo por parte de Mendieta y otros hacia los indígenas se parece actualmente al romanticismo de los teólogos de la liberación hacia los pobres. En opinión de los padres franciscanos, los indios no debían ser gobernados por la ley romana; tal ley era demasiado sofisticada para sus pequeños hijos espirituales. Sostuvieron que era mejor dejar a los indios vivir bajo la dirección paternalista de los buenos hermanos de la Orden de San Francisco.

La gran falla en la misiología paternalista de los buenos hermanos franciscanos consistió en que, en su afán de apartar y proteger a los indios de los vicios de la sociedad española, descuidaron la importantísima tarea de preparar la nueva sociedad indiana para gobernarse y desarrollarse por sí misma. Pasaron por alto la tarea de preparar líderes indígenas para guiar los destinos de la nueva Iglesia Indiana. Los indios se convirtieron en dependientes de la protección que les brindaban los padres franciscanos. Esto se hace claro cuando los indígenas carecieron de los medios para dirigir su propio destino, al presentarse los sucesivos eventos históricos que llevaron a la Iglesia Indiana a enfrentar las cambiantes realidades del proceso histórico. Cuando se muere el padre del hijo sobreprotegido, el niño encuentra problemas insuperables y termina entregándose ciegamente a otras fuerzas y a otros movimientos que prometen llenar la carente protección paternal. El error del paternalismo franciscano y de todo paternalismo misionero fue, para usar la terminología de Gustavo Gutiérrez, que los pobres no fueron concientizados para ser los sujetos de su propia liberación. Podemos apreciar esta verdad al ver la forma en que la Edad de Oro de la evangelización franciscana se reemplazó por una Edad de Plata.

La Edad de Plata en la evangelización de México

Con la muerte de Carlos V y la coronación de su hijo Felipe II, entró un nuevo espíritu anti-franciscano en el Consejo de Las Indias. Este consejo, por cierto, fue la organización suprema para determinar la política

---

[17] *Ibid.*, p. 67.

a seguir en los asuntos relacionados con los indígenas. Por aquél entonces se determinó enviar al visitador Valderrama al Nuevo Mundo para buscar la forma de incrementar los tributos que debían pagar los indios a la corona. Debido a que los franciscanos intentaron obstruir que la corona explotara aún más a los indios, el Consejo de las Indias quitó a los franciscanos gran parte de la autoridad que habían ejercido sobre la sociedad indígena. El clero secular comenzó a reemplazar a los franciscanos en muchas partes.

Como los indios habían sido criados para permanecer como niños, comenzaron a copiar todos los vicios de los españoles, entre ellos la borrachera, el robo y el adulterio. La filosofía consistente en imponer la cultura hispana, llegó a prevalecer más y más en el Consejo de Las Indias. Es decir, la mejor manera de convertir a los indios en buenos cristianos, fue convertirlos en buenos españoles primero. Y para ello sólo bastaba darles mayor apertura a la sociedad española. La mejor manera de proveer tal acceso fue obligar a los indios a trabajar en las encomiendas. De esta manera, los indios serían obligados a aprender el español. Los franciscanos lucharon contra todos los intentos de imponer la cultura hispana entre los indios. Mendieta acusó a los españoles de ser judaizantes que buscaban imponer su cultura sobre los nuevos creyentes gentiles. Él hubiera preferido que los nuevos creyentes fueran cristianos-aztecas en lugar de cristianos-hispanos.

La peor plaga que cayó sobre los indios fue el repartimiento. La corona pretendió reemplazar el sistema de la encomienda con el sistema del repartimiento. El repartimiento fue un sistema de trabajos forzados a cambio de cierta remuneración. Todos los varones adultos, sin contar los artesanos y ciertos miembros de la nobleza indígena, fueron obligados a ofrecer sus servicios a los españoles por un tiempo determinado devengando un salario. El virrey o la audiencia tenían la autoridad de establecer un repartimiento para el servicio en las minas o en la agricultura. Los franciscanos lucharon contra los repartimientos de la misma forma como Las Casas había luchado contra las encomiendas. Siguiendo las enseñanzas de los grandes escolásticos franciscanos como Buenaventura, Juan Duns Escoto, y Guillermo de Occam, los frailes enfatizaron la evangelización aplicando el buen ejemplo y rechazando la fuerza. Los franciscanos protestaron por el hecho de que los indios habían sido obligados a trabajar como esclavos en terrenos que una vez les pertenecieron. Mendieta comparó los repartimientos a la servidumbre en la cual vivían los hebreos en Egipto. Hicieron una protesta formal al Consejo de Las Indias en 1594, la cual fue ignorada. Entristecido, Mendieta profetizó que por su avaricia y descuido de las almas indígenas, Dios habría de quitar a España su elección como pueblo prometido de Dios. Como castigo España sufriría el fracaso en su lucha contra los ingleses y los herejes en Europa. Además España, debido a sus pecados, sufriría el colapso de su economía. Aunque la mayoría de las profecías de Mendieta se cumplieron, éstas fueron desechadas por las autoridades del Consejo de Las Indias. Se prohibió la publicación de los libros del historiador franciscano. Como resultado la monumental obra de Mendieta, La *Historia Eclesiástica Indiana* no se publicó sino hasta 1870.

Lecturas adicionales:

1. Eliade, Mircea, *Historia de Las Creencias y de las Ideas Religiosas* (Madrid, Ediciones Cristiandad, 1983), Tomo III/1 , páginas 120-123.

2. González, Justo L., *La Era de Los Conquistadores* (Miami, Editorial Caribe, 1980), capítulos IV-VI, páginas 69-126.

3. Mackay, Juan, *El Otro Cristo Español* (México, Casa Unida de Publicaciones, Segunda Edición 1988), capítulos II-III, páginas 50-82.

3

Métodos misioneros en la Era de los Conquistadores

Nos toca ahora considerar más detenidamente los métodos misioneros usados por los padres franciscanos, domínicos y agustinos. Al leer algunas de las obras que tienen que ver con los métodos de Bartolomé de Las Casas, se destaca que existió una aguda discrepancia entre los domínicos que se aliaron a Las Casas, por un lado, y los franciscanos, como Motolinía, uno de los 12 apóstoles franciscanos de México, por otro lado. Las Casas y Motolinía, por medio de sus escritos, polemizaron amargamente. No obstante, ambos profesaban un intenso amor por los indios. Ellos anhelaban establecer entre los nativos una verdadera iglesia apostólica, libre de los errores de las iglesias europeas. Pero Motolinía y los franciscanos, por su adherencia a las visiones apocalípticas de Joaquín de Fiore, a diferencia de Las Casas, creyeron que faltaban pocos años para el fin del mundo. Los franciscanos dieron prioridad a la tarea de salvar el mayor número de almas indianas antes del día del juicio final.

La queja de los franciscanos contra los métodos pacíficos de Las Casas fue que éstos se prolongaban demasiado. Sostenían que no había suficiente tiempo para convertir a todos los indios mediante los métodos pacíficos y lentos de Las Casas, pues el fin del mundo era inminente. Por lo tanto, los franciscanos estaban dispuestos a aceptar las encomiendas como un mal necesario para la conversión de los indios. Las encomiendas eran deshumanizantes, pero servirían para convertir más indios en el poco tiempo que restaba antes del retorno de Cristo. Debido a su teología apocalíptica, los franciscanos estaban dispuestos a convivir con una institución injusta porque, según ellos, el fin justificaba los medios. Las Casas jamás pudo aceptar semejante cosa.

Tábula rasa y preparación providencial

La mayoría de los misioneros en el Nuevo Mundo eran partidarios de una filosofía de misiones que ha sido denominada "tábula rasa" o "tabla rasa", porque pretende eliminar todo rastro de la vieja religión, tanto en contenido como en forma. La teoría de "tabla rasa" busca que el corazón sea como una hoja de papel limpia en la cual se ha borrado todo vestigio de las viejas creencias. Sobre esta hoja limpia sería posible escribir las doctrinas de la nueva fe. Para el año 1560, los frailes que trabajaron en México llegaron a creer que había tenido éxito su lucha por desterrar totalmente la vieja religión. Motolinía escribió que ya todos los elementos de la vieja religión habían sido eliminados. Sin embargo, la realidad no fue así.

La "tabla rasa" no fue la única filosofía de evangelización utilizada por las órdenes monásticas en su empresa misionera. La otra filosofía principal de evangelización pudiera ser denominada "preparación providencial." Según ésta, aún entre los pueblos más primitivos y salvajes, existe un residuo de la verdad, una chispa del conocimiento divino y un deseo por encontrar la luz verdadera. Los que abogaban a favor de esta teología de misión esperaban encontrar en la vieja religión algunas semejanzas con la religión cristiana que pudieran servir como puntos de contacto o puentes por medio de los cuales la comunicación del evangelio pudiera efectuarse.

El misionero agustino Bartolomé Díaz fue un fraile que experimentó con los métodos misioneros guiados por el concepto de "la preparación providencial." Díaz realizó su labor evangelística en Mucuchíes, en la parte oriental de Venezuela. Al rechazar la idea de reducir a las tribus indígenas al estilo de los misioneros en Puerto Rico, Cuba y la Isla Española, el padre Díaz buscó a los indios que habían huido de los españoles, y vivió entre ellos adaptándose a su estilo de vida. En lugar de prohibir los ritos y danzas de los nativos, permitió que estas ceremonias fueran ofrecidas a la Eucaristía y no al sol. Disfraces y música nativa fueron utilizados en la celebración de fiestas católicas tales como la Fiesta de Corpus Christi.[1]

Los antropólogos que han estudiado las religiones pre-colombinas señalan un sorprendente número de semejanzas entre la nueva fe y las culturas indígenas que pudieron haber sido utilizadas como analogías redentoras o puentes ideológicos de comunicación. Por ejemplo, el gran dios azteca Huitzilopochtli, según dicen, nació de una virgen.[2] Los aztecas también empleaban la cruz como un símbolo de los cuatro rincones del

---

[1] Campo del Pozo, F., *Los Agustinos en la Evangelización de Venezuela* (Caracas, Universidad Católica Andrés Bello, 1979), p. 67.

[2] Gibson, Charles, *Los Aztecas Bajo el Dominio Español* (México D. F., Siglo Veintiuno Editores S. A., 1986), p. 98.

universo y como un atributo de los dioses del viento y la lluvia. Los aztecas celebraban una ceremonia parecida a la Santa Cena en la cual hacían con una masa representaciones de los dioses que posteriormente eran comidas por los fieles. Niños aztecas, recién nacidos, recibían una forma de bautismo para purificarlos de las influencias malignas y darles un nuevo nacimiento por medio de la Madre Agua.[3]

En la vieja religión de México se practicaban la confesión y una penitencia sangrienta. La mayoría de las tribus indígenas creían en un alma inmortal, que después de la vida terrenal, iba o al cielo o al infierno. Sin embargo, el destino del alma no dependía de la fe o de consideraciones morales sino de las circunstancias bajo las cuales le sobrevino la muerte al individuo. Morir como víctima en un sacrificio humano era una manera segura para obtener la dicha eterna.

Sin embargo, el hecho de que existieran tantas semejanzas y analogías entre la nueva fe y la vieja religión fue considerado por la mayoría de los misioneros no como ventaja, sino como desventaja. Según ellos, estas semejanzas fueron inventadas por el "padre de mentiras" para confundir las mentes de los pobres indios. Por lo tanto, estas analogías satánicas tenían que ser extirpadas en su totalidad. Los siete siglos de lucha en contra de los musulmanes y las herejías de los reformadores luteranos habían infundido en los misioneros católicos una fuerte antipatía en contra de las ideas heterodoxas. Más tarde, la teoría de la preparación providencial se popularizó entre los misioneros católicos. Al principio del siglo XX, el gran misionero y antropólogo de la Sociedad de la Divina Palabra, el padre Wilhelm Schmidt, enseñó que en todas las culturas quedan residuos de la verdadera fe que no fue completamente destruida por la caída en el pecado de la raza humana. Según el padre Schmidt, estos residuos o recuerdos de la verdad divina, deben servir como puentes de comunicación para ayudar al misionero a proclamar la fe a quienes no son cristianos. Recientemente el misionero evangélico, Don Richardson, ha escrito varios libros sobre este tema. *Hijo de Paz* es el más conocido.

Los métodos misioneros de los frailes

A pesar de su teología tan conservadora y rígida, los primeros misioneros en el Nuevo Mundo emplearon una sorprendente variedad de métodos y estrategias evangelísticas. Combinando estos métodos misione-

---

[3] *Ibíd.*, p. 99.

ros con un gran celo evangelístico, los frailes lograron grandes éxitos. A diferencia del clero secular, la gran mayoría de los misioneros franciscanos, domínicos, y agustinos, que llegaron a América Latina durante las primeras décadas del siglo XVI fueron personas sumamente dedicadas.

En su esfuerzo para reformar la iglesia en España, el cardenal Ximénez de Cisneros, había reorganizado y revitalizado las órdenes monásticas. Llenos del fervor misionero, muchos frailes que habían sido tocados por las reformas de Cisneros, salieron de su país natal y jamás volvieron a España después de llegar al Nuevo Mundo. Muchos de ellos sucumbieron ante las enfermedades desconocidas de las nuevas tierras, pero otros pasaron hasta cincuenta años predicando el evangelio a los nativos del Nuevo Mundo. Gracias a los esfuerzos de estos misioneros la religión católicorromana llegó a ser identificada con la América Latina. Un estudio y evaluación de los métodos misioneros utilizados por estos evangelizadores monásticos contribuirá a asimilar algunas lecciones valiosas en cuanto a la comunicación transcultural del evangelio.

Método 1: La predicación misionera

El contenido de las predicaciones de los misioneros españoles casi siempre tenía que ver con la catequética. La predicación misionera fue considerada como una subdivisión de la catequética. Al estudiar su predicación evangelística, uno se percata de la gran variedad y de la experimentación que emplearon los frailes en su afán por comunicar la fe a los inconversos. Más de cien diferentes catecismos fueron empleados durante los primeros cien años de la empresa misionera.

Algunos frailes usaron catecismos basados en la Doctrina Pueril del gran misiólogo Raimundo Lulio, mientras que otros emplearon el catecismo que había preparado Pedro de Alcalá para ser usado en la conversión de los Moros en Granada. Bartolomé de Las Casas, como San Francisco Javier, prefirió utilizar un catecismo escrito por San Agustín, a saber: *De Catechizandis Rudibus.*

Acompañados de música y cantos para atraer a la gente, los predicadores misioneros proclamaron los misterios de la fe por medio de grandes carteles que colocaban en los mercados, plazas y otros lugares públicos. Los carteles proclamaban las glorias del cielo y las agonías del infierno. En las gráficas, tanto el infierno como el cielo, estaban poblados con grandes cantidades de indios de la misma tribu, a la cual se dirigía el predicador. Al recibir la pregunta del por qué algunos indios estaban en el infierno y otros en el cielo, el predicador contestaba: "Los indios condenados están en el infierno porque se han negado a abandonar la idolatría, la borrachera y la poligamia. Los indios que gozan de la dicha eterna son aquéllos que han sido bautizados, que aprendieron el catecismo, y que participaron en los ritos y sacramentos de la Santa Iglesia." En otros carteles fueron trazadas representaciones del "barco de la salvación", en el que los indios que aparecían abordo, tenían que vencer toda clase de pruebas y tentaciones antes de alcanzar la ciudad celestial.

Un cierto fraile franciscano, Jacobo de Testera, viajaba de pueblo en pueblo llevando grandes carteles que representaban muy gráficamente los sacramentos, el catecismo, el cielo, el infierno y el purgatorio. El mismo fray Testera mandó construirse un horno portátil que llevaba siempre consigo en sus viajes evangelizadores para demostrar las agonías del infierno. Después de calentar el horno al rojo vivo, el fraile lanzaba al horno cierto número de perros, gatos y otros animales vivos. Los horripilantes alaridos de los desafortunados animales generalmente producían en los indios un profundo espanto y horror.[4]

Aún más efectivo en sus predicaciones misioneras fue el franciscano Antonio de Roa. Fray Antonio acostumbrada acostarse sobre carbones encendidos hasta que no podía soportar más la tortura. Al pararse, cubierto de quemaduras, fray Antonio anunciaba a los indios: "Si después de pocos minutos tendidos sobre los carbones encendidos, el sufrimiento se torna insoportable, ¿cómo aguantarán ustedes una eternidad de tortura semejante en el infierno?" En otras ocasiones, el mismo padre Roa mandaba que sus oyentes se le burlaran, le azotaran, y le escupieran en la cara. Después de aguantar pacientemente todo el maltrato, el padre anunciaba a sus oyentes que eso fue lo que tuvo que soportar Cristo para salvarles de sus pecados.[5] Un método inusual pero efectivo.

Método 2: El uso del drama y del teatro

Uno de los métodos misioneros que dio excelentes resultados a los frailes en la obra evangelizadora de los nativos fue el teatro. Por medio del teatro, grandes concurrencias de indios fueron instruidos en los misterios de

---

[4] Ricard, Robert, *La Conquista Espiritual de México* (México D. F., Fondo de Cultura Económica, 1986), p. 193.

[5] *Ibíd.*, p. 227.

la fe, historias bíblicas y en la historia de la iglesia. Para el año 1530, algunos franciscanos como Fray Luis de Fuensalida y Fray Andrés de Olmos, estaban ocupados escribiendo dramas en las lenguas nativas para ser personificados por un gran número de actores indígenas.

Los dramas más populares tenían que ver con la natividad de San Juan Bautista y Jesús, la batalla de Rodas (en la que los cristianos vencieron a los turcos), el sacrificio de Isaac, la tentación de Cristo, la adoración de los magos, la caída de Adán y Eva, y la predicación de San Francisco de Asís. El propósito de los dramas fue enseñar las doctrinas de la fe y tocar profundamente las emociones de los indoctos. Un observador escribió haber presenciado un drama donde miles de indios estuvieron presentes. Mencionó que esta manera de proclamar la fe resultó ser más efectiva que muchos sermones. Además, el observador se dio cuenta de la manera en que muchos de los nativos lloraron ante el conmovedor espectáculo.

Los dramas fueron contextualizados para tener el máximo impacto en los espectadores. En los dramas aparecían borrachos que cantaban las mismas coplas que solían cantar los beodos del pueblo. Inmediatamente después aparecían demonios muy bien representados cuyo objetivo era llevarse a los alcohólicos al infierno. Las escenas que representaban el juicio real eran efectuadas con un realismo suficiente como para hacer temblar al más valiente de los indios. De las puertas del infierno salían verdaderas llamas y enormes cantidades de humo. El impacto duradero de este "teatro edificante" fue tal que hasta hoy día algunas versiones de los antiguos dramas todavía son representados en algunas comunidades indígenas durante la Semana Santa y otros días de fiesta.[6]

Método 3: El ejemplo de hombres santos

Aunque no era una estrategia misionera planificada, uno de los factores claves en la conversión de muchos nativos fue el ejemplo de santidad que dieron muchos de los frailes que trabajaron y vivieron entre los indios. Este era el caso, especialmente, de muchos franciscanos que se dedicaron a la pobreza con un celo capaz de competir con el fundador de la Orden. Muchos de los franciscanos se identificaron plenamente con los indios entre quienes vivieron. No aceptaron ningún regalo de oro o plata. Solían comer la misma comida que tuvieran los indios sobre sus mesas y siempre andaban descalzos como el más humilde de los indios. Rechazaron

---

6 *Ibíd.*, p. 315.

casas construidas para los colonos españoles. Los frailes misioneros escogieron como sus viviendas las mismas chozas humildes en que vivían los nativos más pobres. Ésta fue la manera en que los franciscanos se ganaron los corazones de miles nuevos conversos.

Método 4: La escuela como estrategia misionera

Bajo la influencia de los ideales educacionales y las reformas eclesiásticas efectuadas por el cardenal Ximénez de Cisneros en España, los misioneros monásticos que desempeñaron sus labores evangelísticas en el Nuevo Mundo también dieron un lugar muy importante al establecimiento de escuelas. Los franciscanos y agustinos estaban particularmente interesados en la educación de los indios. Los frailes que intentaron una evangelización pacífica en Cumaná, Venezuela, fundaron una escuela para jóvenes, esperando convertir a los adultos por medio de los niños ya evangelizados. A través de la América Latina, los franciscanos apreciaron las oportunidades que les brindaban las escuelas como un instrumento para separar a los niños de las prácticas idólatras de sus padres. Por medio de un adoctrinamiento profundo de los niños en la fe y cultura de los españoles, los frailes veían a los niños como instrumentos ideales para la evangelización de sus padres y de su sociedad.

Los franciscanos solían dividir en dos grupos a sus estudiantes. El primer grupo estaba compuesto por los hijos de los caciques y de los nobles. El segundo grupo estaba compuesto por plebeyos. Los hijos de los caciques solían vivir con los mismos misioneros alejados de sus familias. En cambio, los hijos de los plebeyos vivían con sus propias familias. Las materias principales para el primer grupo generalmente eran la lectura, ortografía, matemáticas y música. Se impartía la instrucción en el idioma natal de los indígenas. Sin embargo, se escribía el idioma indígena usando el alfabeto del latín en virtud de que la mayoría de los dialectos nativos carecían de alfabeto.

Para los hijos de los plebeyos, los frailes establecieron escuelas de artesanías y técnicas en las que los jóvenes aprendieron a ser carpinteros, herreros, albañiles, pintores, escultores, músicos y fabricantes de instrumentos musicales. Además eran adiestrados para hacer cerámica y muebles para las iglesias. También aprendieron a ser sastres, pastores de ovejas, encuadernadores y curtidores.

Escuelas para niñas fueron establecidas en algunas áreas. En 1530 Cortés escribió a Europa pidiendo que mujeres pías fuesen enviadas para enseñar a las niñas nativas. Para 1534 se habían fundado cuatro escuelas para niñas. Las niñas aprendían el catecismo, corte y costura y labores domésticas. Entraban en las escuelas cuando tenían siete años, y salían al cumplir los doce años, la edad cuando la mayoría de ellas se casaba. El propósito de estas escuelas era separar a las niñas de los vicios de la sociedad pagana, y enseñarles a ser esposas y madres pías. Muchas de las mujeres empleadas como maestras en estas escuelas fueron franciscanas de la Tercera Orden.

Método 5: El evangelismo laico

Los franciscanos dieron una alta prioridad a la instrucción de los jóvenes, no solamente porque ellos representaban el futuro de la iglesia, sino también porque, en estos jóvenes, encontraron sus más fieles y entusiastas colaboradores. Los niños y jóvenes que se destacaban en aprender el catecismo y en enseñarlo a otros, eran empleados como misioneros a fin de convertir a sus propias familias y pueblos.

Estos misioneros jóvenes comenzaron sus labores evangelísticas enseñando el catecismo a adultos y sirviendo como traductores de frailes. Llegaron a repetir los sermones de los frailes con el más sincero fervor y convicción. También sirvieron como espías de los frailes. Denunciaban a los miembros de sus familias que todavía seguían en las prácticas supersticiosas e idólatras.

Los misioneros se dieron cuenta de que algunos niños tenían extraordinarios dones para evangelizar. Motolinía relata la forma en que dos jóvenes de Tlaxcala, después de su confirmación y primera comunión, salieron para evangelizar en áreas paganas en el interior de su región. Caminaron más de 50 leguas convirtiendo y enseñando a otros indios. Sus labores dieron una cosecha abundante de almas. Otros dos jóvenes, Lucas y Sebastián, que habían recibido su educación en Michoacán bajo los padres franciscanos, pasaron años predicando y convirtiendo a muchos paganos y ganando muchas almas para la iglesia. Más tarde, acompañaron a los frailes a Cibola para trabajar en la evangelización de este viejo centro del culto pagano. Ahí sufrieron el martirio. Otro niño llamado Cristobalito fue asesinado por su propio padre cuando apenas tenía trece años.[7]

---

7 *Ibíd.*, p. 187.

En estos casos vemos cómo el vino nuevo del espíritu llega a reventar los odres viejos de la tradición eclesiástica. Las autoridades de la iglesia institucional habían negado la ordenación a los indios. Sin embargo, estos jóvenes eran utilizados por el Espíritu Santo como ministros laicos para extender el Reino de Cristo. Vemos en repetidas ocasiones cómo el Espíritu no limita sus dones a los que se jactan de haber recibido la ordenación eclesiástica. Aunque los misioneros laicos entre los indígenas eran considerados demasiado indignos para recibir el sacramento de la ordenación, los padres franciscanos les dieron la oportunidad para evangelizar, predicar y enseñar.

Método 6: La arquitectura eclesiástica

Al considerar las estrategias evangelísticas empleadas por los frailes, no se debe pasar por alto el papel de la arquitectura colonial. Los aztecas y los mayas eran experimentados arquitectos cuyos templos todavía atraen a millones de turistas todos los años. Los monumentos construidos por aztecas y mayas servían para declarar la grandeza de los dioses reverenciados por los pueblos nativos. Para impresionar a los nativos de México y Centroamérica con la grandeza del Dios cristiano, los misioneros franciscanos, domínicos y agustinos trataron de levantar casas de adoración superiores a los templos aztecas y mayas. Durante los primeros 100 años de penetración católica en América Latina, el hemisferio se llenó de una asombrosa proliferación de gigantescas iglesias, catedrales y monasterios.

La construcción de estos enormes templos cumplía tres funciones. En primer lugar hicieron visibles a los nativos la grandeza del reino de Dios.[8] Los arquitectos del gran convento en Yurima se jactaban de que esa construcción no era en ningún sentido inferior a la de El Escorial. En segundo lugar, la conversión de millones de nativos hizo necesaria la construcción de edificios suficientemente grandes para acomodar grandes cantidades de personas para la adoración, la confesión, y las clases de catecismo. En los primeros años de la evangelización, los frailes casi no pudieron atender las necesidades espirituales de los millones de convertidos. Durante la Semana Santa miles de indios hacían fila esperando la oportunidad de confesarse. En algunos lugares, los frailes, por falta de personal, tuvieron que limitar a los fieles a cuatro celebraciones de la Santa Cena por año. En otros lugares, los misioneros tuvieron que utilizar los cementerios

---

8 *Ibíd.*, p. 281.

y plazas públicas para la instrucción catequética porque los templos no eran adecuados para acomodar los miles de catecúmenos. En tercer lugar, las gigantescas iglesias y monasterios sirvieron como fortalezas y lugares de refugio donde la población europea podía encontrar protección en caso de sublevaciones indígenas. No es, entonces, casualidad que algunos de los grandes monasterios franciscanos y domínicos en México se asemejen más a castillos que a lugares de recogimiento espiritual. Durante la revolución mexicana, Porfirio Díaz usó el Convento de Santo Domingo en Oaxaca para albergar a su ejército de más de diez mil efectivos.

Estos enormes monasterios y exóticos templos fueron duramente criticados por algunos frailes y autoridades civiles. El gran costo de estos edificios y el lujo que lucían chocaban con la pobreza y la sencillez que defendían San Francisco y San Agustín. La estructura eclesiástica más criticada fue la basílica de Nuestra Señora de Guadalupe. Fueron los miembros del clero secular y los primeros dos obispos de México, Zumárraga y Montúfar, que apoyaron y fomentaron el culto de Guadalupe. La mayoría de los frailes lucharon contra todo lo que tenía que ver con la Morenita. Los franciscanos denunciaron la visión de Juan Diego como un fraude, y consideraron a la imagen milagrosa de la Virgen como una falsificación pintada en el manto de Juan Diego por un artista indígena. Para los franciscanos, la basílica, y todo lo que ella reflejaba, era un retorno a la idolatría contra la cual los padres habían luchado enérgicamente.

Método 7: El esplendor de la liturgia y las fiestas eclesiales

El lujo y el ornato de la arquitectura eclesiástica se combinó con los ritos, ceremonias, procesiones, oficios y fiestas, buscando impresionar tanto al ojo como al oído con el esplendor de la religión cristiana. Los pueblos indígenas, especialmente los aztecas y mayas, habían tenido una rica tradición de magníficas ceremonias y procesiones que nunca dejaron de llenar a los fieles con un sentido de esplendor y reverencia. Al notar la predilección de los indios por ceremonias pomposas, los misioneros planearon impactar a los indígenas con ceremonias aún más espléndidas para así demostrar la superioridad del Dios de los cristianos.

Las iglesias estaban repletas con tapicerías ricas, paramentos, flores, ramos, velas, incienso y hasta pájaros enjaulados.[9] Las ceremonias, casi siempre acompañadas con música y canto, sirvieron para inspirar e

---

[9] *Ibid.*, p. 281.

impresionar. Una gran variedad de instrumentos musicales, tanto europeos como indígenas, fueron utilizados. Se formaron coros, y los nuevos conversos disputaban entre sí de la oportunidad de ganarse fama y honor como músicos y cantantes.

En algunos lugares los frailes perdieron el control del afán por la música y el canto. Los músicos, instrumentos y cantantes se multiplicaron de tal forma que amenazaban en cambiar la liturgia por desorden, confusión, y puro entusiasmo. Los músicos y cantores indígenas buscaban más la autoglorificación, que alabar al Señor de la liturgia. El clero, sin mucho éxito, decretó que las trompetas debían de utilizarse solamente en las procesiones afuera de los templos, y no dentro del recinto sagrado. Los frailes se quejaron de que los músicos de más renombre se habían convertido en bribones perezosos que aprovechaban su fama y tiempo libre para seducir tanto a damas como a señoritas. Las autoridades se vieron obligadas a prohibir las procesiones, los funerales, y el canto de las horas canónicas sin la presencia de un sacerdote. Aquí se advierte cómo, para el misionero, era mucho más fácil enseñar a los nuevos cristianos las formas de la fe, que el contenido de la misma.

Método 8: Los hospitales

Una estrategia misionera utilizada con buenos resultados durante el primer siglo después de la Conquista fue la fundación de hospitales. Éste era el caso especialmente entre los frailes agustinos y un poco menos entre los franciscanos. Los hospitales fundados por los frailes fueron más bien lugares para atender a los enfermos y destituidos. Además, fueron instituciones que buscaron regular toda la vida social, económica y espiritual del pueblo. Los fundadores de los hospitales buscaron poner en práctica los ideales utópicos y humanistas de Tomás Moro, así como recrear la iglesia de los primeros apóstoles.

El más famoso de los hospitales fue el de Santa Fe de México fundado por el primer obispo de Michoacán, Vasco de Quiroga. El hospital de Santa Fe no solamente tenía camas para los enfermos, los viajeros y destituidos, sino también escuelas, talleres, jardines, y rebaños comunales. En los hospitales todo el pueblo recibía instrucción en las artes, las artesanías, la agricultura y la medicina. Los hospitales alimentaban a los pobres y cuidaban a los huérfanos. Toda la comunidad era responsable de proveer personal y mantener económicamente los hospitales. De esta manera, la comunidad aprendió sus responsabilidades hacia los enfermos, los destituidos y necesitados. En sus mejores momentos, los hospitales fueron escuelas del discipulado cristiano; así lograron combinar la teoría con la práctica en la vida de cada miembro de la sociedad.

Método 9: La preparación de un clero indígena

En sus escritos misioneros Bartolomé de Las Casas dio mucha importancia a la necesidad de preparar sacerdotes y misioneros indígenas para poder establecer una verdadera iglesia americana. Los primeros franciscanos compartieron esta visión con el gran domínico y buscaron una oportunidad para fundar un seminario para la preparación de un clero nativo. Con este fin los franciscanos fundaron el Colegio de Santiago de Tlatelolco en México en el año 1536. Las materias ofrecidas en el Colegio de Santiago fueron la lectura, ortografía, retórica, lógica, filosofía, música y medicina indígena.[10]

La fundación del Colegio de Santiago contó con el apoyo entusiasta del virrey Antonio de Mendoza, el arzobispo de Santo Domingo, Funleal, y Zumárraga, obispo de México. Entre los miembros del profesorado del colegio estaban algunos de los mejores y más dedicados de los frailes misioneros, entre ellos Sahagún y Olmos. Los fundadores del Colegio afirmaron que un misionero nativo, en un mismo lapso, podría convertir 50 personas, mientras que solamente una persona era convertida por un español. Se dictaban las materias en latín y náhuatl, el dialecto de los aztecas. Los primeros estudiantes dieron muestras de gran capacidad intelectual. Aprendieron el latín con facilidad y mostraron una asombrosa habilidad como traductores. Intelectualmente no eran en nada inferiores a los españoles. Como consecuencia, los franciscanos se mostraron muy contentos con los estudiantes nativos.

Los domínicos, sin embargo, vieron la fundación del Colegio de Santiago con mucha preocupación, y repentinamente comenzaron a oponerse a la idea de un clero nativo. Betanzos y otros temían que el resultado de enseñar el latín a los indios y dejarlos leer las Escrituras, favorecería la propagación de la herejía. Si los indios llegaran a leer la historia de la poligamia de los patriarcas en el Antiguo Testamento, ¿no concluirían que los misioneros eran engañadores al prohibir los matrimonios múltiples? Muchos opinaban que los nativos americanos eran demasiado jóvenes para tener la responsabilidad de ministrar la Palabra y los Sacramentos. Preferían mejor que sirvieran como sirvientes y esclavos.

---

[10] *Ibid.*, p. 334.

En 1544 los domínicos escribieron al rey protestando contra la labor del Colegio. Hasta algunos franciscanos comenzaron a decir que los indios eran muy dados a la fornicación y a la borrachera como para poder servir como sacerdotes. Algunos afirmaron que los indígenas no tenían el don para el celibato.

Finalmente, en el año 1555, el Consejo de las Indias prohibió la ordenación de mestizos, indios, y negros. La causa de un ministerio indígena se perdió porque los mismos franciscanos no lucharon lo suficiente para defender la función del Colegio que ellos habían fundado. No obstante, el Colegio no fue cerrado totalmente. Permaneció operando durante varias generaciones, sin embargo, no como seminario. Se convirtió en una escuela para preparar traductores y otros ayudantes de los misioneros españoles. Poco a poco el Colegio de Santiago de Tlatelolco se deterioró; cayó en desuso y fue abandonado por negligencia.

Los sacerdotes nativos, cuando por fin se permitió su ordenación, fueron relegados a puestos sin importancia y parroquias rurales inaccesibles, mientras que el clero español seguía en las ciudades principales y en los puestos de importancia. Marginados, resentidos y amargados, a los miembros del clero nativo no se les permitió desempeñar un papel significativo en la naciente sociedad mexicana. A la iglesia mexicana le faltó la autoridad y la imaginación necesaria para cambiar la dirección tomada por la nueva república después de los movimientos políticos que pusieron fin al Período Colonial. A pesar del éxito de los ingenuos métodos de evangelización practicados por las órdenes misioneras, la empresa misionera se trabó y tropezó debido a una miope política en materia de educación teológica. El que tiene oídos para oír, que oiga.

La misiología y la iglesia indígena

En el análisis de la teología y misión en América Latina esbozado hasta aquí se han considerado varias teologías y métodos de misión. Se hacen las siguientes preguntas ahora: ¿Cómo han funcionado estas teorías y métodos misioneros para producir una iglesia indígena? El concepto "iglesia indígena" es uno que se ha discutido mucho entre misiólogos como Henry Venn, Rufus Anderson y Roland Allan. Se ha dicho que la fundación de una iglesia indígena debe ser el propósito o meta de la empresa evangelística. Se ha definido una iglesia indígena como una iglesia con autogobierno, autosostén, y autopropagación. En otras palabras, ¿cómo sabrá el misionero si ha cumplido con su tarea como evangelista? ¿Cuáles criterios se deben utilizar para evaluar la realización de la obra de un misionero? Muchos han afirmado que se debe elaborar tal evaluación tomando en consideración el establecimiento de una iglesia autónoma, autosostenible y autoreproducible.

Muchos misiólogos modernos creen que el esquema de autogobierno, autosostén y autopropagación es insuficiente para servir como una descripción de una iglesia indígena, o como una base para evaluar el éxito de una empresa misionera. En primer lugar, cuando se habla de autosostén, autogobierno y autopropagación se mira no hacia afuera sino hacia dentro, y se evalúa la iglesia en términos de su autorealización en lugar de su relación con el Reino de Dios y con el mundo. Cuando se habla solamente en términos de los mencionados tres autos de Henry Venn y Rufus Anderson es fácil llegar a la conclusión que el fin o propósito del trabajo misionero es el establecimiento de la iglesia. Sin embargo, el Espíritu Santo no ha establecido la iglesia para ser un fin en sí misma sino un instrumento del Reino de Dios.[11] La iglesia es un instrumento de la misión del Espíritu hacia el mundo.

Cualquier evaluación del trabajo misionero tendrá, por lo tanto, que mirar, no solamente hacia dentro de la iglesia, sino también hacia afuera, es decir, hacia el mundo y hacia el Reino. Estas consideraciones implican que si se desea hablar de una iglesia indígena, se deben añadir por lo menos tres términos más a la definición de lo que es una iglesia indígena. Estos términos son: la auto-teologización, la auto-imagen y la auto-misión.

La auto-misión quiere decir que la iglesia, no solamente busca reproducirse a sí misma, sino que busca establecer iglesias hijas capaces de llevar a cabo la misión de Dios en el mundo. Busca, además, que cada una de esas iglesias hijas sean iglesias siervas e iglesias misioneras capaces de establecer otras iglesias hijas. La auto-imagen quiere decir que la iglesia podrá definirse e identificarse con la cultura dentro de la cual existe; es decir, que los miembros de la iglesia puedan identificarse con los problemas, las luchas y los sufrimientos del pueblo. Una congregación de lengua alemana, que existe como una isla extranjera dentro de una sociedad donde la gran mayoría de las personas hablan español, no debe ser considerada

---

[11] Van Engen, Charles, *The Growth of the True Church* (Amsterdam, Editions Rodopi B.V., 1981), pp. 267-277.

como una iglesia indígena aunque tenga su auto-sostén, su auto-gobierno y su auto-propagación.

La auto-teologización quiere decir que una iglesia indígena debe actuar a base de una teología contextualizada, dirigida a las preguntas principales con las que se está luchando en la sociedad en la cual se encuentra la iglesia. Al hablar de teología se puede hacer una distinción entre Teología con T mayúscula y teología con t minúscula. Teología con T mayúscula tiene que ver con las verdades bíblicas que son transculturales, verdades que están por encima de la cultura y que no cambian con la cultura. El Dios verdadero es una verdad transcultural que es la misma en todos los tiempos, todos los lugares y para todas las personas.

Pero cuando se pregunta: ¿cuál es la postura que debe tomar el pueblo de Dios frente al alcoholismo, al teatro, y al servicio militar obligatorio? se está hablando de la contextualización de la teología o teología con t minúscula. En diferentes tiempos y en diferentes circunstancias la iglesia ha tomado posiciones diferentes en cuanto a estas preguntas. Al principio del siglo XX miles y miles de luteranos abandonaron Rusia para no prestar servicio militar en el ejército del Zar. Sin embargo, hoy en día en los Estados Unidos, la mayoría de los luteranos creen que para cumplir con el cuarto mandamiento es necesario cumplir también con el servicio militar obligatorio.

Al estudiar los métodos misioneros de los españoles en la Era de la Conquista es legítimo preguntar: ¿cómo ayudaron estos métodos al establecimiento de una iglesia indígena, que verdaderamente es del pueblo y para el pueblo, sin dejar de ser instrumento del Reino de Dios en el mundo? Muchos misiólogos y antropólogos cristianos nos dicen que, al hablar de los métodos misioneros, es importante hacer una distinción entre forma y significado. Muchos misioneros católicos en el Nuevo Mundo lograron que los indios dejaran de adorar a sus viejos ídolos y por lo tanto creyeron que habían acabado con la idolatría. Pero lo que pasó fue que los indios siguieron adorando a sus viejos dioses bajo las formas de los santos católicos. Debajo de la imagen del santo estaba el mismo dios pagano al cual ellos siempre habían rendido culto. En el culto de la Santería cubana, por ejemplo, Santa Bárbara es la forma cristiana que tomó Chango, el viejo dios africano de la tempestad y los relámpagos. Lo que cambió con la evangelización fue la forma pero no el significado. Por lo tanto, no existe una iglesia indígena sino una iglesia pagana bajo la forma de una iglesia cristiana.

El antropólogo cristiano Charles Kraft ha preparado el siguiente esquema para ayudarnos en nuestra evaluación de la distinción entre forma y significado en la evangelización.[12]

Forma tradicional + significado tradicional = iglesia pagana
(Ejemplo: muchas iglesias independientes en el Africa)

Forma extranjera + significado tradicional = iglesia sincretista
(Ejemplo: mucho Cristo-Paganismo en América Latina)

Forma extranjera + significado extranjero = iglesia dominada
(Ejemplo: la Iglesia Católica de la clase media y alta en la América Latina durante el siglo XIX y la primera parte del siglo XX. Véase el capítulo 4 del libro de Mackay.)

Forma tradicional + significado bíblico = iglesia indígena
(Ejemplo: la Iglesia Luterana Batak en Indonesia)

Lecturas adicionales:

(Se recomienda, además, ver la película *La Misión* sobre las misiones jesuitas en Brasil-Paraguay).

1. González, Justo L., *La Era de Los Conquistadores* (Miami, Editorial Caribe, 1980), capítulos VI-VIII, páginas 113-159.

2. Dussel, Enrique, Bartolomé de las Casas (1474-1566) y Núcleo Simbólico Lacasiano como Profética Crítica al Imperialismo Europeo, páginas 139-150 en el libro: *Desintegración de la Cristiandad Colonial y Liberación* (Salamanca, Ediciones Sígueme, 1979), capítulo 3, páginas 47-69.

3. Hanke, Lewis, La Introducción al Libro de Bartolomé de Las Casas: *Del Único Modo de Atraer a Todos los Pueblos A la Verdadera Religión.* (México D.F., 1942), páginas 24-53.

4. Casas, Bartolomé de Las, *Brevísima Relación de la Destrucción de las Indias,* páginas 75-79 del libro: *Tratados de Fray Bartolomé de Las Casas, Tomo 1* (México D. F., Fondo de Cultura Económica, 1974).

---

[12] Kraft, Charles H., *Anthropology and Mission Core M630* (Pasadena, California, Fuller School of World Mission, sin fecha), p. XII-5.

5. Dussel, Enrique D., páginas 336-347 de *La Historia General de la Iglesia en América Latina* Tomo I/1 (Salamanca, Ediciones Sígueme, 1983), páginas 139-150.

4

El catolicismo tradicional en Iberoamérica

Después de los primeros cincuenta años de haber comenzado la evangelización de los territorios americanos se libró una lucha prolongada entre dos grupos poderosos de clérigos por el control de la naciente iglesia americana. Los frailes mendicantes regulares y el clero secular fueron los dos grupos que participaron en esta competencia. El clero regular estuvo formado por los padres franciscanos, dominicos y agustinos. A los frailes se había confiado los poderes parroquiales y sacramentales para la realización de las metas misioneras. El segundo grupo estuvo integrado por los clérigos de la jerarquía episcopal, los poseedores tradicionales de estas facultades. Estos últimos consideraban el control regular como una intrusión no autorizada. Los términos exigen aclaración: "regular" significa vivir de acuerdo con la regla (regula), y "secular" significa vivir en el mundo o el siglo (saeculum) en lugar de vivir en retiro monástico. Aunque cientos de monasterios (conventos) fueron construidos bajo la dirección de órdenes mendicantes, los frailes no siempre vivían en retiro o reclusión. Por el contrario, y especialmente durante sus primeros cincuenta años de la colonia, fueron los agentes activos de un floreciente programa de conversión.[1]

Al principio de la Era de la Conquista, el clero regular recibió de la Corona autorización sobre la mayoría de las nuevas congregaciones indígenas. Recuérdese que Cortés le pidió al Emperador Carlos V el envío de franciscanos y otros mendicantes únicamente. Cortés temía la influencia negativa de las malas costumbres del clero secular, y no quería perjudicar la fe de los nuevos conversos al ponerlos bajo su autoridad.

Pero una vez terminada la tarea de bautizar y enseñar la doctrina a los indígenas, los seculares comenzaron a reclamar su derecho de guiar el futuro de los nuevos cristianos. Al principio, los indígenas se alzaron en contra de los intentos de la Corona de sacar a los indios de la jurisdicción de los frailes y ponerlos bajo el control de los seculares. En algunos casos, los indígenas apedrearon a sus nuevos pastores y reclamaron su derecho de seguir bajo el cuidado espiritual de los mendicantes. Pero poco a poco los

---

1 Gibson, *Op. Cit.*, p. 101.

frailes perdieron su control sobre las congregaciones indígenas, y los seculares tomaron el control de la iglesia colonial.

Al principio los frailes contaban con el apoyo y el aprecio de los indígenas. Pero con la llegada de una segunda generación de regulares menos dedicados, comenzaron a perder el respaldo que antes les habían dado. Esta pérdida de confianza en los regulares obedeció a varios factores, entre los cuales se encontraron:

1. La desintegración del orden social indígena. Los caciques perdieron su control sobre los indios, y con ello el poder de influir sobre ellos, a fin de que asistieran a misa. La participación en actos religiosos llegó a ser algo que dependía de una decisión individual, y no por el deseo colectivo.

2. El hecho de que los indios eran reclutados para el servicio obligatorio sin sueldo para la construcción de iglesias, monasterios y residencias clericales. Así los frailes se convirtieron en una especie de encomenderos.

3. El abuso de las tesorerías comunitarias por parte de algunos frailes.

4. El uso del castigo corporal para disciplinar a los indios por parte de los franciscanos. Indígenas culpables de idolatría, o bigamia, eran ejecutados, encarcelados, o expulsados de la comunidad.

Un autor franciscano de fines del siglo XVII escribió que el amor de los indígenas por los frailes había sido transformado en odio por sus descendientes.[2] Así, en el siglo XVIII, las poblaciones indígenas no ponían objeciones a la secularización de las parroquias debido a que odiaban a los frailes. Gibson observa que la disputa entre el clero regular y el secular se produjo durante la segunda parte de su larga historia, en una atmósfera de hostilidad o indiferencia indígena.[3]

La asistencia a la iglesia ya estaba declinando hacia 1550. Para 1556 los hombres indígenas se interesaban menos en asistir a iglesia que las mujeres. En 1562 sólo una tercera parte de la población indígena de la

---

[2] *Ibíd.*, p. 114.

[3] *Ibíd.*, p. 114.

ciudad de México recibía los sacramentos.[4] Con la secularización de la vida eclesiástica en el Nuevo Mundo, se perdió la visión milenialista, anteriormente mencionada, de los primeros misioneros franciscanos. A partir de la segunda mitad del siglo XVI, el catolicismo tradicional llegó a predominar en la sociedad colonial, especialmente entre los miembros de la clase media y la clase alta. En capítulos posteriores se considerará el desarrollo del catolicismo folclórico o la religiosidad popular. Se tratará de apuntar a algunas de las características más sobresalientes de la forma que tomó el catolicismo tradicional en los años anteriores al Segundo Concilio Vaticano.

El establecimiento del sistema de cristiandad

La iglesia tradicional establecida en América Latina era una iglesia que pertenecía al sistema de cristiandad. El sistema de cristiandad es, según Enrique Dussel, algo diferente al cristianismo. El cristianismo es la religión de Jesucristo mientras que la cristiandad es una mezcla de cultura, religión y gobierno, en la cual la identificación del Reino de Dios está ligada con la iglesia institucional.[5]

En este capítulo se enfocará el catolicismo oficial o institucional que se estableció en América Latina. Su establecimiento, en ocasiones, se logró mediante concordatos o acuerdos oficiales entre las nuevas repúblicas del hemisferio y la Santa Sede. Estos concordatos, como por ejemplo el concordato entre el Vaticano y la República de Colombia, reconocen a la Iglesia Católica Romana como la religión oficial del país. Este tipo de concordatos, aún vigentes en un buen número de países latinoamericanos, autorizan a los sacerdotes católicos a dar instrucción religiosa en las escuelas del gobierno, y a mantener capellanes católicos entre los miembros de las fuerzas armadas. Otras iglesias no gozan de estos derechos. En países como Argentina se estipulaba que sólo un miembro de la Iglesia Católica Romana podía llegar a ser presidente de la república. Por esta

---

4 *Ibíd.*, p. 114.

5 Dussel, Enrique D., *Desintegración de la Cristiandad Colonial y Liberación*, (Salamanca: Ediciones Sígueme, 1979) La lectura del capítulo 3, páginas 47-69, del libro citado da una buena idea del concepto de cristiandad de Dussel. El argentino Enrique Dussel es un laico católico comprometido con la teología de la liberación. Las opiniones de Dussel son consideradas revolucionarias y no son aceptadas por muchos miembros de la Iglesia Romana.

razón el presidente Carlos Menem de Argentina, un hijo de inmigrantes árabes, renunció a su fe islámica para convertirse al catolicismo.

Es importante mencionar que algunos líderes latinoamericanos, como el presidente Guzmán Blanco de Venezuela, han intentado establecer iglesias católicas nacionales libres del control del papa romano y del colegio de cardenales. Todos esos intentos fracasaron con la excepción de Haití, donde por un corto tiempo la Iglesia Católica logró independizarse de Roma.

El caso de la iglesia nacional de Haití

Cuando Haití logró independizarse de Francia, el presidente de la nueva república estableció una Iglesia Católica Haitiana independiente de Roma. Según la propuesta contextualización de la iglesia de Haití, el presidente de la república sería la máxima autoridad de la iglesia nacional y tendría el derecho de nombrar sacerdotes nacionales. La Iglesia Romana luchó tenazmente contra este intento y amenazó con excomulgar al presidente de Haití. A pesar de las amenazas, los primeros presidentes de Haití procedieron con el establecimiento de una iglesia nacional. Sacerdotes nativos fueron nombrados. Roma reaccionó con retirar sus misioneros y cerrar su seminarios. Durante 56 años existió un estado cismático entre Roma y Haití. En esos años, el Vaticano no reconoció a Haití como una nación independiente. Por fin, en el año 1860, se celebró un concordato entre el Vaticano y la República de Haití. Como resultado, la iglesia de Haití retornó a la Iglesia Romana. Los sacerdotes nativos fueron desautorizados, y nuevos sacerdotes y misioneros fueron enviados de Europa. Sin embargo, los sacerdotes nativos siguieron trabajando en zonas rurales sin autorización de la iglesia oficial. Todavía hoy, los sacerdotes de la selva o *pret savanne* ejercen su ministerio entre los pobres y marginados en oposición a los sacerdotes oficiales.[6]

Antes de analizar otras de las características de la iglesia oficial o tradicional en América Latina valdrá la pena tratar sobre la relación que existe, por un lado entre el catolicismo y sus enseñanzas, y por el otro lado, entre el catolicismo folclórico y sus prácticas. La comparación se hará

---

[6] Desmangles, Leslie, *Baptismal Rites: Religious Symbiosis of Vodun and Catholicism in Haiti*, en *Liturgy and Cultural Religious Traditions. Concilium Vol. 1,* Herman Schmidt y David Power ed. (New York, The Seabury Press, 1977), p. 54.

tomando como base el concepto de la gran tradición y la pequeña tradición desarrollado por el antropólogo Richard Redfield de la Universidad de Chicago.

El concepto de la gran tradición y la pequeña tradición

En el estudio de los sistemas religiosos más elaborados, los antropólogos suelen distinguir entre tres distintas formas de la misma religión, a saber: la gran tradición, la pequeña tradición y la religión folclórica. En el análisis de la religión en América Latina expuesto aquí, será de utilidad operar con claras definiciones de estos términos.

La gran tradición

Al hablar de la gran tradición se refiere aquí a las formas institucionalizadas de la religión practicadas, administradas y enseñadas en los grandes centros religiosos. Las grandes religiones, como el Islam, el hinduismo, el budismo, el judaísmo y el cristianismo, son asociadas con grandes catedrales, importantes mezquitas, templos, seminarios, universidades, burocracias eclesiásticas, y centros de publicación donde son impresas y distribuidas copias de libros sagrados, comentarios, constituciones, leyes, reglas e himnarios. La religión institucionalizada a este nivel busca centralizar y controlar la práctica de la religión en todos los niveles y conformar las creencias de los fieles a las normas establecidas en los grandes centros. El énfasis en la gran tradición está más en la ortodoxia y en temas más filosóficos como el origen de la vida, el destino de los seres humanos, el significado de la vida humana y la naturaleza de Dios.

La religión, según la gran tradición, da más importancia a los funcionarios profesionales, y en cierto sentido trata de suprimir o controlar a funcionarios laicos o no-autorizados. En el Antiguo Testamento se advierte como en la historia primitiva de Israel los padres de familia, como Abraham y Job, construyeron altares, ofrecieron sacrificios, y establecieron distintos santuarios. Más tarde esos santuarios fueron suprimidos, y el culto fue centralizado en el templo construido por Salomón en Jerusalén. Sin embargo, siempre hubo gente que prefirió adorar a Dios en santuarios locales, a pesar de que éstos ya no eran oficiales. En el tiempo de Jesús había una especie de lucha o competencia entre, por un lado la iglesia institucional, es decir, el templo controlado por los saduceos en Jerusalén, y por otro lado, las sinagogas locales controladas mayormente por los fariseos, de los cuales un buen número eran laicos que carecían de una ordenación rabínica.

En América Latina la gran tradición es representada por la Iglesia Católica institucional con su papa, cardenales, obispos, sacerdotes ordenados; sus catedrales, seminarios, dogmas y leyes canónicas. En el tiempo de la Conquista, la Colonia y hasta el presente, la Iglesia Católica institucional o tradicional ha sido controlada por una élite compuesta por miembros de la aristocracia y la clase media. Esta élite eclesiástica se ha asociado con las élites políticas, económicas y militares y ha dado prioridad a los intereses de las capas sociales superiores. Por ejemplo, una gran cantidad de sacerdotes y religiosos en América Latina han servido como profesores en escuelas elitistas en las que se han educado los hijos de los más ricos y poderosos. Se ha hecho notar ya que durante el período colonial pocos indígenas o pobres fueron ordenados como sacerdotes. Los mejores puestos casi siempre eran reservados para los eclesiásticos que provenían de "las mejores familias."

La pequeña tradición

Cuando se habla de la pequeña tradición, los antropólogos se refieren a las creencias y costumbres de los fieles realizadas dentro de los santuarios, templos e iglesias locales. En este nivel se puede encontrar una gran variedad de creencias. Aún en la Iglesia Luterana se pueden encontrar entre los laicos o miembros locales muchas creencias que difieren bastante de lo que se enseña en los seminarios o programas de educación teológica por extensión. Por ejemplo, hay muchos luteranos que son milenialistas, carismáticos y no falta uno que otro racista. En la pequeña tradición hay más énfasis en ministerios laicos y en los problemas de la gente común: la falta de trabajo, la crianza de los hijos, la recuperación de la salud, y uno que otro que busca la protección contra el mal de ojo.

En la Iglesia Católica Romana en América Latina, la pequeña tradición es representada por instituciones y creencias locales. También está reflejada en actividades dirigidas por laicos sin la intromisión del clero oficial. Por ejemplo, las cofradías son organizaciones laicas que atienden las necesidades locales y muchas veces preservan tradiciones y aún colaboran a la conservación de supersticiones locales. Las procesiones, fiestas y peregrinaciones son organizadas por líderes laicos elegidos por el pueblo sin ninguna participación del clero. Con frecuencia, algunos eventos son celebrados alrededor de santuarios o ermitas locales, y no alrededor de iglesias dirigidas por un sacerdote ordenado. En la pequeña tradición, fiestas locales y santos locales frecuentemente tienen más importancia que las fiestas del año litúrgico y las tres Divinas Personas que componen la Santa Trinidad. Antropólogos como Robert Redfield y sociólogos como Oscar Maduro han notado que, mientras que la gran tradición siempre está buscando ejercer su control sobre la pequeña tradición y corregir sus abusos, con frecuencia la gran tradición ha adoptado conceptos y costumbres que provienen de la pequeña tradición.

Animismo

Cuando se habla de la pequeña tradición se trata de lo que muchos han llamado la religión folclórica o la religiosidad popular. El término "catolicismo folclórico" ha sido usado también para denominar un animismo popular que emplea algunos formas de la gran tradición pero que en realidad representa las antiguas creencias religiosas del pueblo antes de la introducción de la religión alta representada por la gran tradición. En algunas partes de América Latina, el brujo y el curandero pueden emplear algunas de las mismas palabras usadas por el sacerdote, porque son "palabras mágicas" que contienen en sí el poder para realizar curas, hechizos, o proteger en contra de espíritus malos. Ciertos objetos o formas usados en la gran tradición son empleados por animistas porque se cree que contienen en sí un poder o mana. El término mana, que fue investigado por primera vez en el siglo pasado por el antropólogo Codringham, es una fuerza impersonal, como la electricidad, que se puede encontrar en ciertos objetos sagrados, o en animales y en los seres humanos más valientes. Una de las razones por las cuales los caníbales del Pacífico solían comer los sesos y los corazones de guerreros valientes caídos en batalla era para apoderarse de su mana.

Al hablar de animismo nos referimos a un sistema de pensamiento que busca explicar las realidades trans-empíricas apoyándose en analogías orgánicas y mecánicas. Según el animismo orgánico, todo lo que sucede en la vida puede ser entendido como el resultado de las acciones de diferentes fuerzas espirituales. Toda enfermedad y muerte son producidas por los espíritus. No solamente los seres humanos tienen espíritus, almas o sombras, sino que también cada animal, roca, río, montaña y planta tiene su espíritu o sus espíritus. El animismo orgánico busca la forma de no provocar la ira de espíritus malos o peligrosos, y de conseguir la ayuda de espíritus benignos. El animismo mecánico no cree tanto en la existencia de espíritus personales, sino en la existencia de fuerzas o poderes impersonales, como el mana, que son responsables por la buena y mala suerte, y el mal de ojo. El animismo mecánico busca cómo utilizar estas fuerzas en beneficio del ser humano. La técnica que tiene que ver con el manejo de estas fuerzas se llama magia.

Diferencias entre la gran tradición y la pequeña tradición

Las grandes religiones de la gran tradición están más interesadas en descubrir las grandes verdades del universo, mientras que las religiones de la pequeña tradición están más interesadas en el poder. La ciencia, en cambio, está interesada en el control de la naturaleza y la sociedad por medio de tecnologías.

La mayoría de los seminarios y escuelas bíblicas solamente enseñan a sus estudiantes a entender las enseñanzas de la Iglesia Católica oficial, el hinduismo oficial, o las enseñanzas encontradas en el Corán. Pero al salir del seminario y comenzar a trabajar entre los adeptos de otras religiones, los estudiantes encuentran que la mayoría de los seguidores de otras tradiciones religiosas no conocen las doctrinas oficiales de sus iglesias porque siguen las creencias y supersticiones de la pequeña tradición. Muchos así llamados "católicos" en América Latina desconocen los dogmas y leyes del catolicismo tradicional porque siguen una forma de religiosidad popular muy distinta a las tradiciones oficiales de la iglesia de Roma. Por lo tanto, se analizará aquí, no solamente la gran tradición sino también la pequeña tradición.

Los teólogos de la así llamada teología de la liberación no hablan de la gran tradición y la pequeña tradición como lo hacen los antropólogos del primer mundo, que siguen las teorías de Richard Redfield y sus seguidores en la Universidad de Chicago. Utilizando un análisis sociológico de origen marxista, los teólogos de la liberación suelen hablar de "la religión de los opresores" y "la religión de los oprimidos." Para estos teólogos, la religiosidad popular tiene que ser entendida como un mecanismo por medio del cual los oprimidos establecen su propia identidad y buscan defenderse en contra de la opresión de las clases pudientes. Las clases opresoras, en cambio, tratan de usar su religión para domesticar a las clases oprimidas y hacerles ver que su pobreza y falta de poder es la voluntad de Dios para ellos. Basta decir, por ahora, que la teología de la liberación cree que, así como el desarrollo del primer mundo ha producido el subdesarrollo del tercer mundo, la religión oficial de las clases dominantes ha producido y provocado la aparición de la religiosidad popular entre los miembros de las clases marginadas y oprimidas. En capítulos posteriores se tratará a la teología de la liberación a fin de analizar las teorías liberacionistas en cuanto al catolicismo folclórico. Ahora se continuará viendo las características del catolicismo oficial en América Latina.

Los sacramentos en la vida religiosa de la iglesia tradicional

El corazón de la vida religiosa del catolicismo tradicional se encuentra en el sistema sacramental. La organización de la iglesia sirve para administrar los siete sacramentos y para garantizar su administración correctamente. La importancia de los sacramentos estriba en el hecho de que ellos comunican a los fieles la gracia vivificante de Dios. Los católicos han sido acusados de tener un concepto mágico de los sacramentos, es decir, la idea de encapsular a Dios dentro de un objeto sagrado o dentro de ciertas acciones sagradas. Para los católicos tales acusaciones provienen de un espíritu racionalista que intenta reducir a simples señales los grandes misterios de Dios que no pueden ser comprendidos por la mente humana. Según la definición tradicional un sacramento es:

1. Una acción que emplea medios externos que pueden ser percibidos por los sentidos humanos.
2. Una acción instituida por Cristo como una parte permanente de la vida de la iglesia.
3. Una acción que se celebra como un medio de gracia, y que a la vez simboliza y comunica la gracia divina.

Basándose en esta definición la Iglesia Católica tradicional afirma que existen siete sacramentos por medio de los cuales Dios ha prometido dar su gracia a los fieles. La iglesia reconoce que Dios puede dar su gracia a través de otros medios, pero no existe la seguridad de que otros medios sean siempre eficaces. Algunos teólogos no tradicionales, como los teólogos de liberación, han hecho de la iglesia, y hasta de los pobres, un sacramento. Estos son los siete sacramentos que reconoce la iglesia oficial y tradicional: el Bautismo, la Eucaristía, la Penitencia, la Confirmación, el Matrimonio, la Ordenación y la Extremaunción. A continuación se analiza la manera en que algunos de estos sacramentos son entendidos en el contexto del catolicismo tradicional hispano.

El sacramento del Santo Bautismo

El Bautismo es el sacramento básico en el sistema sacramental de la iglesia romana, porque sin él no se pueden recibir los otros seis sacramentos. El lavamiento del Bautismo no solamente simboliza la purificación del alma del pecado. El Bautismo también sirve para efectuar tal purificación. Al aplicar el agua en el nombre de la Santa Trinidad el recipiente del sacramento llega a ser miembro de la santa iglesia y recibe el perdón de los pecados y la gracia divina. Una vez que el Bautismo ha sido administrado, su efecto no puede ser borrado porque confiere al recipiente un carácter indeleble, un sello divino. La eficacia del sacramento del Santo Bautismo no depende de la actitud del recipiente sino de la promesa de Cristo y la obediencia al mandato de Cristo para aplicar el agua en el nombre de la Santísima Trinidad.[7]

Según la iglesia romana, el Bautismo funciona *ex opere operato*, es decir que el efecto del bautismo depende del mismo hecho de bautizar y no de la actitud de la persona bautizada. El sacramento del Bautismo, al igual que todos los demás sacramentos, exceptuando la Penitencia, necesita solamente la acción de Dios para ser válido, es decir que no importan las acciones humanas. Esta doctrina del Bautismo fácilmente conduce a la idea de que Dios está obligado a otorgar su gracia cada vez que celebramos un acto sacramental. En otras palabras, es posible ejercer un control sobre Dios con nuestras celebraciones del sacramento. Cuando esto sucede, el misterio sacramental se convierte en magia.

Se encuentran muchas connotaciones mágicas en los usos dados al agua bendita. Aunque el agua bendita debe servir para que el cristiano se acuerde del agua del Bautismo, la mayoría de los católicos hispanos la utilizan como una protección contra el mal del ojo, los hechizos y la influencia del demonio.

El sacramento de la Eucaristía

Aunque el Santo Bautismo es el sacramento fundamental de la iglesia, el sacramento central es la Santa Cena o la Eucaristía. Según la doctrina oficial de la iglesia romana, el pan y el vino de la Eucaristía son

---

[7] Pelikan, Jaroslav, *The Riddle of Roman Catholicism* (Nashville, Abington Press, 1959), p. 112.

transformados en el cuerpo y la sangre de Nuestro Señor Jesucristo por el milagro de la transubstanciación. Esta doctrina enseña que las calidades externas de los elementos sacramentales no cambian. Estos elementos externos, como el color del vino y la textura del pan, se denominan accidentes. El pan y el vino en sí son transformados en substancia. A esto se le llama transubstanciación.

Debido al hecho de que el cuerpo de Cristo sobre el altar es considerado como el mismo cuerpo ofrecido por Cristo sobre la cruz, se llegó a creer que la celebración de la misa era una extensión o una repetición del sacrificio de Cristo. Aunque el libro de Hebreos en la Santa Biblia afirma categóricamente que Cristo fue sacrificado una sola vez, y su sacrificio no puede ser repetido, el catolicismo tradicional de América Latina ha entendido el sacrificio de la misa como una repetición del sacrificio de Cristo.

El catolicismo tradicional ha dado más importancia al sacrificio de la misa que a la santa comunión. Se ha dado demasiada importancia a las celebraciones de misas en las que solamente participa el sacerdote. En cambio, se ha dado menor importancia a la participación de todos los fieles en la celebración de la Santa Cena. En la arquitectura de muchos templos católicos se puede ver que los edificios fueron construidos a fin de permitir la observación o contemplación de la misa de parte de miles de espectadores, pero solamente algunos pocos se adelantan para participar en el repartimiento de la hostia.

En muchas congregaciones se daba más importancia a la piedad del tabernáculo que a la recepción del sacramento. El tabernáculo es el receptáculo ubicado sobre el altar en el cual la santa hostia está guardada o reservada. Muchos fieles acuden al tabernáculo para dirigir sus oraciones a Cristo, supuestamente localizado dentro de la hostia. Muchas formas de devoción popular, como las novenas, han surgido en torno al tabernáculo. En muchas parroquias estas novenas se convirtieron en más populares que la propia misa. Pelikan observa que en estas devociones se ha dado prioridad, no al misterio ni al sacramento, sino a la magia.[8]

---

8 *Ibid.*, p. 119.

El sacramento de la Penitencia

Según la doctrina oficial católica, la penitencia consiste de tres partes:

1. Sentir contrición por los pecados cometidos.
2. Confesar oralmente al sacerdote los pecados cometidos.
3. La satisfacción.

Al escuchar la confesión del penitente el sacerdote le declara la absolución. Después el sacerdote le prescribe al penitente ciertos actos de penitencia tales como oraciones, vigilias, peregrinaciones, limosnas, y velas para los santos. Estos actos de satisfacción no sirven para comprar el perdón de los pecados por parte del pecador, simplemente sirven para demostrar que su arrepentimiento es genuino. Sin embargo, para muchos fieles, la satisfacción sí es una manera de "comprar" la gracia. El sacramento de la Penitencia ha dado a los sacerdotes mucha autoridad o control sobre la vida de los penitentes. La confesión se presta para permitir intromisión del sacerdote en los asuntos privados del penitente y para convertir la religión en una serie de prescripciones legalistas: "Haga esto, y esto y esto, pero no esto etc." En muchas partes de América Latina, son pocas las personas que acuden al confesionario y con frecuencia se oye el refrán: "Soy católico, pero no voy a confesión".[9]

El sacramento del Matrimonio

Es difícil clasificar al matrimonio como sacramento si se sigue la definición tradicional dada arriba. En primer lugar, el matrimonio carece de un medio externo que sea percibido por los sentidos, como el agua del Bautismo o el pan y el vino de la Eucaristía. No se puede decir que el matrimonio fue instituido por Jesucristo durante su ministerio terrenal, pues el matrimonio pertenece a la orden de la creación y es tan antiguo como la humanidad. Ni se pueden aducir textos bíblicos para comprobar que por medio del matrimonio se comunica el perdón de Dios a los fieles. La Iglesia Católica ha fundamentado el carácter sacramental del matrimonio en la participación de Nuestro Señor Jesucristo en las bodas de Caná y en el

---

[9] *Ibíd.*, p. 120.

hecho de que San Pablo se refiere al matrimonio como un gran misterio en Efesios 5:32.

Según las enseñanzas oficiales del catolicismo tradicional, la virginidad o el celibato constituyen un estado superior al matrimonio. Sin embargo, el hecho de que se considera al matrimonio como un sacramento ha contribuido a defender el estado del matrimonio frente a ciertas doctrinas gnósticas que han afirmado que el matrimonio fue un invento satánico. Los reformadores estimaron mucho al santo matrimonio, sin llegar a calificarlo como un sacramento. La sacramentalidad del matrimonio quiere decir que el catolicismo tradicional no ha reconocido como casadas a personas legalmente unidas en matrimonio por las autoridades civiles o por iglesias protestantes. Hasta recién el gobierno colombiano no celebraba matrimonios civiles pues reconocía solamente los matrimonios celebrados por un sacerdote de la iglesia romana. Miembros de iglesias no católicas tenían, por ley, que casarse por la Iglesia Católica o "vivir en fornicación."

El sacramento de la Ordenación

El sacramento que soporta el resto de los sacramentos y les da su validez es la ordenación. El Bautismo puede ser administrado por un laico o aún por un hereje en caso de emergencia, pero el sacramento de la ordenación, como el sacramento de la confirmación, puede ser administrado solamente por un obispo. No hay excepción a esta regla porque solamente los obispos son reconocidos como descendientes directos de los santos apóstoles de Jesucristo. Se cree que el don de Dios, que estaba en los apóstoles, fue transferido a sus sucesores por medio de la imposición de manos. Los obispos actuales han recibido este mismo don de Cristo en una línea directa que se origina en los apóstoles. Según el catolicismo tradicional, el sacramento de la Ordenación otorga al ordenado una medida especial de la gracia divina a fin de capacitarlo para celebrar los otros sacramentos. Aún cuando el ordenado sea un hipócrita, y sin la gracia salvadora, su ordenación es válida, y por lo tanto, otorga validez a los otros sacramentos administrados por él.

Una vez recibido el sacramento de Ordenación, éste confiere al ordenado un carácter indeleble, es decir una vez sacerdote, se es sacerdote para siempre. Nada ni nadie le puede quitar al sacerdote su poder para efectuar la transubstanciación. Los sacramentos celebrados por un sacerdote siempre serán válidos aunque el sacerdote sea un bribón o un libertino. Por lo tanto, los fieles tradicionalmente han aceptado las ministraciones de muchos sacerdotes indignos porque han creído que la autoridad del sacerdote y el poder del sacramento dependen, no del carácter personal del ordenado, sino de la validez de su ordenación.[10]

El culto a la Virgen María

Una de las características del catolicismo tradicional en los países hispanoamericanos es la importancia dada a la Virgen María en la vida devocional de los fieles. En muchas partes la adoración a la Virgen ha eclipsado la adoración ofrecida a Nuestro Señor Jesucristo. Abundan más imágenes de la Virgen en las iglesias tradicionales que del mismo Cristo. Eugenio Nida ha hecho la observación de que las imágenes de la Virgen son, sin excepción, bellas, ricamente adornadas y, sobre todo, proyectan un ser viviente.[11] Las imágenes de Cristo, en cambio, son feas, más pobres y proyectan una víctima muerta o moribunda. La contemplación de un Cristo moribundo puede ayudar al creyente a recordar sus pecados y sentir pesar por ellos. El Cristo moribundo es capaz de provocar fuertes sentimientos emocionales en el creyente y una descarga de energía nerviosa. Sin embargo, el creyente será atraído mucho más por la imagen bella de la Virgen que por la del Cristo moribundo. En su hora de necesidad el creyente católico tradicional buscará el apoyo y el socorro de Nuestra Señora en lugar de la del único mediador entre Dios y los hombres.

El contraste entre Cristo como símbolo de la muerte, y María como símbolo de la vida, recibió un fuerte apoyo por la manera en que se desarrolló la doctrina de la Eucaristía en la iglesia occidental durante la Edad Media. Durante los primeros siglos de la era cristiana, la celebración de la Eucaristía reflejaba más la celebración judía de la Pascua. Pero al pasar el tiempo, los elementos de los "misterios" (por ejemplo el culto a Isis, Osiris, Eleusis y otros) fueron incorporados en la celebración cristiana. El elemento principal en los ritos de fertilidad de estos misterios fue el concepto del dios moribundo, resucitado por el principio de la productividad femenina. Cuando la Eucaristía llegó a ser interpretada como un

---

10 *Ibid.*, p. 126.

11 Nida, Eugenio, *Understanding Latin Americans.* (Pasadena, California, William Carey Library, 1974), p. 126.

sacrificio continuo de un Cristo que sufre de nuevo con cada celebración de la misa, el Hijo de Dios llegó a ser asociado cada vez más con los dioses moribundos de los misterios. El resultado de este proceso fue que Cristo llegó a convertirse en un símbolo de la muerte. Este proceso produjo un gran vacío psicológico en la vida devocional del creyente que anhelaba encontrar la vida. Así fue como, más y más, la Virgen llegó a llenar este vacío al punto que la Madre de Dios llegó a convertirse en el símbolo de la vida.[12]

Nadie puede negar que María tiene un papel importante que desempeñar dentro de la teología cristiana. María tiene importancia para la doctrina de Cristo porque ella es la garantía de que nuestro Señor nació como hombre verdadero, carne de nuestra carne y hueso de nuestro hueso. Se sabe que el Señor es un hombre verdadero y no simplemente un espíritu disfrazado como hombre porque nació de una mujer. El nacimiento de Cristo de una madre humana es un fuerte antídoto frente al docetismo. Existe una tendencia de negar, entre los cristianos, la verdadera humanidad de Jesucristo. La primera gran herejía en la historia de la iglesia no constituyó en negar la divinidad de Cristo sino en negar su humanidad.

Las raíces históricas de la mariolatría

En las controversias cristológicas de la iglesia en los siglos IV y V los teólogos ortodoxos hicieron hincapié en el hecho de que María debe llamarse "Madre de Dios." Hicieron esto, no con el fin de convertir a la Virgen en objeto de adoración, sino con el fin de resaltar la divinidad de Cristo. Contra quienes afirmaban que Jesús no era Dios desde la eternidad y que no era igual al Padre, los teólogos ortodoxos afirmaron que aún en su nacimiento Jesús era Dios. No llegó a ser Hijo de Dios por adopción, pues ya era Dios al nacer. Para subrayar el hecho de que Jesús siempre había sido Dios y de que nació siendo Dios, a María se le dio el título de *theotokos* o "Madre de Dios." El hecho de que fue en Efeso donde por primera vez se acordó honrar a la Virgen con el título de "Madre de Dios," no es sin importancia. En Efeso estaba ubicado el gran templo de Diana de los Efesios, una de las grandes diosas madres del mundo pagano. Mientras que los teólogos interpretaron el título "Madre de Dios" en términos de la cristología, el vulgo interpretó el mismo título de acuerdo con las viejas

---

12 *Ibid.*, p. 130.

asociaciones que tenía dicho título en el culto a la diosa madre. Muchos "nuevos cristianos", medio convertidos del paganismo, llegaron a ver en la Virgen María, una nueva manifestación de la misma diosa que ellos antiguamente adoraban bajo otros nombres.[13]

El culto a los santos en el contexto cristiano comenzó en los siglos III y IV de la Era Cristiana dando expresión a los deseos de los cristianos para honrar la memoria de aquellos mártires que habían dado sus vidas por la fe. Con este fin se construyeron monumentos en memoria de los grandes héroes que fueron fieles hasta la muerte. Teólogos cristianos como San Agustín, hicieron una distinción clara entre el culto que los paganos rendían a sus dioses y los monumentos que los cristianos levantaron para honrar la memoria de sus mártires. Acertadamente declara Agustín:

> Ellos construyen templos a sus dioses y levantan altares, y ordenan sacerdotes, y ofrecen sacrificios. Pero para nuestros mártires no construimos templos como si fueran dioses, sino monumentos dedicados a hombres muertos cuyos espíritus están con Dios. Ni levantamos altares al lado de estos monumentos a fin de sacrificar a ellos sino al Dios de los mártires y de nosotros.[14]

Sin embargo, en los años después de Agustín, los cristianos más y más se olvidaron de la distinción hecha por el gran teólogo de Hipona. Con el tiempo la Virgen y los santos llegaron a ser venerados y aún adorados como si fueran seres divinos. Los teólogos de la iglesia romana siempre han enseñado que existe una diferencia entre la adoración de Dios y la veneración a la Virgen y a los santos. Los santos y la Virgen deben recibir gran respeto y honor mas no adoración. Solamente Dios debe ser adorado. Aunque los teólogos saben hacer esta distinción, para la gran mayoría de los católicos tradicionales en América Latina no existe tal distinción. Ellos no sólo veneran, sino que también adoran a la Virgen.

A través de los años nuevas doctrinas marianas fueron promulgadas por la Santa Sede, cada una dando más importancia al papel de la Madre de Dios, tanto en la teología, como en la devoción popular. Según la doctrina de la Concepción Inmaculada, promulgada en el siglo XIX, la concepción y nacimiento de María estuvieron exentos de pecado. Consecuentemente,

---

13 Pelikan, *Op. Cit.*, p. 132.

14 Citado en Pelikan, *Ibíd.*, p. 136.

María está libre del pecado que ha infectado al resto de la raza humana. En el año 1950 se promulgó la doctrina de la Asunción de la Virgen donde se afirmó que después de terminar su carrera aquí en la tierra, María fue llevada corporalmente al cielo. Tales doctrinas enfatizan que la Virgen no es una pecadora como las demás personas. Ella es inmaculada, sin pecado, como Nuestro Señor Jesucristo. Es así como la Virgen tiene una posición especial en el cielo. Por lo tanto, la Virgen María es digna de recibir la veneración de los fieles. Aún más, María no solamente es digna de veneración, ella también aboga a favor de los pecadores. Por medio de la desobediencia de la primera madre, Eva, el pecado sobrevino al mundo. Pero por medio de la obediencia de María, la segunda Eva, quien no rehusó ser sierva de los designios de Dios (Lucas 1:38) se hizo posible la obra redentora de Cristo. Muchos católicos hablan de María como co-redentora y co-mediadora de la gracia de Dios y en sus oraciones nunca dejan de rezar:

> Santa María, Madre de Dios, ruega por nosotros pecadores ahora y en la hora de nuestra muerte. Amén.

Las raíces antropológicas de la mariolatría

Muchos sociólogos y antropólogos han señalado la íntima relación que existe entre las creencias del pueblo latinoamericano y la estructura de la sociedad de la familia iberoamericana. Es decir, las enseñanzas de la iglesia han influido en las formas culturales de Iberoamérica de la misma forma en que estas formas culturales han influido en la elaboración de los dogmas eclesiásticos.

En la sociedad latinoamericana, la madre constituye el centro emocional de la familia. En la mayoría de las familias latinoamericanas el padre acostumbra a tener relaciones extramatrimoniales con prostitutas y concubinas, de tal manera que en muchas partes el prestigio del hombre depende no tanto del número de bienes materiales que posee, sino de la cantidad y la calidad de sus concubinas. Puesto que en la mayoría de los casos, el hombre está emocional y sentimentalmente comprometido con varias mujeres, los hijos de éste sienten una adhesión afectiva mucho más grande por su madre que por su padre. En muchas partes se espera que la esposa sea comprensiva y tolerante con las aventuras extramatrimoniales de su esposo mientras que ella misma sea siempre fiel y virtuosa.

En muchos hogares el padre, imbuido del machismo tan difundido en la sociedad hispana, es más severo y distante en su trato con los hijos. La madre, en cambio, es más comprensiva e indulgente con los hijos. El hijo siente mucho más temor ante su padre y tiende a buscar refugio y protección en la ternura de su madre. Es ella quien realmente comprende a sus hijos. De esta manera se establece una relación de dependencia según la cual el hijo ve en su madre a la intercesora que necesita ante un padre severo y distante. De una manera parecida, el hispano prefiere elevar sus oraciones al trono de la Virgen comprensiva, pues ella sabrá endulzar o apaciguar al Padre severo que está en los cielos, y conseguir de él los favores que buscan sus hijos.

Cuando se trata del papel de la Virgen en la sociedad hispana se está tratando no solamente de doctrinas y dogmas de una institución eclesiástica, sino también de la proyección simbólica de una serie de actitudes emocionales formadas durante los primeros años de la infancia.[15] La adherencia emocional del hispano hacia la Virgen es, entonces, una de las experiencias emocionales más tempranas y más profundas de la vida. Comprendida de esta manera, la adoración a la Virgen es algo que se encuentra implícito dentro del marco cultural de la sociedad hispana. Para muchos, cualquier ataque contra la adoración a la Virgen será interpretado como un rechazo de la madre, del hogar y del amor familiar.

Muchos protestantes en América Latina no han sabido distinguir entre la función de la Virgen como un artículo de la fe, y su función como símbolo cultural. En diversas ocasiones, los argumentos elaborados contra la mariolatría, no funcionan porque los católicos hispanos han aprendido a creer en la Virgen sin tener que recurrir a argumentos teológicos, bastando para ello el marco de las relaciones familiares.[16]

Según Eugenio Nida, quien ha escrito una serie de artículos importantes sobre el papel de la Virgen en la sociedad hispana, la mejor manera para contrarrestar la mariolatría es proclamando claramente el evangelio de Jesucristo. La proclamación debe incluir, no solamente el natalicio y la pasión de Nuestro Señor, sino también todo lo relacionado con su ministerio total a favor de la humanidad. El hispano tendrá que ver no solamente al Cristo moribundo y derrotado, sino también el Cristo viviente, a quien le ha sido dada la plenitud de todos los poderes divinos. Cuando los

---

[15] Nida, *Op. Cit.*, p. 130.

[16] *Ibid.*, p. 131.

hispanos descubren que pueden acercarse directamente a Cristo sin ser rechazados, intimidados o amedrentados, verán que la intercesión de la Virgen es innecesaria.

Al seguir analizando el papel de la Virgen en la sociedad hispana, se observa el hecho de que varios antropólogos, como Eugenio Nida y Luis Maldonado, destacan la relación que existe entre el celibato del clero romano, y la virginidad de la madre de Dios. En muchos cultos paganos, y en los "misterios", los sacerdotes mostraban su devoción a la diosa al auto-castrarse. Así se quedaban, simbólicamente, incapacitados de realizar relaciones sexuales con la diosa con quien se identificaban. Para estos antropólogos, el celibato del clero romano es una equivalencia funcional de las castraciones de las religiones paganas.

Teólogos como Nicolás Berdyaev han llegado a la conclusión de que el concepto tradicional de Dios dentro del cristianismo tiene un exceso de calidades masculinas, y por lo tanto necesita la añadidura de características femeninas. Para muchos fieles el cuadro que la teología ha pintado de Dios es demasiado austero, justiciero y hasta machista. Al buscar la ternura y la misericordia de Dios que no perciben en el cristianismo tradicional, muchos fieles han sido atraídos hacia la figura de la Virgen. Hablando en términos funcionales, se pudiera postular que la Virgen María ha servido como una proyección y un símbolo de las cualidades femeninas de la deidad, las que, por cierto, han sido olvidadas o reprimidas por la teología tradicional.

Lecturas adicionales:

1. Mackay, Juan, *El Otro Cristo Español* (México, Casa Unida de Publicaciones, Segunda Edición 1988), capítulos IV-V, páginas 83-110.

2. González, Justo L., *La Era de Los Conquistadores* (Miami, Editorial Caribe, 1980), capítulos IX-X, páginas 161-185.

3. Dussel, Enrique D., *Desintegración de la Cristiandad Colonial y Liberación* (Salamanca, Ediciones Sígueme, 1979), capítulo 3, páginas 47-69.

5
La religiosidad popular[1]

La conquista de América Latina por las potencias europeas provocó una crisis de inmensas proporciones para las culturas indígenas del hemisferio. Bajo presiones tan grandes, la cosmovisión de un pueblo se cambia o se modifica. El antropólogo Anthony Wallace[2] ha enumerado cuatro diferentes clases de cambios culturales que pueden ocurrir cuando una cultura está bajo el ataque de otra más fuerte, a saber:

1. *Desmoralización*: El pueblo pierde su esperanza, su deseo de seguir existiendo y de continuar reproduciéndose, por lo cual se auto-destruye, ya sea mediante suicidios en masa, entrega total al alcoholismo, o a las drogas, etc. Docenas de islas en el Pacífico se despoblaron debido a este fenómeno.

2. *Sumersión:* Se busca retener la vieja religión y la vieja cultura escondiéndola debajo de las formas de la nueva religión que trae el conquistador. Ejemplo: la sobrevivencia de religiones pre-colombinas o africanas bajo las formas del catolicismo tradicional.

3. *Conversión:* Se sustituye lo que es el corazón o el centro de la vieja religión por lo que es el centro o el corazón de la nueva religión. Esto es como un cambio o trasplante de corazón no impuesto desde afuera sino escogido voluntariamente por el mismo pueblo. Ejemplo: la conversión de Armenia en los días de Gregorio el Iluminador.

4. *Revitalización*: Es un cambio iniciado por profetas que se levantan dentro del pueblo para reformar su propia cultura al rechazar aquellos elementos de la vieja cultura o religión que ya no funcionan, y se introducen algunas innovaciones que ayudan a la vieja cultura para que sobreviva ante las fuerzas, situaciones o institucio-

---

[1] Lo que aquí se llama la religiosidad popular es lo que otros autores han denominado religión folclórica, la pequeña tradición, catolicismo popular, Cristo-paganismo o catolicismo folclórico.

[2] Wallace, Anthony A. F. C., *Revitalization Movements*, en *American Anthropologist 58* (New Series, 1956), pp. 264-281.

nes, que amenazan con destruir la vieja cultura. Ejemplos: la Reforma de Martín Lutero o el auge de la teología de la liberación.

Según un buen número de autores, muchas partes de América Latina nunca fueron completamente convertidas al cristianismo. Los indígenas, para preservar sus viejas tradiciones y creencias, escondieron su antigua fe pagana bajo las formas exteriores del catolicismo. Este paganismo oculto dentro del catolicismo ha sido denominado Cristo-paganismo por el antropólogo William Madsen, quien efectuó muchas investigaciones de la vida indígena en México.[3] Para Eugenio Nida, de las Sociedades Bíblicas Unidas, el Cristo-paganismo significa una mezcla de conceptos, creencias y prácticas paganas, con conceptos, creencias y prácticas cristianas.

A veces se denomina sincretismo a esta mezcla de creencias. En algunas partes de América Latina se pueden encontrar supersticiones paganas entre los católicos tradicionales. En otras partes del hemisferio, el catolicismo es solamente una capa superficial que sirve para esconder un sistema pagano que casi no ha cambiado desde los tiempos pre-colombinos.

Los teólogos católicorromanos prefieren no usar el término Cristo-paganismo porque esto implica que muchos de los así llamados "católicos" realmente no son cristianos. Muchos grupos protestantes han justificado su trabajo de evangelización en América Latina con el argumento de que su trabajo no es proselitismo, sino una auténtica misión apostólica. Es decir, no están tratando de cambiar la fe de los que ya son cristianos sino de evangelizar a los que nunca han sido cristianos. Al referirse a sus campañas para cambiar las ideas supersticiosas de los latinoamericanos, los líderes de la Iglesia Católica prefieren hablar de la reevangelización a fin de profundizar la fe del pueblo que ya es cristiano.

Uno de los fines de la primera conferencia de obispos latinoamericanos, conocida como CELAM (Conferencia Episcopal Latinoamericana), celebrada en Río de Janeiro en 1955, fue hacer un llamamiento a las organizaciones misioneras de la iglesia para iniciar una reevangelización en América Latina. Una de las razones por las que se convocó la primera reunión de CELAM fue para buscar modos para frenar el crecimiento del

---

3 Madsen, William, *Christo Paganism: A Study of Mexican Religious Syncretism, Publication 19* (New Orleans, Middle American Research Institute, Tulane University, 1957).

protestantismo y el marxismo entre los católicos nominales de los países hispanos.

Al hablar de religiosidad popular uno se refiere a la totalidad de creencias, prácticas, ritos, ceremonias y oraciones que emplean las masas. Según Elizondo, la religiosidad popular es lo que expresa la identidad más profunda de un pueblo.[4] Hay una diferencia de opinión entre los teólogos latinoamericanos en cuanto a los sujetos de la religiosidad popular. Al hablar de la religión popular algunos autores se refieren a las prácticas religiosas de todos los miembros del pueblo sin importar su clase. Otros autores, sin embargo, definen la religión popular únicamente en términos de las creencias y prácticas de los pobres y oprimidos. Para estos teólogos la religión popular debe ser entendida como la última forma de resistencia ofrecida por un pueblo colonizado, dominado y oprimido, para ayudarles a resistir los esfuerzos de las élites dominantes, a fin de aniquilarlos, absorberlos o asimilarlos.[5]

Así, la religiosidad popular puede ser definida como una protesta popular en contra de prácticas religiosas consideradas demasiado abstractas, intelectualizadas, cerebrales y dogmáticas.[6] Una de las personas que más se ha destacado en las investigaciones de la religión folclórica es Antonio Gramsci, fundador del Partido Comunista Italiano. En la opinión de Gramsci, el catolicismo popular italiano, con sus devociones fuertemente emocionales, su culto a María y a los santos, y sus sincretismos pagano-cristianos, está anclado en formas arcaicas y constituyen una "expresión de una resistencia pasiva de las clases populares, durante siglos las más pobres y marginadas, frente a las tentativas metódicas de imposición por parte de las clases hegemónicas, incluida la Iglesia."[7] Según esta manera de pensar, la religión popular es una respuesta del oprimido ante el poder del opresor,

---

[4] Elizondo, Virgilio, *Religiosidad Popular e Identidad en la Comunidad Mexicana en los Estados Unidos*, en *La Religiosidad Popular Concilium 206,* pp. 49-56, ed. Norbert Grienacher y Norbert Mette (Madrid, Ediciones Cristiandad, 1986), p. 49.

[5] *Ibid.*, p. 49.

[6] Maldonado, Luis, *Dimensiones y Tipos de la Religiosidad Popular*, en *La Religiosidad Popular, Concilium Vol. 206,* pp. 9-18, ed. Norbert Grienacher y Norbert Mette (Madrid, Ediciones Cristiandad, 1986), p. 17.

[7] Maldonado, Luis, *Introducción a la Religiosidad Popular* (Santander, Editorial Sal Terrae, 1985), p. 28.

una respuesta por medio de la cual el oprimido busca la sobrevivencia de su negada cultura ancestral, dándole las apariencia de la cultura dominante.[8]

Por ahora, en el presente capítulo, se tratan de encontrar algunos de los atributos o características de la religiosidad popular, a saber: el fatalismo, su orientación laical, las fiestas, las peregrinaciones, y los lugares santos.

Características de la religiosidad popular

El fatalismo

Una de las características de la religiosidad popular en general, y del catolicismo popular de América Latina en particular, es el fatalismo. El fatalismo del catolicismo popular tiene sus raíces en el catolicismo ibérico y sus antecedentes islámicos, como también en la cosmovisión de los indios pre-colombinos. Se ha ampliado e intensificado este fatalismo hereditario por la experiencia histórica de casi quinientos años de explotación y opresión a manos de las élites dominantes que han controlado la sociedad latinoamericana desde los días de la conquista.[9]

El fatalismo fue una característica de la religión de los aztecas. Los aztecas creyeron en una forma de predestinación, según la cual, el destino del individuo, en la vida y en la eternidad, es determinada por los dioses en el momento del nacimiento.[10] Los dioses determinaron los signos sagrados bajo los cuales todos nacen. Cada persona nace bajo un signo diferente y es el signo el que determina el curso que tomará la vida de cada persona en el futuro. Estos signos sagrados fueron preservados en el calendario de los aztecas llamado "totalamatl". La persona que nace bajo un signo desfavorable puede mejorar un poco su suerte celebrando vigilias y ofreciendo sacrificios a los dioses. Pero la persona que descuida sus obligaciones rituales pierde cualquier vestigio de buena suerte recibida al haber nacido bajo un signo favorable. Se puede perder la buena suerte también por desatender la penitencia y la auto-mortificación de la carne. Las enfermeda-

8 *Ibid.*, p. 29.

9 Kearney, Michael, *World View* (Novato, California, Chandler & Sharp, Publishers Inc., 1984), p. 196.

10 Madsen, *Op. Cit.*, p. 127.

des pueden causar una pérdida del "tunal" o "tunali" del individuo. El "tunal" es la suerte o destino que uno recibe al nacer.[11]

El fatalismo, a pesar de más de 400 años de cristianismo, todavía es hoy uno de los rasgos distintivos de muchas comunidades indígenas en América Latina. En muchas comunidades de la cultura Náhuatl, en el Valle de México, existe la creencia de que al nacer un niño comienza una lucha entre Dios y el demonio para ganar el alma del infante. Dios gana la mitad de estas luchas, y el demonio la otra mitad. Si Dios gana, el recién nacido recibe una "sombra buena". Si gana el demonio, el niño recibe una "sombra pesada".[12] Los que reciben una sombra buena pueden esperar el éxito durante su vida terrenal y la oportunidad de ir al cielo. Las personas que reciben sombras pesadas son predestinadas a encontrar la mala suerte, la pobreza, la falta de amigos, y sufrir muchas enfermedades. La sombra pesada traerá sobre el individuo una carga insoportable de pecados, y será la causa de su condenación eterna.[13] Es evidente que las personas con una cosmovisión fatalista tendrán poco interés en iniciar programas de reforma social o política. La causa de su pobreza no se buscará en las estructuras sociales injustas, sino en la clase de sombra que recibieron al nacer.

Las investigaciones de la antropóloga Mary Douglas han enfatizado que el fatalismo de los pobres y oprimidos es algo profundamente arraigado en el alma del pueblo. Este fatalismo es parte de la cosmovisión del pueblo, y por lo tanto no puede, generalmente, ser erradicado con una sola clase bíblica o un sólo sermón. Los campesinos, peones y obreros pobres de América Latina han sido oprimidos y explotados durante siglos por los grupos dominantes. El mundo, para el pobre, no es un lugar justo; las fuerzas del bien aparentemente no están en control de la situación. Existe una cosmovisión caracterizada por el dualismo. El cosmos es percibido como un lugar caprichoso, inseguro y hostil, lleno de agentes personales (dioses, espíritus, fantasmas y demonios, ángeles) que están en constante lucha entre sí.

En pequeñas sociedades tribales donde no hay luchas entre diferentes clases sociales, el mundo es un lugar justo donde todo está en armonía. En la literatura de tales sociedades, el hacedor del mal siempre

---

11 *Ibíd.*, pp. 120-122.

12 *Ibíd.*, p. 146.

13 *Ibíd.*, p. 145.

recibe su merecido porque el que está controlando el mundo es un dios justo. Pero no es así en la sociedad latinoamericana. Aquí hay una falta de armonía entre el cosmos y la sociedad y, por lo tanto, los miembros de la sociedad se preocupan de cómo protegerse de fuerzas malignas o peligrosas que están buscando influir e infiltrarse en el grupo. Se explica la falta de justicia en el mundo con mitos que afirman que el buen dios creador se ha apartado del mundo, y ha entregado el control del mundo a otros espíritus menos sabios, menos poderosos y menos justos.[14]

Las personas que están cautivas del fatalismo necesitan verse a sí mismas como objetos del amor transformador de Dios. El fatalismo de las masas ha servido como un tranquilizante que ha contribuido a los intereses de aquéllos que se han aprovechado de las clases inferiores. Mientras se crea que las injusticias sufridas por el pueblo no se pueden cambiar debido a que no es la voluntad de Dios, la religión popular seguirá caracterizada por el fatalismo. Lo que fortalece el fatalismo de la religiosidad popular es su conexión con una percepción a-histórica y cíclica del tiempo. Muchas de las grandes fiestas de la religiosidad popular festejan los ritos de la naturaleza y el ciclo agrícola con su constante repetición de siembra, lluvia, crecimiento, cosecha, etc. La religiosidad popular necesita una conexión más vital con los grandes eventos bíblicos que apuntan hacia la meta de la historia: el establecimiento del Reino de Dios. Mientras que la historia sea un ciclo continuo de eventos que se repiten y no una historia de salvación, el fatalismo religioso servirá como un opio de las masas.[15]

La orientación laical. El establecimiento de las cofradías

La cofradía fue una de las instituciones más importantes implantadas en la vida eclesiástica de América Latina en los años posteriores al 1600. Una cofradía es una hermandad o asociación de miembros de la parroquia con fines de ayuda mutua, profundización de la fe, y la organización de fiestas y otros eventos sociales. La organización de cofradías no fue el producto del primer período de la actividad misionera, pero a fines del siglo XVII, miles de cofradías fueron organizadas a lo largo de América Latina. En algunas parroquias grandes existían hasta ocho cofradías, mientras que en los pueblos pequeños había solamente una o dos. En

---

[14] Douglas, Mary, *Natural Symbols* (London, Barrie and Jenkins, 1973), pp. 93-102.

[15] Dussel, Enrique D., *Historial General de la Iglesia en América Latina, Tomo 1/1* (Salamanca, Ediciones Sígueme, 1983), p. 569.

muchos lugares todos los miembros de la comunidad se hicieron miembros de una cofradía.

La importancia de la cofradía estriba en el hecho de que, como los gremios y "las terceras órdenes", es una organización laical que realiza funciones religiosas. Una de las características de la religión popular es que hay mayor actividad laical que en la iglesia institucional de la gran tradición. Una lección que debe aprender cada líder en la iglesia es que el Espíritu Santo otorga dones espirituales a todos los miembros del cuerpo de Cristo. El Espíritu desea que todos los dones, así otorgados, sean empleados para la gloria de Dios, el bienestar del prójimo, y para la extensión del Reino. Lamentablemente muchas instituciones eclesiásticas y líderes institucionales atrasan la marcha de la iglesia al restringir el ejercicio de los dones espirituales a los miembros de una pequeña élite clerical. Al acaparar los ministerios de la iglesia, esta élite clerical, se da como resultado que la mayoría de los miembros, especialmente los miembros de las clases sociales inferiores, queden como miembros marginados del cuerpo de Cristo.

En la religiosidad popular vemos el florecimiento de organizaciones y movimientos en los que los laicos tienen una participación más grande que en las organizaciones y las instituciones de la iglesia oficial. Las cofradías, como organizaciones laicas, daban a los miembros de la iglesia la oportunidad, no sólo de ser observadores, sino también participantes y líderes en actividades religiosas. Muchas veces, los miembros del cuerpo de Cristo que estaban dotados de varios talentos, abandonaban una iglesia demasiado institucionalizada para desenvolverse en otros grupos, más dispuestos a brindarles la oportunidad de utilizar sus dones. Seguramente este fenómeno puede ayudar a explicar el florecimiento de tantos movimientos religiosos populares, cultos y sectas, entre los laicos de organizaciones eclesiásticas muy jerarquizadas. Desde el punto de vista sociológico, los movimientos pentecostales tendrían que ser clasificados, en parte, como expresiones de una religiosidad popular laical. Una gran parte del atractivo de los movimientos pentecostales, entre los miembros de las clases inferiores, es que ofrecen una participación activa en la religión a los que han sido marginados en iglesias elitistas y jerárquicas.

No todas las cofradías eran de las clases marginadas. También existían cofradías especiales para los españoles, los criollos, los indios, y los negros. En países como Cuba, Venezuela, y Brasil, las cofradías organizadas por distintos grupos de afro-americanos, sirvieron para mantener vivas las creencias y tradiciones africanas. De algunas de estas cofradías nacieron sectas afro-americanas como la Santería Cubana. Cada cofradía tenía su santo patrón; en algunas ocasiones, estos patrones representaban, no solamente al santo católico cuya fiesta celebraron los miembros de la cofradía, sino también antiguas deidades africanas, veneradas bajo las formas de la religión católica.

Las cofradías ofrecían a sus miembros una seguridad espiritual y un sentido colectivo que faltaba en el resto de la vida indígena del siglo XVII.[16] La cofradía era una institución perdurable que sobrevivía a sus miembros. Este hecho pudo haber inyectado una sensación de seguridad en una población seriamente reducida en número, y que sufría diversas dificultades. Cada cofradía cobraba una mensualidad a sus miembros. Con estos fondos la cofradía pagaba los entierros de miembros difuntos, y las misas ofrecidas para el eterno descanso de sus almas. Cada año la cofradía organizaba la fiesta de su santo patrón. La organización y celebración de estas fiestas era, generalmente, administrada por laicos.

Las cofradías más ricas podían sufragar los gastos de misas mensuales, en el altar de la cofradía, para sus miembros, vivos y muertos. También pagaban varias misas especiales a lo largo del año. Además pagaban mortajas, féretros, misas, vigilias, y entierros en la capilla de la cofradía, a la muerte de los miembros, y realizaban pagos extras en caso de muerte ocurrida fuera del pueblo. Era bien sabido, por todos los miembros, que debido a su asociación con la cofradía, y por concesión del papa Inocencio XI (1676-1689), se les otorgaba indulgencia plenaria el día de la entrada de un comulgante a la cofradía, y nuevamente en el día de su muerte. Los miembros en buena posición no debían expiar en el purgatorio. La cofradía, en otras palabras, era una organización de seguridad eclesiástica, mantenida por remuneraciones regulares, que cubrían misas y remisión de castigos resultantes de pecados, y además contribuía al gasto mayor de un funeral cristiano.

Es de interés notar que algunas cofradías funcionaban, no a base de las contribuciones de sus miembros, sino de los ingresos sacados de sus tierras agrícolas. Estas tierras eran "tierras de santos", y se entendía que pertenecían a las imágenes de los santos y los que las trabajaban eran los mayordomos de los santos. Algunas cofradías llegaron a ser tan ricas que establecieron escuelas y hospitales, además de actuar como agencias bancarias al prestar dinero con tasas de interés.

---

[16] Gibson, *Op. Cit.*, p. 130.

El clero apoyaba la fundación de las cofradías debido a que eran medios seguros para obtener un ingreso eclesiástico regular para los sacerdotes, pues las cofradías necesitaban emplear a sacerdotes para rezar las muchas misas. Para una población indígena cristianizada, o parcialmente cristianizada, la cofradía ofrecía una organización comunal en una época en que las comunidades tradicionales sufrían grandes pérdidas de población. Consecuentemente, el auge de las cofradías puede ser considerado, en cierta forma, como una respuesta a la decadencia de los pueblos. Las cofradías sirvieron para ayudar a mantener las tradiciones de un pueblo y para dar a sus miembros un punto de referencia en la preservación de su identidad.[17] Considerando que las cofradías sirvieron para financiar las misas que se rezaban a favor de los difuntos en el purgatorio, se pueden valorar los ataques de Martín Lutero contra las cofradías y hermandades de su tiempo.

Durante el tiempo de la Colonia, cada gremio, ya fuera de los zapateros, los carpinteros o los orfebres, tenía también su santo patrón, sus fiestas, sus procesiones y sus misas especiales. Como en las cofradías, los laicos tenían una participación religiosa mayor en las actividades del gremio, que en la celebración de la misma en la iglesia del pueblo. Se debe mencionar también la participación de laicos en las terceras órdenes. Cuando San Francisco de Asís fundó la orden de los franciscanos, todos sus discípulos eran varones. Estos hombres, que tomaron el voto de pobreza, castidad, y obediencia, formaron la primera orden de los franciscanos. De pronto, muchas mujeres se incorporaron también en el movimiento franciscano. Bajo el liderazgo de Santa Clara se formó el ramo femenil del movimiento, o sea, la segunda orden de San Francisco. Un poco más tarde, laicos casados que estaban de acuerdo con los objetivos del movimiento franciscano formaron la tercera orden de San Francisco. Un miembro de una tercera orden reza las horas canónicas y tiene una disciplina monástica en su propio hogar, mientras que sigue con sus responsabilidades familiares, sociales, y laborales. Hay terceras ordenes, no sólo entre los franciscanos, sino también entre los domínicos, los agustinos y otros.

A pesar de muchas prácticas supersticiosas e idólatras, las organizaciones laicales han hecho mucho a fin de mantener la identificación de las masas con la Iglesia Católica, especialmente en los lugares donde hubo carencia de sacerdotes ordenados. En cierto sentido estas organizaciones eran precursoras de la comunidades eclesiales de base del siglo XX.

---

[17] *Ibíd.*, p. 134.

Las fiestas

Una de las características de la religiosidad popular que se ha mencionado es la importancia que se le da a las fiestas. Una de las funciones de las cofradías era la de financiar y organizar las fiestas. Las fiestas tienen una gran importancia para la religiosidad popular, pues son dirigidas por laicos con relativa independencia del clero.

Las fiestas mexicanas, como ocasiones de ceremonias públicas con servicios eclesiásticos, procesiones, comidas y bebidas, danzas, decoraciones florales, fuegos artificiales, trajes y música, combinan elementos de ritos cristianos con formas tradicionales del ritual indígena, y de numerosas maneras, reconcilian los mundos cristiano-español e indígena-pagano. Del lado del cristianismo se contaban las fiestas específicas del calendario y el culto cristiano que se celebraba en ellas. Del lado indígena estaban los trajes, las danzas y máscaras, los despliegues públicos y el sentido de la participación especial en funciones colectivas. El misionero del siglo XVI, Pedro de Gante, describió la manera en que patrocinó deliberadamente esta fusión en el primer período. Habiendo observado el canto y la danza de los indígenas en el culto pagano, compuso un canto cristiano y dibujó nuevos diseños para los palios que debían usarse en una danza cristiana. "De esta manera" dijo, "los indígenas mostraron por primera vez su obediencia a la iglesia."[18]

El conocido escritor mexicano Octavio Paz, ganador del Premio Nobel de Literatura 1990, ha analizado el significado de la fiesta de otra manera. Para Paz, el machismo latino, especialmente en México, ha servido para encerrar al hombre hispano en un "laberinto de soledad," título de una de sus obras más famosas. Según la filosofía del machismo, un verdadero hombre no muestra miedo ni debilidad. Revelar los pensamientos profundos, miedos o temores que uno siente por dentro, especialmente delante de una mujer, no es una característica de un macho. Dejar que otros lleguen a conocer las debilidades o temores de uno mismo es dar una ventaja a un posible adversario. Revelar a otros lo que uno es por dentro es exponerse al engaño, la traición, y la burla. Según Paz, el macho teme comunicar su más íntimo ser con otros. Por lo tanto, el hombre hispano se concentra en sí mismo, escondiendo sus verdaderos sentimientos. Sufre interiormente por la falta de una verdadera comunión, pero teme quedar

---

18 *Ibid.*, pp. 134-135.

demasiado expuesto ante los demás y ser calificado como una persona débil o afeminada.

Escondidos tras de sus máscaras, muchos hispanos, según Octavio Paz, viven dentro de su propio laberinto de soledad. Es solamente durante la fiesta, con sus excesos, y su clima de caos colectivo, cuando las máscaras se hacen a un lado y el verdadero yo puede abrirse y escapar de su laberinto. Durante la fiesta, todos los sentimientos reprimidos logran salir. La fiesta es, por excelencia, según Paz, la revolución, pues la revolución no sólo nos ofrece la oportunidad de expresar nuestros temores, frustraciones y odios reprimidos, sino también la oportunidad de volver al mundo del pasado, al mundo que fue destruido, reprimido y sumergido por la conquista. En otras palabras, cada fiesta es una anticipación de la revolución definitiva que será el retorno al paraíso perdido.

Hay un elemento revolucionario en todas las fiestas, en el sentido de que la fiesta es una protesta contra las reglas de lo establecido, el sistema, lo estructurado. Las fuerzas que controlan la sociedad buscan reglamentar las actividades y el tiempo de las masas asignándoles tareas y obligaciones que deben ser cumplidas según cierto horario. Día tras día las masas se ven obligadas a cumplir con tantas horas de trabajo por día y tantos días de trabajo por mes. Pero en contra de tal reglamento, el pueblo celebra sus fiestas que rompen con el ritmo impuesto por los capataces de la sociedad.

En cada fiesta hay un elemento carnavalesco o dionisiaco (Dionisio era el dios del vino y de la ebriedad). Según los historiadores, la celebración del carnaval comenzó miles de años antes de Cristo en la antigua Babilonia. El antiguo calendario babilónico estaba basado en un sistema que dejaba un espacio de unos cinco días después del fin del último mes del año y el comienzo del primer mes del nuevo año. Estos cinco días sueltos, que no pertenecían a ningún mes, eran considerados como días durante los cuales la sociedad se volvía al caos primitivo que existía antes de la creación del mundo y de la sociedad. Durante este espacio de regreso al mundo desorganizado, sin leyes y estructuras sociales, el pueblo celebraba el caos primitivo. Se abolían las distinciones sociales, el rey se vestía como campesino, y el pobre como noble. La prostituta se disfrazaba de princesa, y el ama de casa se portaba como mujer de la calle. Debido a que el carnaval representaba un retorno a los principios, al caos, no había ley, y cualquiera podía hacer lo que le daba la gana. Al fin del carnaval venía la celebración del año nuevo, durante el cual, nuevamente el rey era entronado para restablecer y recrear el orden, las normas y la ley.

Según el gran fenomenólogo de las religiones, Mircea Eliade, el carnaval es una de las características de las religiones cósmicas que se oponen a las religiones proféticas-históricas-salvíficas como el judaísmo, el cristianismo, el zoroastrismo y el islam.[19] Las religiones cósmicas tienen un concepto cíclico del tiempo donde éste se mueve en una forma circular como el ritmo de la naturaleza. En las religiones proféticas-históricas-salvíficas el tiempo se mueve en dirección a una meta: hacia el establecimiento del Reino de Dios. El tiempo no se repite. En las religiones cósmicas, lo sagrado está en todas partes y todas las cosas están empapadas de lo sagrado. Así, lo sagrado puede manifestarse en cualquier parte. Puede ocurrir una epifanía, una manifestación de lo sagrado en un árbol, una fuente, una tempestad, una fiesta o aún en el acto sexual. La religión cananea, contra la cual lucharon los profetas bíblicos, era una de las formas más extendidas de la religiosidad cósmica.[20]

En las religiones cósmicas se busca una epifanía de lo sagrado que se esconde en la naturaleza, que puede ser nuestra propia naturaleza. En las religiones arcaicas, las religiones de fertilidad y las religiones de misterio, la divinidad se hace presente en la celebración de la fiesta. La fiesta, según esta manera de pensar, es como una epifanía porque representa la entrada de lo divino en el tiempo y en el espacio. Según las religiones de salvación, como el cristianismo, Dios no se encuentra en las epifanías cósmico-naturales como los relámpagos, los truenos, los huracanes, sino en hechos históricos-libertadores como el éxodo, el retorno de Babilonia, la crucifixión y la resurrección de Jesucristo, hechos históricos que no se repiten.

La fiesta es importante para las religiones cósmicas, no solamente porque representan momentos cuando los mortales pueden aprovecharse del poder de lo sagrado, el cual se hace accesible durante las fiestas, sino también porque, en la fiesta, el ser humano puede escapar del tiempo cíclico y volver al tiempo donde no hay pasado ni futuro, solamente el instante vivido. En las religiones cósmicas se busca explotar el momento, de gozar de la vida, de vivir el momento como un fin en sí mismo. La fiesta, en

---

[19] Eliade, Mircea, *Historia de las Creencias y de las Ideas Religiosas*, vol. I (Madrid, Ediciones Cristiandad, 1978), p. 275.

[20] Maldonado, 1985, *Op Cit.*, p. 141.

cierto sentido, es una protesta contra la tendencia de sacrificar el momento por el futuro, y de nunca gozar realmente del momento. En este sentido, la fiesta, además, es una protesta contra el tiempo, es un intento de escapar del tiempo y vivir un presente que no tiene pasado ni futuro.

El Día de los Difuntos

Al celebrar el día de los muertos los vivos no solamente recuerdan a los difuntos, sino que celebran el hecho de que todavía viven entre el pueblo.[21] En las tradiciones del catolicismo oficial, se celebra el Día de los Difuntos con el fin de orar por las almas en el purgatorio. Pero para el catolicismo folclórico, el Día de los Difuntos es un día cuando las almas de los difuntos vuelven a la tierra para recibir homenaje y atenciones de sus familiares vivos. Los familiares que dejan de honrar a los difuntos corren el peligro de ser castigados por su falta de respeto. El homenaje puede ser un manojo de flores, un poco de incienso, o una vela encendida. En la aldea de Misquic, en el Valle de México, se ofrecen huevos sancochados, pollos, patos, queso, incienso, y mandioca a las almas de los difuntos. Después de los ritos del cura y de los rezos, el sacerdote distribuye las ofrendas santificadas entre los mismos fieles concurrentes para ser ofrecidas a los difuntos. La población pasa, junto a sus muertos en el cementerio, toda la noche en esta celebración de los muertos. Se cree que los antepasados pueden volver a sus restos para comer de las ofrendas y poder continuar cumpliendo las pruebas para reposar en el paraíso.

Tanto para los aztecas como para los incas y los pueblos amazónicos, el alma debe superar numerosas pruebas contra los demonios. Por ello, en la laguna de Pátzcuaro, Michoacán, en el Día de los Difuntos se apagan todas las luces del pueblo y se encienden antorchas en el cementerio, para que los difuntos puedan encontrar fácilmente sus restos. El pueblo teme al "ánima que pena", es decir, al alma que no ha podido reposar en sus restos o en el paraíso; y que se transforma en un enemigo, un demonio del que hay que cuidarse.[22]

El sacerdote Virgilio Elizondo interpreta el Día de los Difuntos de una manera positiva al afirmar que el sufrimiento y la crucifixión de Cristo también comunican al pueblo que el sufrimiento y la crucifixión del pueblo,

---

21 Elizondo, 1986, *Op. Cit.*, pp. 42-43.

22 Dussel, 1983, *Op. Cit.*, p. 590.

pobre y marginado, también tienen valor y significado. Según Elizondo,[23] al celebrar estas fiestas, el pueblo proclama: "Aunque nos maten, no pueden destruirnos."

Peregrinaciones, romerías y procesiones

Una de las características más prominentes y más estudiadas de la religiosidad popular es la peregrinación. Cada año, millones de devotos acuden a centros de peregrinación tales como la basílica de Nuestra Señora de Guadalupe en México, el santuario del "Bom Jesus da Lapa" en Bahía, Brasil, la basílica de Nuestra Señora de Luján en Argentina, y el Monte de Sorte en el estado venezolano de Yaracuy. En la historia de las religiones, la peregrinación es una institución sumamente antigua que puede ser hallada entre sociedades tribales (Huichol, Lunda, y Shona), sin embargo, ha llegado a destacarse más entre las religiones universales.[24]

La peregrinación sirve para separar y librar al peregrino de sus compromisos sociales, y de las estructuras sociales profanas durante la duración de la romería. Durante la peregrinación, el peregrino forma parte de una hermandad caracterizada por la igualdad y la llaneza. Mientras que dure la peregrinación los títulos y rangos sociales son olvidados. Ricos y pobres viajan juntos como hermanos. Todos se visten y se portan sencillamente. Las distinciones sociales y económicas que imperan afuera no tienen importancia aquí. La peregrinación es un movimiento que sale desde el centro, alrededor del cual la vida de la sociedad se organiza. Desde este centro de poder y autoridad la peregrinación se mueve hacia un nuevo centro, a un lugar hacia afuera. Los antropólogos señalan que la peregrinación es un movimiento del centro hacia la periferia.

En el simbolismo de la peregrinación se puede ver que el lugar de reunión entre Dios y el pueblo no ocurre en lugares bajo el control de las élites dominantes, sino en otro espacio. Una manera de entender la peregrinación es como un rito de pasaje comunitario. Para la tradición bíblica la peregrinación paradigmática es el éxodo. En el éxodo, la pascua funciona como un rito de separación por medio del cual el pueblo oprimido se separa de su condición anterior, dejando atrás su viejo rol, su viejo estado

---

[23] Elizondo, *Op. Cit.*, p. 56.

[24] Turner, Edith & Victor, *Image and Pilgrimage in Christian Culture* (New York, Colombia University Press, 1978), pp. 1-2.

como esclavo. El tiempo en el desierto representa el estado luminal de transición. Aquí los miembros del pueblo han dejado de ser esclavos, pero todavía no son ciudadanos de la tierra prometida. Están en marcha entre un "status viejo" y un "status nuevo." Durante este período transitorio de luminalidad el pueblo es una sociedad igualitaria y comunitaria. No existen clases sociales, las estructuras sociales son pocas. Al llegar al fin de la peregrinación hay un rito de incorporación o reincorporación a un estado más estructurado.

Varios autores han visto en las peregrinaciones una especie de rebelión contra los centros de poder de las élites dominantes y contra las estructuras sociales y económicas que ellos han impuesto sobre el pueblo. Al salir en peregrinación, en búsqueda de una revelación de Dios afuera de los centros de poder, el pueblo está afirmando que Dios no está entre los poderosos y ricos. Las epifanías o hierofanías casi siempre ocurren fuera del espacio controlado por las élites. Ocurren en lugares desérticos o solitarios, o en sitios donde el "pueblo" antes adoraba, como es el caso en Tepeyac, lugar donde Juan Diego tuvo su encuentro con la Virgen de Guadalupe. Enrique Dussel afirma:

> El Catolicismo popular nace del espacio periférico, despreciado, exterior. Los grandes cultos marianos americanos, por ejemplo la virgen de Guadalupe y de Copacabana, surgen 'fuera' de la ciudad y en territorio indígena y en lugar de cultos prehispánicos. . . El dominador tenía un espacio; el conquistado y dominado justamente el inverso. Afirmar la exterioridad como centro es parte de la acción liberadora del catolicismo popular. Hacer un templo en Tepeyac, en la orillas del lago Titicaca (la 'madre de los dioses'), era dar sacralidad centralizada a lo periférico. Era un triunfo del pueblo. . . Toda procesión, de alguna manera, es ocupar (como ocupa un ejército el campo del enemigo) el espacio del dominador: su ciudad, su plaza central, su templo, sus calles. Es un ganar simbólicamente el espacio.[25]

Moisés pidió al faraón permiso para celebrar una fiesta a Dios en el desierto. En otras palabras, Dios no estuvo en el centro donde estaban los que oprimen al pueblo, sino afuera, en la periferia. La peregrinación es un rechazo simbólico a los poderosos que buscan controlar el destino del pueblo. Jesús, llevando su cruz, sale afuera de la ciudad de Jerusalén para

---

[25] Dussel, 1983, *Op. Cit.*, pp. 579-580.

morir en la periferia. La procesión, tan popular en América Latina, debe ser entendida como una mini-peregrinación. Citamos nuevamente a Dussel:

> Una procesión es un acontecimiento colectivo, popular, histórico. Es un 'pueblo en marcha.' Todos lo viven así. Habiendo terminado la misa, habiéndose bendecido el estandarte, la muchedumbre comienza a agitarse. Las voces se elevan entre un cruzarse de directivas y consejos para la formación de la procesión. Se verifica la solidez de la estatua sobre sus espaldas. Las mujeres avivan el incensario. Corren los confites, las serpentinas, las campanas. Por el momento el sacerdote sólo debe observar; cada uno sabe lo que debe hacer. La procesión se pone en movimiento, la estatua sale por la puerta del templo, la fanfarria lanza un ritmo marcial, las campanas aumentan de volumen. Petardos y explosiones suenan en diversos lugares. Sobre la multitud en fiesta, la estatua, cubierta de decoraciones, se bambolea imperturbable al ritmo y cadencia de los que la llevan. El santo comienza a contornear la plaza . . . No es extraño entonces, que cuando el campesino revolucionario Emiliano Zapata entrara con sus ejércitos en Cuernavaca, parecía una verdadera procesión, y tenía por bandera, aquel cuerpo revolucionario y armado . . . un estandarte de la virgen de Guadalupe.[26]

En el altiplano andino las peregrinaciones se dirigen hacia lugares que se consideran como puentes que conectan el mundo de los seres humanos con el mundo de las divinidades y los espíritus. El santuario al final de la peregrinación es un lugar donde el reino sumergido de las deidades sube hacia la superficie del mundo humano. Aquí las divinidades pueden salir de su mundo y entrar en nuestro mundo de tiempo y espacio. En este sentido, el centro de la peregrinación es como Bethel, donde Jacob encontró una escalera por la cual los seres divinos subían y bajaban al mundo de los mortales. Para los antropólogos, como Robert Redfield, la peregrinación es importante porque es una institución ubicada entre la gran tradición y la pequeña tradición y como tal, es una de las únicas instituciones que pueden servir como un eslabón para unir la gran tradición con la pequeña tradición.[27]

---

[26] *Ibid.*, p. 580.

[27] Sallnow. Michael J., *Pilgrims of the Andes* (Washington D.C., Smithsonian Institute Press, 1987), pp. 1-5.

Los reformadores protestantes no eran buenos amigos de la peregrinación. Lutero había realizado su peregrinación a la santa ciudad de Roma cuando todavía era un monje de la orden de los agustinos. Más tarde, Lutero comenzó a denunciar las peregrinaciones como obras inventadas por los hombres, mediante las que buscaban la salvación que solamente se puede encontrar en Cristo. Los cristianos, según Lutero, deben permanecer en casa para servir a sus cónyuges, hijos y vecinos en lugar de abandonar sus responsabilidades familiares y sociales, mientras viajan de santuario en santuario tras la búsqueda de indulgencias. El reformador declaró que es inútil buscar a Dios en reliquias, ermitas y santuarios porque el Señor no está allí sino en la Palabra y en los Sacramentos. "La verdadera peregrinación cristiana no es ir a Roma o a Compostela sino a los Profetas, los Salmos y los Evangelios." Así opinó Lutero.[28]

Calvino afirmó que las peregrinaciones no ayudan en la salvación de ningún ser humano.[29] En Gran Bretaña los reformadores destruyeron centros de peregrinación como el santuario de Nuestra Señora de Walsingham y el Purgatorio de San Patricio. Es probable que, tanto Lutero como Calvino, se asombrarían hoy ante el fenómeno moderno de las peregrinaciones de miles de peregrinos protestantes viajando a Wittenberg y a Ginebra para experimentar una renovación de fe y compromiso cristiano en los lugares donde sus padres espirituales, hace unos 500 años, iniciaron una reforma precisamente dirigida contra semejantes prácticas como las indulgencias, la veneración de reliquias, y las peregrinaciones.

Los lugares santos

Entre las características de la religión folclórica en América Latina se debe notar la importancia dada a los lugares sagrados tales como los santuarios, las grutas, las cuevas sagradas, los templos. Lo que distingue a los santuarios es que siempre están en el mismo sitio. Sirven como un punto de referencia. En un mundo que está en movimiento, donde nada es seguro, se requieren de puntos de referencia y símbolos de identidad a fin de no perderse. Las viejas grutas paleolíticas con accesos difíciles, con temperaturas estables, donde se enterraban los muertos, recuerdan la matriz materna. Los templos y santuarios de Mesopotamia, las bóvedas oscuras

---

[28] Bainton, Roland Herbert, *Lutero* (Buenos Aires, Editorial Sudamericana, 1955), p. 415.

[29] Turner, *Op. Cit.*, p. 30.

con entradas alargadas y ovaladas, simbolizaban la diosa madre. Las ermitas ubicadas al margen de la sociedad sirven como refugios para los que están al margen de la sociedad.

Los miles de santuarios locales esparcidos a lo largo de América Latina actúan como poderosos símbolos locales que ayudan a definir quién es miembro de la comunidad y quién no. Según Maldonado, "el santuario es signo de identidad del grupo, manifestación de la conciencia colectiva del grupo humano. La vida de una comunidad, especialmente si es rural, implica fundamentalmente organización de la convivencia y simbiosis con el medio geográfico. Estos dos aspectos actúan como dos potentes generadores de cultura. No podemos hablar de comunidad si no detectamos en los vecinos un específico sentido de pertenencia a un grupo, la vivencia de un 'nosotros' homogéneo, es decir, un sentimiento solidario."[30] En otras palabras, el santuario ayuda al individuo a sentirse como miembro de una comunidad, una parte del mundo, una persona con raíces. No es por casualidad que los hispanos prefieren una religión que les proporciona un lugar santo con el cual se puede identificar.

Lecturas adicionales:

1. Nida, Eugenio A., *Understanding Latin Americans* (Pasadena, California, William Carey Press, 1973), páginas 106-124.

2. Paz, Octavio, *El Laberinto de La Soledad* (México, Fondo de Cultura Económica, 1959), páginas 26-58.

3. González, Justo L., *La Era de Los Conquistadores* (Miami, Editorial Caribe, 1980), capítulo XII, páginas 187-199.

[30] Maldonado, 1985, *Op. Cit.*, p. 159.

6

Dios, María, y los santos en la religiosidad popular

En el noveno capítulo del libro de Job se lee la amarga queja de un hombre que ha sufrido la pérdida de todas sus posesiones, su salud, sus hijos y su honor. Job lamenta la imposibilidad de llevar su queja delante de Dios porque Dios, según el desgraciado sufriente, es demasiado majestuoso, poderoso e insensible para hacer caso a un mísero mortal como él. Dios está demasiado alejado de los sufrimientos del patriarca para poder escuchar las quejas del oprimido. Según Job, Dios es como uno de los soberanos del antiguo Medio Oriente, demasiado ocupado en cosas más importantes, como para hacer caso a un pobre suplicante. Job expresa el deseo de encontrar a un mediador que interviniera ante Dios para oír su caso:

> Yo sé muy bien que esto es así, y que ante Dios el hombre no puede alegar inocencia. Si alguno quisiera discutir con él, de mil argumentos no podría rebatirle uno solo. Si yo lo llamara a juicio, y él se presentara, no creo que hiciera caso a mis palabras. Haría que me azotara una tempestad, y aumentaría mis heridas sin motivo; me llenaría de amargura y no me dejaría tomar aliento. Por más recto e intachable que yo fuera, él me declararía culpable y malo. Si en un desastre muere gente inocente, Dios se ríe de su desesperación. Deja el mundo en manos de los malvados y a los jueces les venda los ojos. Job 9.1-3,16-18,20,23 DHH

Los pobres de América Latina que fueron despojados por la Conquista, oprimidos por la Colonia, y que son actualmente marginados por el mundo moderno de las transnacionales, han experimentado los mismos sentimientos de Job. Como Job, los seguidores del catolicismo folclórico tienen un concepto distorsionado de la naturaleza de Dios. Para muchos, Dios el Padre es un Dios alejado e inaccesible; Jesucristo es una pobre víctima con quien uno puede identificarse, pero que es incapaz de socorrernos; el Espíritu Santo es virtualmente desconocido. Job expresó el deseo de encontrar un mediador que pudiera abogar en su favor ante la deidad incomprensiva. Muchos seguidores del catolicismo popular y el Cristo-paganismo buscan la ayuda de gran cantidad de mediadores para ayudarles en sus problemas y sufrimientos. Cristo-paganismo quiere decir la mezcla de ceremonias y creencias paganas precolombinas con las doctrinas de la Iglesia Católica Romana. En este capítulo se analizará el concepto de Dios en la religiosidad popular, y su consecuencia en el culto a las distintas vírgenes y santos.

El dios de la religiosidad popular

En muchas partes de América Latina la palabra 'Dios' no despierta en el corazón de los fieles sentimientos o emociones consoladoras que tienen que ver con el Padre amoroso y misericordioso que envió a su único Hijo para salvar a la humanidad perdida. Al investigar las ideas que tienen acerca de Dios los habitantes de varios pueblos indígenas de México, el antropólogo Michael Kearney, llegó a la conclusión de que bajo el nombre del Dios cristiano, los indios siguen creyendo en sus viejas deidades pre-colombinas. Los indígenas mexicanos afirmaron ser cristianos, pero le dijeron a Kearney que el dios venerado en sus iglesias era un ser sumamente caprichoso, errático y quijotesco. No es un dios en el cual se puede confiar.[1]

Otro conocido antropólogo, William Madsen, realizó una serie de investigaciones sobre las creencias religiosas de los habitantes de San Francisco Tecopsa, un pueblo Náhuatl en el sur del Valle de México. Madsen llegó a la conclusión de que el dios que es reverenciado en la Iglesia Católica Romana de Tecopsa no es un dios de amor, sino el enemigo de la humanidad quien constantemente está buscando la manera de destruir a los seres humanos que él creó. Este dios no ama a los indios ni es amado por ellos. No es un dios de misericordia, sino un espíritu responsable por todos los males sufridos por los indígenas: hambre, pestilencia y terremotos. Los indios no oran ni rezan a Dios porque lo consideran demasiado hostil, aunque rezan a algunos de los cristos que forman parte de su panteón.

Los cristos de la religiosidad popular

En la religiosidad popular existen tantos cristos como vírgenes.[2] El más famoso y solicitado de los cristos mexicanos es el Señor de Chalma.

---

[1] Kearney, Michael, *Worldview* (Novato, California, Chandler & Sharp Publishers, Inc., 1984), p. 196.

[2] Dussel, 1983, *Op. Cit.*, p. 584.

El Señor de Chalma es una imagen de tamaño natural que fue encontrada en una cueva dos años después de la primera aparición de la Virgen de Guadalupe. La cueva en la cual este cristo fue encontrado es el sitio donde antiguamente se adoraba a Oztocteotl, el dios azteca de las cuevas. Oztocteotl era el patrón de los brujos y hechiceros. Según Dussel, los padres agustinos descubrieron la cueva y destruyeron la imagen de Oztocteotl que encontraron allí. Posteriormente los mismos padres reemplazaron aquella imagen con la de Cristo. Luego anunciaron que la imagen de Cristo había aparecido milagrosamente en la cueva. Una iglesia fue construida cerca del sitio del "milagro" a fin de que la imagen milagrosa de Cristo recibiera veneración. Los habitantes indígenas de la zona creyeron que su viejo dios había cambiado de forma y así siguieron adorándolo.[3] Hoy día la imagen está ubicada en la Iglesia Agustina de San Miguel. El Señor de Chalma se ha convertido en uno de los grandes centros de peregrinación en México.[4] Todos los años es visitado, no solamente por miles de peregrinos católicos, sino también por centenares de brujos buscando los poderes mágicos del Cristo milagroso. Según Madsen, el Señor de Chalma, y los muchos otros cristos de la región, no son venerados como el Salvador que vino para morir por la salvación de la humanidad. El verdadero Cristo de quien habla Juan 3:16 es un Cristo desconocido en toda la región de Chalma.[5] El periódico Chicago Tribune del 14 de febrero de 1991 relata que 41 personas murieron asfixiadas y aplastadas en la Iglesia del Señor de Chalma cuando las 3,500 personas que asistieron a un acto de Miércoles de Ceniza comenzaron a empujarse. Por lo menos 21 personas resultaron heridas.

En diferentes zonas del hemisferio, las imágenes de Cristo y las imágenes de la cruz casi son consideradas como idénticas en función. Son objetos sagrados por medio de los cuales el poder sagrado, o mana, puede ser obtenido. La importancia de Cristo o la cruz no está relacionada con los hechos históricos de los que habla la Biblia. Los cristos y las cruces, como hierofonías o mediadores de poder, son más que simples símbolos, ahora se convierten casi en seres divinos. Ya no son medios que apuntan a un fin, son fines en sí mismos.

---

[3] *Ibíd.*, p. 585.

[4] Turner, *Op. Cit.*, p. 56.

[5] Madsen, *Op. Cit.*, p. 171.

El ejemplo de la famosa cruz que hablaba

En 1850 surgió un nuevo culto militante a la Santa Cruz entre los mayas de Quintana Roo en el Yucatán. Los líderes del culto buscaban establecer una teocracia, e independizarse del dominio de los blancos. Según Juan de la Cruz Puc, el primer líder del culto, la Santa Cruz de Quintana Roo, comenzó a hablar a los indios para darles instrucciones, llamándoles a levantarse en armas e independizarse de los Dzules (los blancos). Aunque las fuerzas militares mexicanas destruyeron la cruz original, tres nuevas cruces aparecieron entre los indios, y el culto se extendió. Aquí se aprecia cómo los símbolos cristianos son apropiados y usados para el servicio de conceptos religiosos pre-colombinos. Las formas son cristianas, pero el contenido es netamente pagano.[6]

En la región montañosa del Perú central las imágenes de cristos que son veneradas en las fiestas locales son solamente unos santos entre tantos otros.[7] En otras partes de América Latina los fieles consideran que los cristos que son reverenciados en las celebraciones de Semana Santa son demasiado débiles para socorrer a sus adeptos en sus luchas diarias. Leyendas populares en el Brasil afirman que cuando Cristo estaba en la cruz tuvo que clamar pidiendo la ayuda de otros espíritus más poderosos que él.[8] En el hemisferio sur, la Semana Santa no cae en el tiempo de primavera sino en el otoño, es decir, cuando los poderes de la muerte y la decadencia son más evidentes. Consecuentemente se ha asociado a la Semana Santa más con la muerte que con la renovación de la vida. No solamente en el hemisferio sur sino en toda América Latina el Cristo crucificado toma precedencia sobre el Cristo resucitado.[9] Aunque este hecho ha sido criticado duramente por observadores protestantes como Nida y Mackay, Dussel afirma que es más fácil para las masas oprimidas identificarse con el crucificado que con el glorioso Cristo de las clases dominantes.[10]

---

6 Zimmermann, Charlotte, *The Cult of the Holy Cross: An Analysis of Cosmology and Catholicism in Quintana Roo* (*The American Antropologist*), pp. 50-71.

7 Sallnow, *Op. Cit.*, p. 158

8 Lernoux, Penny, *Cry of the People* (Garden City, New York, Doubleday & Company Inc., 1980), p. 377.

9 Dussel, 1983, *Op. Cit.*, p. 576.

10 *Ibid.*, p. 585.

Cristo en la gran tradición española y la religiosidad popular

Muchos investigadores que han estudiado a fondo la iglesia y la sociedad de la Era Medieval, han subrayado la gran diferencia que existe entre el Cristo adorado por los representantes de la gran tradición (la iglesia oficial y el estado "cristiano") y el Cristo de la pequeña tradición, es decir, de la religiosidad popular. El Cristo de la gran tradición es majestuoso, sublime y teológico. Se da énfasis a las manifestaciones del poder de Cristo, mientras que la humanidad de Cristo parece olvidada. Los mosaicos romanos del siglo V lo representan como a uno de los emperadores romanos: severo, poseedor de toda ciencia, y el implacable juez de vivos y muertos.

En la lucha contra el arrianismo, del siglo V al siglo VIII, se exaltó de tal modo la divinidad de Cristo, negada por los arrianos, al punto que casi se olvidó su humanidad. Así se llegó a confundir al Hijo con el Padre. Esa era la forma en que se silenciaban los aspectos amables de la vida de Jesús, como su cercanía a los pobres, y los aspectos realistas y dolorosos de su Pasión.[11] De esta manera el Cristo de la gran tradición llegó a funcionar como una justificación teológica al sistema, al "status quo", a la dominación de las masas por las élites dominantes. Este Cristo se parecía bastante a los reyes, emperadores y altos oficiales eclesiásticos de este mundo. Era un Cristo muy paternal, machista y patriarcal; un Cristo que procedía no de los evangelios, sino del Apocalipsis. La cruz, sin el cuerpo de Cristo, era usada como un símbolo de victoria, de gloria y de triunfo. Cristo, en el arte cristiano, aparecía, no con una corona de espinas, sino con una corona real, igual a la que llevaba el emperador. Sobre el Padre se proyecta una imagen similar, concretamente la imagen del señor feudal y del rey germánico.

Con los inicios de la Era Gótica en el siglo XI, y con las derrotas sufridas en las cruzadas, ocurre un gran cambio en la manera de representar a Cristo. El crucifijo comienza a reemplazar la cruz vacía. Se transforma en símbolo de humildad y sufrimiento. La humanidad de Cristo comienza a ser representada con más y más realismo. Tanto Jesús como María son representados como sufriendo por la redención de la humanidad. Los sufrimientos de los siglos XIV y XV: la guerra de los Cien Años, las grandes pestes, acentúan el sentido de lo trágico dentro

---

[11] Maldonado, 1985, *Op. Cit.*, p. 83.

del catolicismo popular. Se hacen populares sermones sobre las Siete Palabras y las representaciones artísticas que enfatizan los detalles del suplicio, la atrocidad del sufrimiento de la crucifixión y la descomposición del cadáver. Al mismo tiempo la humanidad y la ternura del niño Jesús son celebrados en los villancicos populares y las poesías de los místicos mencionados en el capítulo 6 del libro de Juan Mackay: *El Otro Cristo Español.* Fue la conquista de los moros en España y de los indios en el Nuevo Mundo, que opacó la imagen de este otro Cristo español en la teología y en la liturgia oficial de la gran tradición.

Según Juan Mackay, los conquistadores nunca trajeron al Nuevo Mundo el Cristo histórico de los evangelios que ha resucitado de entre los muertos y que vive entre sus seguidores perdonando y transformando vidas y sociedades. Los cristos que fueron proclamados a los indígenas por las palabras y ejemplos de los conquistadores fueron otros. Varios autores, entre ellos José Míguez Bonino, Eugenio Nida, Leonardo Boff, Hugo Assmann y Saúl Trinidad han tratado de elaborar una lista de los cristos tradicionales que fueron introducidos en América Latina por los conquistadores, colonizadores y misioneros españoles y portugueses. Buscaremos ahora identificar a estos cristos latinoamericanos.

El niño sentado sobre las rodillas de la Virgen

En todas partes se pueden ver representaciones del niño Dios. Se le ve tan débil e indefenso. Tiene que ser protegido por la Virgen. Siempre hay una sonrisa benigna en la cara del infante porque es indiferente a todo lo que pasa a su derredor. Este niño tiene muchos guardianes y protectores que lo han adoptado y han llegado a ser sus señores. Su sonrisa, por lo tanto, es solamente para los que tienen el poder, porque solamente ellos pueden proteger tanto a él como a su iglesia. En tantas partes Cristo es representado solamente como un infante y como un muerto. Todo lo que ocurrió entre su nacimiento y su muerte ha quedado en el olvido. Cristo nació y murió pero nunca ha vivido. Es solamente el niño indefenso, humillado y derrotado, es decir, la víctima. No es el transformador de vidas ni el apasionado defensor de los humildes.[12]

---

[12] Trinidad, Saúl, *Christology, Conquista, Colonization*, en *Faces Of Jesus: Latin American Christologies*, José Míguez Bonino ed. pp. 49-65 Maryknoll, New York, Orbis Books, 1984), p. 50.

Las imágenes del niño Jesús como, por ejemplo, el Niño de Tlaxcala, casi siempre son multivocales; es decir, son símbolos que tienen diferentes asociaciones y por lo tanto simbolizan varias cosas a la vez. Se ha observado que el sitio en el cual se encuentra el Niño de Tlaxcala es el mismo sitio donde en tiempos pre-colombinos, los niños eran sacrificados a Tláloc, el dios de la lluvia. Se creía que las lágrimas de los padres que ofrecían sus niñitos a Tláloc ayudaban a producir la lluvia. Su sacrificio fue para el beneficio de todo el pueblo. De esta manera se puede explicar por qué todavía hoy en día, las imágenes representando la inocencia y la pequeñez, son asociadas con el bienestar general de toda la comunidad. La pequeñez, para los indios mexicanos, es un símbolo de la bendición comunitaria, la fertilidad, la lluvia y el comienzo del ciclo vital.[13]

Cristo el pacifista

Fray Bartolomé de las Casas proclamó un Cristo no-violento y pacífico, un Cristo activo en hacer obras de benevolencia como un monarca benéfico. Algunos teólogos de la liberación temen que la imagen de un Cristo pacifista pudiera llevar al pueblo a entregarse a la opresión y la explotación sin ofrecer la más mínima resistencia. Por lo tanto, a estos teólogos de la liberación les gusta más la imagen de un Cristo parcial colocándose al lado del oprimido en la lucha a favor de la liberación.[14]

El Cristo de los misterios

Otra manera de representar a Cristo en América Latina es como la fuente de poderes mágicos. El Cristo de la transubstanciación, que puede convertir el vino en su sangre, es el Cristo cuyos poderes mágicos pueden ser obtenidos en la participación de los sacramentos o a través de ritos quasi-sacramentales. Pizarro, Almagro, y Fray Hernando de Luque celebraron la Eucaristía en Panamá a fin de sellar su pacto de conquista, y para recibir el poder místico de Cristo que requerían para llevar a cabo la conquista del Perú.[15]

---

13 Turner, *Op. Cit.*, p. 74.

14 Trinidad, *Op. Cit.*, p. 54.

15 *Ibid.*, p. 52.

Cristo, el soberano celestial

Otra de las imágenes de Cristo que se encuentra en América Latina es la del Cristo que está sentado encima de la pirámide de poder, el Cristo que ha entregado su poder y autoridad a Fernando e Isabel, a los encomenderos, los oficiales coloniales, a los ricos y poderosos. Este Cristo se identifica con el patrón, el Tayta y el jefe. Según Saúl Trinidad, éste es el Cristo que dio la orden: Id e imponed la religión, extendiendo la civilización del imperio español al Nuevo Mundo, bautizándoles con el poder de la espada y en el nombre de la Trinidad, sujetándoles a la esclavitud a fin de explotarles, enseñándoles a obedecer a la corona en todas las cosas. Y he aquí, Fernando e Isabel estarán con vosotros siempre, hasta el fin del mundo.[16]

Para muchos españoles, Cristo era como un Fernando celestial: el señor de muchas tierras, personas y posesiones. Su autoridad ha sido transferida al papa y a los Fernandos terrenales. La gloriosa imagen de Cristo Rey que raras veces se puede encontrar en las iglesias de América Latina son símbolos del poder político y del dominio de las élites dominantes.

El Cristo doloroso

Los indios derrotados y dominados por los españoles se pudieron identificar con la imagen del Cristo sufriente, moribundo y derrotado que encontraron en su nueva religión. Este Cristo era la imagen del pueblo indígena como una nación conquistada y crucificada. La imagen de Cristo crucificado y moribundo ayudó a los indígenas a aceptar su triste realidad, así como Cristo pasivamente aceptó la cruz sin ofrecer resistencia a sus verdugos. De esta manera, la imagen del Cristo crucificado sirvió para fomentar la resignación, la impotencia y el derrotismo.

Contemplando las celebraciones de la Pasión y muerte de Jesucristo en América Latina, Saúl Trinidad nos inquieta con las siguientes preguntas: "A fin de cuentas: ¿qué quiere decir la Semana Santa para las masas oprimidas? ¿Por qué se interesan las masas más por el Jueves y el Viernes Santo y no por el Domingo de la Resurrección? ¿Qué nos revelan las largas filas de campesinos, mineros, pobres,

---

[16] *Ibid.*, p. 56.

mujeres y niños en las procesiones de la Semana Santa? ¿No es la aceptación consciente o inconsciente de la situación de impotencia y sujeción, de la futilidad de ofrecer resistencia a las fuerzas deshumanizantes de nuestra sociedad? ¿Qué quieren decir los símbolos y los ritos de la Semana Santa hoy en día? ¿Sirven como símbolos de esperanza y liberación o siguen desempeñando el papel de bautizar y sacralizar la conquista?[17]

Según el teólogo brasileño Hugo Assmann, los cristos que son reverenciados por las masas del Brasil no son el Alfa y la Omega que ha recibido autoridad sobre todas las áreas de la vida. El Cristo brasileño es como el Cristo que fue proclamado por los falsos maestros en el libro bíblico de Colosenses, es decir, un Cristo con poderes muy específicos, un Cristo que tiene autoridad sobre un solo renglón de la vida. Otras áreas de la vida todavía quedan bajo el control de otros espíritus, ángeles, santos y vírgenes.[18]

La cruz es la imagen central de los cristos dolorosos de América Latina. Éstos son los cristos de la impotencia, una impotencia internalizada por los oprimidos. Los oprimidos aceptan y se entregan de antemano a la derrota, sacrificio, dolor e impotencia. La derrota no es percibida como un revés temporal o provisional para ser vencida en la lucha. Es una derrota que debe ser sufrida como una necesidad inevitable, es una condición que debe ser aceptada por el privilegio de vivir.[19]

Según Hugo Assmann, los gloriosos cristos de América Latina, sentados sobre tronos y luciendo coronas reales no son cristos distintos a los cristos dolorosos y sufrientes de los pobres. Son los mismos cristos, son el otro lado de la moneda, son el lado que ven los dominadores.[20]

---

17 *Ibid.*, p. 59.

18 Assmann, Hugo, *The Actualization of the Power of Christ in History*, en *Faces Of Jesus: Latin American Christologies*, José Míguez Bonino ed. (Maryknoll, New York, Orbis Books, 1984), p.129.

19 *Ibid.*, p.135.

20 *Ibid.*, p. 135.

El muerto ahogado en la novela de Gabriel García Marquez: *El Ahogado más Hermoso del Mundo* es en realidad un símbolo de Cristo. Es el Cristo bello que es reverenciado en la devoción popular de América Latina, pero que está muerto en cuanto a su capacidad para ayudarles en su lucha diaria en una sociedad marcada por la marginación y opresión.

Míguez Bonino, citando al sociólogo Gilberto Díaz, llega a la conclusión de que en América Latina hay tres diferentes maneras de conceptualizar a Cristo.

Primera: En muchas zonas rurales la gente todavía entiende a Cristo en un sentido mágico.

Segunda: Entre los miembros de la clase media urbana Cristo es entendido en una forma individualista y subjetiva. Es un Cristo que se relaciona con el individuo en sus devociones personales. Sin embargo, este Cristo no tiene un papel que desempeñar en la vida pública, en la sociedad y en los movimientos históricos.

Tercera: En los movimientos de cambio social, el Cristo histórico y político es preeminente.[21]

La Virgen María en la religiosidad popular

En la religiosidad popular el culto a la Virgen María es más importante que el culto a la Santa Trinidad o a nuestro Señor Jesucristo. Para muchos, la Virgen María ha llegado a reemplazar funcionalmente al Espíritu Santo, quien es desconocido o malentendido por la gran mayoría de adeptos a la religiosidad popular. María, en sus representaciones múltiples, está siempre presente para ayudar en momentos de crisis y necesidad. Pero las apariciones de la Virgen casi siempre han ocurrido, no a los ricos y poderosos, sino a los débiles, marginados y oprimidos. Según la doctrina oficial de la iglesia, María subió corporalmente al cielo. A diferencia de los otros santos, el cuerpo y el alma de la Virgen están unidos. La Virgen, por lo tanto, puede manifestarse

---

21 Bonino, José Míguez, *Faces of Jesus: Latin American Cristologies* (Maryknoll, N. Y., Orbis Books, 1984), p. 3.

corporalmente a los seres humanos en una manera concreta. Esto no es posible para los otros santos porque sus cuerpos todavía están enterrados. La doctrina de la asunción de la Virgen ha servido para fortalecer la fe del pueblo en los relatos de apariciones y sanidades milagrosas.[22] En momentos de pestilencia, hambre, sequía e inundaciones, los mexicanos han buscado más la ayuda de la Virgen de Guadalupe y de Nuestra Señora de los Remedios.[23]

Muchos historiadores y antropólogos han señalado que la popularidad de las muchas vírgenes que son veneradas, tanto por el catolicismo oficial como por la religiosidad popular, consiste en el hecho de que la Virgen ha sido identificada con diosas paganas como Diana, Astarté, e Isis. Es decir, la gente ha creído que María es una nueva manifestación de una de las diosas que antiguamente fue adorada bajo otro nombre y otra forma.

El desarrollo de la mariología en Europa comienza precisamente en los siglos cuando la teología dominante comienza a resaltar la divinidad de Cristo por encima de su humanidad. Los historiadores de religión y los antropólogos señalan que el culto a la Virgen María ha absorbido elementos de las diosas-madres de la zona del Mediterráneo, llamadas también las "Grandes Madres". Entre estas diosas figuran la diosa Cibeles de Frigia, Artemisa (Diana) de Efeso, Isis de Egipto, Afrodita de Grecia y Venus de Roma. Todas fueron honradas como "mater dolorosa" (madre de dolores), "stella maris" y "regina coeli" (reina del cielo). Además, todas estas diosas eran consideradas como madres y vírgenes. Sus antecesoras más antiguas parecen ser Innana de Sumeria, Ishtar de Babilonia y Astarté de Canaán.[24]

Ha impresionado a muchos estudiosos el que Isis, la diosa egipcia, aparezca como madre del "Niño divino" y sea representada sosteniendo a éste en sus rodillas y amamantándole. María, dicen, es madre del Cristo Salvador, como Isis es madre de Horus, también salvador. Ambas sostienen al hijo en su regazo y lo amamantan. Y ambas le salvan de sus respectivos perseguidores: Isis conduciéndolo a los

---

22 Turner, *Op. Cit.*, p. 155.

23 *Ibíd.*, p. 70.

24 Maldonado, 1985, *Op. Cit.*, p. 73.

pantanos de Chemnis; María, huyendo con él a Egipto."[25] Debido a la influencia de los fenicios, griegos y romanos en España, se han encontrado representaciones de la mayoría de estas diosas en la península ibérica, hecho que muestra la popularidad de las madres diosas entre nuestros antecedentes españoles. Historiadores de la religión como Mircea Eliade,[26] señalan que cuando se extendió la agricultura, a finales de paleolítico, aumentó la importancia de las grandes-madres como divinidades de la fertilidad. En las sociedades de cazadores abundaban más los dioses masculinos.[27]

En las sociedades agrícolas, el suelo fértil se compara a la mujer. Ambos dan origen y gestación a la vida. En estas sociedades el alimento viene de la tierra. La tierra es, pues, fuente de la vida, como Dios. Por esto mismo es un signo de la divinidad. De ahí que para hablar de la Tierra-Madre o de la Diosa-Madre no hay más que un paso.[28] El descubrimiento de la agricultura reforzó sensiblemente el poder de la Diosa-Madre. La sacralidad de la sexualidad femenina se confunde con el enigma milagroso de la creación.

Según Leonardo Boff[29] y Luis Maldonado,[30] la religiosidad popular, muchas veces oprimida por mecanismos sociales de carácter oficial, jerárquica, patriarcal, paternalista, y machista, se inclina y se afana por la figura femenina de María. En otras palabras, cuando se enfatiza sobremanera el lado masculino de Dios sin tomar en cuenta el lado femenino de Dios, la religiosidad popular, obedeciendo a un mecanismo compensatorio, busca en María el lado compasivo, tierno, intuitivo, místico, de Dios que ha sido suprimido por la teología oficial.

---

25 *Ibid.*, p. 73.

26 Eliade, Mircea, *Historia de las Creencias y de las Ideas Religiosas I* (Madrid, Cristiandad, 1978), pp. 44 ss.

27 Maldonado, Luis, *Religiosidad Popular* (Madrid, Ediciones Cristiandad, 1975), pp. 106-110.

28 *Ibid.*, p. 75.

29 Boff, Leonardo, *El Rostro Materno de Dios* (Madrid, Paulinas, 1979), pp.259-281.

30 Maldonado, 1985, Op. Cit., pp. 76-80.

Pero no todas las vírgenes que son veneradas en América Latina son tan benignas. La Virgen de la Concepción en el pueblo Náhuatl de Milpa Alta conserva todavía las características de una diosa azteca venerada en México antes de la Conquista. Se dice que la Virgen de la Concepción odia a los niños y que produce en ellos la enfermedad y la muerte. Es ella quien envía serpientes a morder a los campesinos mientras que trabajan en sus tierras. La Virgen de la Concepción ha retenido los atributos de la diosa azteca Cihuacoatl, quien era conocida como la que mataba a los niños. En los antiguos mitos Cihuacoatl es la deidad que tiene autoridad sobre las serpientes.[31]

La Virgen de Guadalupe

La más famosa de las vírgenes latinoamericanas es la Virgen de Guadalupe. Su santuario fue construido en un lugar conocido como Tepeyac. Varios siglos antes de la Conquista, Tepeyac era el sitio del templo de Cihuacoatl, la madre-tierra, la mujer-serpiente, también conocida como Tonantzin, una diosa de los indígenas que trabajaban en agricultura en la parte superior del Valle de México antes de la llegada de los aztecas y de los españoles. Después de someter los aztecas a estos cultivadores de la tierra, los indígenas conquistados seguían realizando sus peregrinaciones al santuario de Tonantzin buscando consuelo y alivio en su opresión, y también para afirmar su identidad como pueblo. Aún antes de la llegada de los españoles, Tepeyac era el lugar a donde iban los oprimidos en búsqueda de refugio y solidaridad. Aquí aparece nuevamente un tema que se consideró en el capítulo anterior cuando se habló de las peregrinaciones. Los lugares de peregrinaciones de la religiosidad popular casi siempre son sitios en la periferia de los centros de poder y autoridad establecida. El poder divino no se manifiesta en los centros controlados por las clases dominantes, sino en un espacio fuera de su control.

Como los otros santuarios paganos, el templo de Tonantzin en Tepeyac fue destruido por los españoles en su campaña para erradicar la idolatría entre los indios de México. Pocos años después de la conquista de los aztecas por los españoles, un indio recién convertido llamado Juan

---

[31] Madsen, *Op. Cit.*, p. 155.

Diego iba para asistir a misa en la iglesia de Tlatelolco. Era el sábado 9 de diciembre de 1531. Según la tradición popular, Juan Diego, al pasar por Tepeyac, oyó una música tan bonita que creyó que estaba en el paraíso. Escuchó una voz suave llamándolo y diciéndole: "Juanito, Juan Dieguito." Siguiendo la voz, Juan Diego comenzó a subir el cerro Tepeyac. Al llegar a la cumbre del cerro vio a una mujer de radiante belleza. Su vestido brillaba como el sol y su cara tenía una expresión de compasión y ternura. Dirigiéndose al indio, la mujer dijo: "Juanito, el más pequeño de mis hijos, ¿adónde vas?" Juan Diego contestó que iba para la iglesia en Tlatelolco para escuchar las cosas divinas enseñadas por los sacerdotes.

La mujer le dijo entonces, que ella era la santa Virgen María, la madre del Dios verdadero. Se le había aparecido para pedir que en Tepeyac se construyera un templo donde la Virgen pudiera mostrar toda su compasión, ayuda y defensa a los habitantes de esa tierra, prometiendo escuchar sus lamentaciones y remediar sus miserias, dolores y sufrimientos. Juan Diego fue ordenado a presentarse ante el nuevo obispo de México, Juan de Zumárraga. Juan Diego, en seguida, fue al palacio del obispo y después de una larga espera, comunicó al representante de la iglesia oficial la petición de la Virgen.

Según la leyenda de Guadalupe, el obispo, al principio, se negó a dar crédito al relato de Juan Diego, y el indio tuvo que regresar tristemente al cerro donde había visto la Virgen. Nuevamente se encontró con la Virgen y le explicó que el obispo le había despedido sin hacer caso al recado de la Madre de Dios. Pidió que la Virgen enviara otro representante más digno y más importante para convencer a Zumárraga. Pero Juan Diego fue enviado otra vez, y de nuevo fue rechazado por el obispo, quien pidió a Juan Diego una señal para comprobar la veracidad de sus palabras. Al encontrarse nuevamente con la Virgen ella le dio unas hermosas rosas de Castilla para entregar a Zumárraga. No era el tiempo del año para rosas, por lo que se trataba de un milagro. Además, la Virgen anunció que Juan Bernardino, el tío gravemente enfermo de Juan Diego se había sanado milagrosamente.

Al llegar nuevamente ante el obispo, Juan Diego presentó las rosas a Zumárraga. Fue entonces cuando se descubrió que la imagen de la Virgen había quedado impresa en el manto o ayate. Asombrado ante el triple milagro de la imagen, las rosas y la curación de Juan Bernardino, el tío de Juan Diego, el obispo quedó convencido y pidió perdón por su falta de fe. Convencido de la autenticidad de la visión de Juan Diego, Zumárraga, autorizó la construcción del santuario de la Virgen en Tepeyac. Una vez más Tepeyac se convirtió en centro de peregrinaciones y de culto dedicado a una madre divina. Una vez más Tepeyac llegó a ser el lugar donde el pueblo oprimido pudo reafirmar su identidad ante una cultura extranjera que amenazaba con extinguir su propia cultura.[32] Aunque la construcción del templo y el culto a la Virgen de Guadalupe fueron denunciados por los franciscanos como una reintroducción de la idolatría, el culto creció rápidamente entre el pueblo indígena.

Varios autores han expresado que el culto a Guadalupe dio a los indios derrotados y humillados las ganas de seguir viviendo. Habiendo visto el modo que sus viejos dioses fueron destruidos por los españoles, muchos indígenas habían perdido el deseo de vivir. Tristemente cantaban:

> Déjennos pues ya morir,
> déjennos ya perecer.
> puesto que ya nuestros dioses se han muerto.[33]

Ahora los indios vieron que sus dioses no están del todo muertos. Tonantzin de Tepeyac había aparecido en otra forma, la forma de la Madre de Dios, por medio de la cual había prometido ayudarles en su lucha contra los opresores. Durante la guerra de la independencia en 1810 el Padre Hidalgo luchó contra de los opresores izando una bandera de la Virgen de Guadalupe, mientras que sus rivales pelearon bajo las banderas de la Virgen de los Remedios, la misma virgen que ayudó a Cortés en la Noche Triste mientras luchaba por su vida contra los aztecas. Tomando como apoyo este recuento de la historia de la "Morenita" se ve la importancia de distinguir entre la función de la Virgen de Guadalupe como un símbolo religioso, y como un símbolo de oposición a las clases dominantes.

Los antropólogos que han estudiado el culto a la Virgen de Guadalupe han señalado la importancia del simbolismo de la imagen

---

[32] Dussel, 1986, *Op. Cit.*, p. 88.

[33] Elizondo, Virgilio P., *La Morenita, Evangelizer of the Americas* (San Antonio, TX, MAAC Distribution Center, 1980), p. 43.

impresa en la "tilma" de Juan Diego. En primer lugar se debe señalar que la virgen no tiene la cara de una mujer blanca sino de una "Morenita" o una india mexicana. La Madre de Dios se identifica, no con los opresores, sino con los oprimidos. Aparece no en la catedral edificada por los españoles, sino en el sitio de un antiguo santuario indígena. El vestido de la Morenita es de un rojo pálido, el color de los antiguos sacrificios aztecas, el color de Huitzilopochtli, el dios del sol. Para los antiguos mexicanos, el rojo es también el color del este, la dirección donde sale el sol en la mañana con nueva vida. Después de la muerte del sol, al caer la noche, el sol tiene un nuevo comienzo. El pueblo mexicano, casi aniquilado por la Conquista, también recibe la promesa de un nuevo comienzo.

El color predominante en el manto de Juan Diego es el color turquesa, el color de Ometéotl el padre-madre de los dioses y de todas las fuerzas naturales. El color turquesa, como color real de los dioses, era reservado para las deidades y los miembros de la nobleza indígena. Dentro del color turquesa del manto hay estrellas, símbolos de otras deidades, y debajo de los pies de la Morenita está la luna, símbolo de una de las más grandes deidades indígenas. El hecho de que la Morenita esté parada sobre la luna muestra que ella es más grande que el dios de la luna, pero al mismo tiempo ella no la aplasta.

Uno de los escritores que buscaba defender el culto de Guadalupe en contra de las acusaciones de falsificación e idolatría, escribió que el culto a la Morenita confirmó que Dios había dispuesto desde la eternidad la aparición de la virgen en México, tal como podía claramente observarse en el capítulo 12 del Apocalipsis. En efecto, ahí se lee: *"Apareció en el cielo una magnífica señal: una mujer vestida de sol"* (Ap 12.1). Para el escritor se trataba precisamente de los rayos del sol de la Virgen de Guadalupe: *"le pusieron a la mujer dos alas de águila real para que volara"* (Ap 12.14), es decir, "el águila azteca", signo del imperio de los Náhuatls. *"La serpiente, persiguiendo a la mujer, echó por la boca un río de aguas"* (Ap 12.15)[34], es decir, el lago Texcoco, donde se ubicaba la ciudad de México. Al fin la mujer vence a la serpiente (que había sido el signo para los Náhuatls para fundar la ciudad de México en medio del lago). Nuevamente se puede ver aquí la forma

---

[34] Traducción de Ap 12 citado en Elizondo.

en la que se emplea una interpretación tipológica para dar legitimidad a conceptos religiosos de dudosa autenticidad.

Los santos en la religiosidad popular

Las imágenes de los santos, las pinturas religiosas, y los objetos de devoción, desempeñaban un papel importante en la vida, tanto de las masas como de los ricos. Basta leer los testimonios de indígenas de la clase alta de todas las épocas para apreciar el enorme número de objetos que poseían y atesoraban. Pero es importante distinguir una devoción privada de una pública. La imagen que cada comunidad veneraba era una encarnación del sentido interior del pueblo.

Es fácil ver la manera en que la cristología de la religiosidad popular puede conducir al desarrollo del culto a los santos. Un concepto equivocado o incompleto de la Deidad podrá llevar al pueblo a buscar en los santos lo que hace falta en su concepto de Dios. Si se cree que Dios es un ser alto, sumamente autoritario y alejado de las luchas y sufrimientos de los pobres y marginados, el pueblo buscará la ayuda de otros espíritus o deidades que podrán mediar entre el Dios alejado y las masas.

Los santos han sido el ejemplo más usado para mostrar que el catolicismo popular se construye sobre cosas anteriores al cristianismo. Es decir, la acción evangelizadora y pastoral de la iglesia ha asumido siempre realidades paganas, bautizándolas, incorporándolas a su propio sistema de creencias y prácticas, de símbolos, ritos y comportamientos.[35] Los evangelizadores han permitido que los santos y mártires fueran venerados en sustitución a los viejos ídolos paganos. Los nuevos pueblos se mostraban más favorables a abandonar sus antiguos dioses en la medida en que podían confirmar y conservar, dentro de la nueva religión, una serie de cultos, imágenes y costumbres no tan diferentes a los que tenían en la vieja religión.

Es bien conocido que el fenómeno del culto a los santos ha ocupado frecuentemente el lugar de los cultos paganos (dioses, figuras demiúrgicas, mediadores divinizados). El fenómeno del que se está hablando casi nunca es una simple sustitución del viejo ídolo popular por

---

[35] Maldonado, 1985, *Op. Cit.*, p. 61.

el santo y su culto. Es más bien una transformación creadora que se adapta a nuevas situaciones y particularidades.

El primero paso en el desarrollo del culto a los santos en Europa, arranca de la devoción a los primeros mártires cristianos y a sus reliquias. Para guardar y venerar esas reliquias se construyeron iglesias, basílicas o ermitas que no tardaron en convertirse en centros de peregrinación. Las reliquias son también enviadas a sitios lejanos.

El segundo paso en el culto a los santos se da cuando se comienza a venerar, no sólo las reliquias de mártires, sino también de ciertos ermitaños o monjes considerados también como mártires por causa de la dureza de su vida, su celibato y su testimonio ante el pueblo que acudía a ellos en busca de consejo, oraciones, ayuda, etc. Muchas veces, estos monjes se retiraron a parajes solitarios especialmente aptos para la contemplación. Son lugares hierofánicos donde la naturaleza, a través de su belleza y fuerza, aproxima a Dios, a quien manifiesta en valles, montes, grutas, bosques, fuentes. Al principio habían sido lugares de "culto idolátrico" dedicados a divinidades paganas.

Así el santo cristiano sustituye al dios pagano. El lugar del dios lejano (deus otiosus) es tomado por innumerables dioses menores, ángeles o santos. En el catolicismo romano, el mártir, porque es amigo de Dios, tiene acceso al Dios distante y podrá ayudar al suplicante a recibir lo que pide.

El tercer paso en el desarrollo del culto a los santos es la sustitución de la reliquia por la imagen. A partir del siglo X, Europa se llenó de iglesias con imágenes de santos, iglesias que se transformaron en centros de innumerables y fervorosas devociones y romerías. Por lo general, se trata de santos locales, protectores de un lugar particular. Algunos de estos santos adquieren una notoriedad mayor y sus santuarios se convierten en centros de grandes peregrinaciones.

Los santos patronos

Los santos más populares son, sin duda, los santos patronos. Cada ciudad medieval europea tenía su santo patrono. La concepción española del patrono fue adoptada con entusiasmo por las comunidades indígenas. La idea de un patrono no fue una idea tan extraña para muchos pueblos indígenas, pues muchos clanes indios tenían su tótem. Un tótem es un animal, vegetal, o personaje semi-divino, que es considerado como el antepasado mítico con quien el clan se identifica.

Ya se mencionó en otros capítulos que el Patrono de España era Santiago; él ayudó a los españoles en su lucha contra los moros. Hernán Cortés, en su encarnizada batalla contra los guerreros aztecas, lanzó el grito: "¡Santiago, a ellos!" Santiago impresionó mucho a los indígenas del Nuevo Mundo por ser uno de "los hijos del trueno." Al recordar la admiración de los indios por los caballos de guerra de los españoles, no es sorprendente que en muchos lugares el caballo de Santiago era más venerado que el mismo jinete. Santiago fue interpretado por los indígenas como el dios de la guerra y el patrono de los hechiceros y shamanes. Los aymaras de Bolivia le denominaban Apu-Llapu, "Señor del Trueno."[36] En Santiago Tlatelolco en México, la imagen de Santiago, montando a caballo y llevando una espada, era cargada en las procesiones como "conquistador y auxiliador" del pueblo. Cuando el pueblo sufría una calamidad, como en la plaga de 1737, Santiago era vestido como penitente con una corona de espinas y un látigo, en lugar de su espada. De esta manera, la imagen respondía, del modo cristiano, a los infortunios del pueblo. Así la actitud pagana pudo sobrevivir intacta.

Cuando el cura de Huitzilpochco, México, en el siglo XVIII, tomó piedras de un templo en ruinas al norte de los límites del pueblo para hacer reparaciones a la iglesia, la comunidad indígena protestó y catalogó el acto como una profanación. La comunidad le informó audazmente al cura que "en ese lugar reside toda la fuerza del pueblo." En otra ocasión, cuando el cura de Cuautitlán, hoy día en el Estado de México, quiso hacer reparaciones a la imagen de la Virgen en una capilla indígena en 1785, el resultado fue una rebelión. Los indígenas sostuvieron que las alteraciones eran destructivas y que la imagen reparada difería de la original. Los eclesiásticos fueron amenazados de muerte. El cura huyó, y una compañía de dragones del regimiento de la capital fue enviada a fin de restablecer el orden.[37]

---

[36] Dussel, 1983, *Op. Cit.*, p. 587.

[37] Gibson, *Op. Cit.*, p. 136.

Muchos santos venerados en América Latina no son santos históricos, sino santos míticos. Los santos míticos son espíritus que auxilian a sus devotos en ciertos menesteres o problemas diarios. No nos recuerdan un evento bíblico o histórico, sino a los diferentes espíritus venerados que los pueblos pre-cristianos tenían en su área de competencia. Un santo recibe la veneración del ganadero a fin de que las vacas den más leche. Santa Bárbara defiende de los truenos; San Ramón da su ayuda a las mujeres que tienen problemas con el parto, y San Pablo tiene un poder especial para espantar las serpientes. Un santo mítico no es solicitado en todos los problemas sino solamente en el problema que le compete. Para muchos católicos folclóricos, los santos míticos forman un gran panteón de espíritus que pueden ayudar a uno en sus necesidades, es decir, los dioses menores de la religiosidad popular son dioses "especialistas". Los atributos, poderes, y virtudes de Dios se disuelven y se reparten entre distintos dioses o santos que son como las personificaciones o hipostizaciones especiales de la fuerza o fuerzas divinas.

El concepto del deus otiosus

La idea de un panteón de espíritus es muy antigua en la historia de las religiones. La mayoría de la religiones tienen la idea de un buen dios creador que en tiempos remotos creó el mundo y los seres vivos. Pero, según la mitología de estas religiones, algo sucedió para que el dios creador se retirara de su creación a una parte inaccesible del universo. El Padre Wilhelm Schmidt,[38] distinguido misionero y antropólogo de la Sociedad del Verbo Divino, pasó muchos años haciendo una colección de las creencias de centenares de diferentes tribus africanas que relatan el modo en que los seres humanos, como Adán y Eva en el paraíso, cometieron alguna infracción que resultó en el retiro del dios creador. Ahora el dios creador está tan alejado del mundo que es casi imposible alcanzarlo con nuestras oraciones. Pero el dios creador, antes de retirarse del mundo, entregó su autoridad y sus poderes a un panteón de dioses menores o espíritus para atender a las necesidades

[38] Luzbetak, Louis J., S. V. D., *The Church and Cultures* (Maryknoll, N. Y., Orbis Books, 1988) pp. 61-63.

de los seres humanos. Cada uno de estos dioses inferiores está encargado de una área específica en la vida.[39]

Según el gran historiador de las religiones, Mircea Eliade,[40] el fenómeno del "deus otiosus" es bastante común en las religiones del mundo. El "deus otiosus" es la divinidad suprema que se ha ido alejando más y más de sus fieles adoradores, de sus vidas, sus luchas, sus alegrías y sus penas, a causa de un encumbramiento aberrante. Entonces empieza a convertirse en algo tan remoto y tan elevado que resulta irreal e inútil. El pueblo se desentiende de tal divinidad, y llena ese vacío dejado con dioses menores y aún con dioses intermedios. Estos dioses son los que acaparan su devoción. Son los dioses importantes de facto.[41]

El reflejo y copia del modelo anterior en el catolicismo popular medieval es un Dios-Padre o un Cristo-Juez solemne y terrible que produce el florecimiento de innumerables santos, quienes actúan de modo demiúrgico como intermediarios entre el hombre y la divinidad. El distanciamiento de Dios Padre y el eclipse del Mediador Único engendran los múltiples mediadores.

El culto a los santos y la Epístola a los Colosenses

Es evidente que los falsos maestros contra los que San Pablo estaba contendiendo en su Epístola a los Colosenses, habían aceptado a Jesucristo como un espíritu, a quien colocaban dentro de su panteón de espíritus o ángeles. Cuando buscaban el perdón de sus pecados rezaban a Jesús, pero cuando buscaban alivio de un dolor de cabeza, o suerte en el amor, entonces rezaban a los espíritus o ángeles a quienes correspondían tales necesidades. En otras palabras, para los falsos maestros en Colosas, Jesús era solamente un espíritu poderoso entre muchos. Para

---

39 Las conclusiones de Schmidt se encuentran en los 12 tomos que publicó el padre Schmidt en alemán, entre los años 1926-1955: *Der Ursprung der Gottesidee. Eine historisch-kritishe und positive Studie* (Münster in W., Aschendorfsche Verlagsbuchhandlung)

40 Eliade, Mircea, *The Quest. History and Meaning in Religion* (Chicago, University of Chicago Press, 1969), pp. 81-84.

41 Maldonado, 1985, *Op. Cit.*, p. 66.

muchos católicos folclóricos, Jesús, al igual que en el tiempo de la Epístola a los Colosenses, es otro santo mítico, uno entre muchos espíritus o ángeles que pueden prestarnos su ayuda. Frente a la situación en Colosas, Pablo respondió con las siguientes palabras:

"Mirad que nadie os engañe por medio de filosofías y huecas sutilezas, según las tradiciones de los hombres, conforme a los rudimentos del mundo, y no según Cristo. Porque en él habita corporalmente toda la plenitud de la Deidad y vosotros estáis completos en él, que es la cabeza de todo principado y potestad." Col 2.8-10

La palabra plenitud en este texto quiere decir el conjunto de todos los poderes y dones divinos. Ello no significa que Dios ha dado un poder a un espíritu, y otro poder a otro espíritu, y otro poder a Cristo. El Dios creador ha dado la plenitud de todos los poderes a Jesucristo. No es necesario buscar la ayuda de los espíritus, ángeles o santos, porque Jesús está encima de todos los principados y potestades, encima de todos los espíritus. Tampoco es necesario acudir a otros espíritus debido a que el buen Dios creador esté lejos de nosotros, como en los mitos de los pueblos y tribus. El Dios invisible está cerca, está presente entre nosotros en su Hijo Jesucristo. No nos ha abandonado, se ha acercado a nosotros en Jesucristo y en el Espíritu Santo. Ésta es la buena nueva que necesitan oír todos aquéllos que están relegando a Cristo al buscar equivocadamente a los santos.

7

La cultura de la pobreza

Ahora se verá más de cerca la religiosidad popular en América Latina haciendo énfasis en el análisis de dos clases diferentes de cultura que se encuentran entre los hispanoamericanos. También se analizarán dos aspectos adicionales de la religiosidad popular, a saber: los rituales, y la prioridad que tiene la búsqueda de la bendición sobre la búsqueda de la salvación. En el próximo capítulo se analizarán los factores culturales que deben ser tomados en cuenta por quienes se encuentran brindando un ministerio entre los hispanoamericanos, o lo harán en el futuro.

Características de la religiosidad popular

Ritos y rituales

Se ha observado que los ritos y rituales juegan un papel de mucha importancia en las vidas de las personas que viven en sociedades tribales, folclóricas, y "primales". Los rituales son dramas sagrados que comunican más mensajes a través de acciones que por medio de palabras. En los ritos y rituales predominan los símbolos. Es importante reconocer que los símbolos también tienen una magna importancia para las masas populares. Los símbolos son interpretados en forma distinta por los miembros de las así llamadas sociedades modernas. Se subraya esto, porque muchos misioneros de países modernos e industrializados tienden a menospreciar los rituales y símbolos al eliminarlos de su práctica religiosa. Se ha dicho que muchos protestantes (especialmente los calvinistas) son hombres y mujeres de la palabra escrita. Por lo tanto, dan importante énfasis a la lectura de libros y a la predicación de sermones de carácter literario. Sin embargo, muchos habitantes de nuestro globo dan más importancia a la comunicación por medio de símbolos y rituales. Si se menosprecian las oportunidades para utilizar ritos, rituales, y símbolos en nuestra evangelización, adoración, y enseñanza, se estará en peligro de empobrecer, no solamente la vida cultural de nuestros pueblos, sino también la riqueza de la tradición cristiana.

Entre las funciones de los ritos y rituales se señalan las siguientes: 1) Ayudan a dar orden en el universo.

2) Ayudan a definir y mantener las relaciones sociales.
3) Confirman los estados sociales.
4) Confirman creencias y valores.
5) Sirven para archivar y comunicar información.
6) Ayudan a explicar el universo.

Al principio del siglo XX, Arnald Van Gennep escribió un libro muy importante, y profusamente citado, sobre la función de los rituales. El nombre de dicho libro es *Ritos de Pasaje*. La tesis de Van Gennep es que los rituales ayudan a los individuos a hacer la transición de un estado a otro de un modo aceptable y autorizado por la sociedad. Por ejemplo, la ceremonia de bodas es un ritual mediante el cual el status de una persona cambia de soltero a casado; es un ritual de transición por medio del cual la comunidad otorga a tal individuo la autoridad y las responsabilidades que corresponden a su nuevo rol en la sociedad.

Según el esquema de Van Gennep, un ritual consta de tres partes:
1) Rito de separación,

2) Rito de transición

3) Rito de incorporación.

Ritos de separación

Durante el rito de separación, el individuo se despide o se separa de su viejo status o rol en la sociedad. Deja atrás su vieja vida, por ejemplo: en el bautismo el individuo se despide de su vida de incrédulo y rebelde al renunciar al diablo con toda su pompa y mentiras. Si no hay una separación clara de la vida vieja el individuo no podrá incorporarse a su nuevo status o rol. Los miembros de una sociedad tradicional, por lo tanto, se opondrán a todo intento de omitir cualquiera parte de un ritual. Un ejemplo: la celebración del velorio es una parte muy importante del funeral. Si el difunto no se despide completamente del mundo de los vivos para incorporarse al mundo de los difuntos, el muerto estará incapacitado para poder salir de este mundo. Por lo tanto, puede quedarse viviendo entre los vivos como una fantasma o espíritu malo que buscará la venganza en contra de aquéllos que no quisieron darle un buen velorio.

Ritos de transición

El estado intermedio entre el rito de separación y el rito de incorporación se llama *limen*, una palabra que en el latín significa umbral. La persona que está en limen, o en el estado de limenalidad, está en el umbral del estado viejo y el estado nuevo, ni es una cosa ni la otra. En casi todas las sociedades las personas y cosas que se encuentran en estados intermedios son considerados como impuros, vulnerables, susceptibles al peligro, y peligrosos a la vez. Están en un estado caótico. El caos es un estado intermedio donde no existen rangos, ni oficios, ni leyes, ni reglas. Es un estado desordenado. En el primer capítulo del Génesis se lee que en el principio la tierra estaba desordenada y vacía. La tierra estaba mezclada con agua, y la luz con tinieblas. Hubo un estado intermedio donde no había tierra ni agua, sino una mezcla desordenada de ambas. Entonces Dios separó la tierra del agua, y ordenó las cosas. Separó la luz de la obscuridad, y hubo día y noche.

Según Mary Douglas, los animales considerados como inmundos en el libro del Levítico, son precisamente los animales que no se pueden clasificar con facilidad. Los seres humanos nos sentimos incómodos con cosas que no podemos ubicar dentro de nuestros sistemas de clasificación. El cangrejo, por ejemplo, porque no es un pez ni es un animal de la tierra, es considerado inmundo. El muchacho que ha comenzado con un ritual de pubertad ha dejado de ser niño pero todavía no es adulto. Para protegerlo de malas influencias y para proteger a otros de él, lo apartan en una cabaña en la selva, o en una cueva durante el estado de limenalidad. La novia durante el servicio de bodas ha dejado de ser una soltera, pero todavía no es una mujer casada. Está en un estado intermedio. Según las antiguas creencias folclóricas la novia, dentro del estado de limenalidad, es muy susceptible a influencias malignas como el mal de ojo. Por lo tanto, tiene que estar protegida por un velo y por la presencia de damas que van al frente de la procesión a fin de desviar las influencias malignas, como el mal de ojo, que pudieran presentarse.

Para los miembros de una sociedad "primeva",[1] los rituales son de suma importancia, pues sin ellos es imposible pasar de un estado a otro. Por ejemplo, en algunas sociedades africanas que se han convertido al cristianismo, los misioneros han prohibido los viejos rituales de pubertad, porque por medio de ellos los jóvenes se convertían en adultos o en guerreros. Al no proveer un nuevo ritual, o al no transformar el viejo ritual con un substituto funcional para el ritual prohibido, se imposibilita la transición de un estado al otro de manera que la sociedad lo reconozca. Así los adultos siguen siendo considerados como jóvenes porque ha desaparecido el ritual por medio del cual pueden llegar a ser incorporados en la sociedad adulta. Por lo tanto, los antropólogos cristianos hacen hincapié en la necesidad, no solamente de reprimir rituales de carácter pagano, sino también de reemplazarlos con nuevos rituales que puedan servir como substitutos funcionales.

Ritos de integración o incorporación

Los ritos de integración o incorporación tienen una importancia muy especial para los miembros de sociedades primevas. Cuando un grupo vive dentro de un ambiente hostil, donde está en competencia con otros grupos antagónicos, hay una preocupación por proteger al grupo de las influencias negativas del medio ambiente, y de asegurar que ningún intruso, o hereje, llegue a introducirse en el grupo. Entre tales grupos hay una necesidad psicológica, y real, de confeccionar ritos elaborados de incorporación o de iniciación, a fin de asegurar que el nuevo miembro verdaderamente ha nacido de nuevo, y que no es un elemento contaminante capaz de causar la desintegración del grupo. Estos grupos son, de acuerdo al famoso antropólogo francés Claude Levi-Strauss, como las personas que cocinan bien su comida antes de consumirla e incorporarla a su organismo. Por medio del acto de cocinar, la comida se transforma en algo que puede ser asimilado. En tales sociedades hay un mayor énfasis en un buen

---

1 **Nota**: En esta obra se prefiere hablar de sociedades primevas o primales y no de sociedades primitivas. En realidad no existen "sociedades primitivas." Clasificar a una sociedad como primitiva es solamente una muestra de egocentrismo. Existen sociedades consideradas como primitivas porque no poseen la tecnología y los adelantos científicos de las sociedades modernas. Pero los sistemas gramaticales de las así llamadas "sociedades primitivas" son frecuentemente más complicados que los de las "sociedades avanzadas." Para los miembros de sociedades primevas, la manera en que las sociedades modernas solucionan el problema de la vejez, al marginar a los ancianos a los asilos u hogares de descanso, parece ser una medida muy "primitiva."

adoctrinamiento de nuevos miembros, y en un elaborado ritual de iniciación.

Ritos para cambiar de status

Otros ritos sirven para cambiar el status de un individuo que está buscando una anulación o transformación de su status actual. Ejemplos de tales ritos son, primero, cuando el médico declara que un enfermo se ha sanado; segundo, cuando el juez declara que el acusado es inocente; tercero, cuando el pastor o el sacerdote le declara a un pecador arrepentido que su pecado ha sido perdonado; y cuarto, cuando por medio del rito de purificación, la Virgen María es declarada limpia de la sangre que fue derramada durante su parto.

Ritos de afirmación

Ciertas celebraciones, como el día de la independencia o el día del trabajador, sirven para afirmar nuestra adherencia a las instituciones y valores esenciales de nuestra sociedad. Por ejemplo, al celebrar el Día de la Reforma, los luteranos afirman su lealtad a los principios que guiaron a los reformadores en su lucha para purificar y revitalizar la iglesia.

Aspectos negativos de las fiestas en la religiosidad popular

Después de leer el capítulo sobre el concepto de la limitación de lo bueno en el libro *Tzintzuntzan* de George Foster, se entienden mejor algunos aspectos de los ritos, rituales, y fiestas en la religiosidad popular. Las fiestas, en las sociedades campesinas, sirven para redistribuir la riqueza, o para deshacerse de la producción sobrante. En una sociedad asimétrica donde los centros urbanos ejercen el control sobre el campo, los campesinos saben que el estado, invariablemente, encontrará la manera de expropiar cualquiera excedente de producción. Si de todas maneras uno va a perder cualquier sobrante de producción, sería mejor gastarlo en fiestas y celebraciones. Según la perspectiva de la antropología cultural, las fiestas son mecanismos adoptivos que asumen los campesinos en su lucha contra las élites urbanas. Sin embargo, las celebraciones de muchas fiestas tienen efectos negativos para las masas. La carga financiera de la fiesta con frecuencia hunde a los oprimidos aún más en la pobreza. Se gasta dinero no solamente en la pompa litúrgica y el ceremonialismo, sino también en el consumo de grandes cantidades de alcohol, lo cual es un factor más que puede llevar a la destrucción del individuo, la familia y la comunidad.[2]

En la década de 1970 se llevó a cabo un estudio entre los indios Mayos, un grupo de unos 20,000 indígenas que viven en México.[3] Los Mayos, desde hace siglos, han sido católicos. Como agricultores siguieron el ciclo anual de fiestas. Pero, en este siglo, una parte de la comunidad se convirtió al pentecostalismo. Llegó un momento en el cual los convertidos se sintieron libres de la necesidad de regalar grandes cantidades de comida y bebida al sistema festivo de la religiosidad popular. En cambio, los indígenas convertidos invirtieron su dinero en la educación de sus hijos y en la compra de bienes de consumo. Hoy existe una diferencia marcada entre la prosperidad de los Mayos pentecostales y los Mayos que siguieron sus antiguas tradiciones. Por otro lado, estudios hechos entre los Tzeltales y Choles en Chiapas, México, también confirmaron el hecho de que algunos antiguos miembros del sistema festivo tradicional lograron nuevos niveles de prosperidad y bienestar social una vez que se liberaron de sus aportaciones obligatorias a las fiestas de la religiosidad popular.

La conversión de los Tzeltales y Choles resultó, no solamente en la liberación de los aspectos negativos del sistema festivo, sino también en la liberación del temor a los shamanes, hechiceros, y espíritus malos. La cultura Chol, antes de ser evangelizada por miembros del Instituto Lingüístico de Verano y la Iglesia Presbiteriana, estaba en vías de desintegración. Pero al aprender de los misioneros a leer y escribir en su lengua natal, los choles experimentaron un rejuvenecimiento. Llegaron a sentirse orgullos de su idioma indígena y de sí mismos como pueblo indígena. Su conversión al protestantismo, en vez de ser un factor en la destrucción de la cultura indígena, fue un factor en su renovación.

Tomando en cuenta los aspectos negativos del sistema festivo del catolicismo folclórico, Elizondo enfatiza la necesidad de unir el elemento festivo de la religiosidad popular con la dimensión profética encontrada en las Escrituras. Lo festivo y lo profético se necesitan mutuamente. Hay que buscar un balance entre los dos elementos de la religión. El elemento festivo sin el elemento profético conlleva a rituales vacíos, alborotos y

---

2 Filbeck, David, *Social Context and Proclamation* (Pasadena, William Carey Library, 1985), pp. 110-111.

3 Martin, David, *Tongues of Fire* (Oxford, Basil Blackwell, 1990) p. 211.

borracheras. Denuncias proféticas sin el elemento festivo conllevan al cinismo y a la amargura.[4] El elemento festivo sin el elemento profético se convierte en el opio de las masas, por medio del cual, los individuos escapan de su responsabilidad para trabajar en pro de una sociedad más justa.[5] Celebraciones sin la dimensión profética y sin una conexión con los propósitos históricos de Dios producen exclusividad introvertida, una característica de las fiestas analizadas por Sallnow en el Perú.[6] Una celebración religiosa puede llegar a ser como una congregación introvertida que se preocupa solamente por sus programas y la afirmación de su identidad sin preocuparse por el mundo.

Otro factor negativo de muchas fiestas religiosas locales celebradas en América Latina, es el hecho de que con frecuencia sirven para sancionar y perpetuar las estructuras sociales existentes. Durante la celebración, los oficiales de la fiesta son instalados en sus cargos. En muchas partes del hemisferio, estos oficiales son los mismos terratenientes y líderes comunales que ejercen un control paternalista sobre la población campesina, y demandan de ellos el sometimiento en forma de apoyo político y la aceptación del dominio que ejercen las élites en la sociedad.[7] Los que dominan la sociedad y la iglesia tienden a aprovecharse de las fiestas con el propósito de que ellas sirvan para sus fines personales e institucionales. Antes de dejar el asunto de las fiestas, ritos y rituales, se mencionarán algunas sugerencias misioneras en cuanto a la postura que se debe asumir. Estas sugerencias son de la Dra. Raquel Páez, antropóloga cristiana, integrante del personal docente del Seminario Evangélico de Caracas.[8]

Formas ceremoniales

---

[4] Elizondo, Virgilio, *Galilean Journey* (Maryknoll, New York, 1983), p. 120.

[5] Power, David, *Cultural Encounter and Religious Expression,* en *Liturgy and Cultural Religious Traditions: Conciluim, Vol. 102*, Herman Schmidt & David Power ed. (New York, The Seabury Press, 1977), p. 103.

[6] Sallnow, *Op. Cit.*, p. 147.

[7] *Ibid.*, p. 167.

[8] Páez, Raquel, apuntes de una conferencia dictada en la sede de la Misión Luterana en Venezuela, 1990.

Cada cultura desarrolla ceremonias singulares para ocasiones especiales en la vida de los individuos y grupos. Por lo general se celebran ceremoniales en ocasión del nacimiento, el comienzo de la pubertad, el matrimonio, la defunción, los aniversarios de la muerte, y otros casos especiales que sobrevienen en la vida de los miembros individuales de las diversas culturas del mundo. Las ceremonias de orientación colectiva se observan en ocasiones tales como los festivales de la cosecha, el año nuevo, así como otras ocasiones antibíblicas como las dedicadas a la adoración de falsos dioses, o al apaciguamiento de espíritus.

Dios respeta la necesidad humana de ceremonias. El las usó para ayudar a Israel a recordar su bondad hacia ellos. Dios instituyó ceremonias especiales como parte de la ley judaica (Deuteronomio 16). Los acontecimientos singulares que tienen lugar en la vida de los hombres deben ser celebrados como bendiciones de Dios (Santiago 1.17). El evangelista intercultural ha de estudiar las ceremonias especiales de la cultura en la que está iniciando una nueva iglesia. En el momento adecuado debe sugerir que los líderes de la iglesia instituyan nuevas ceremonias para los creyentes. Debe haber ceremonias para Navidad, Pascua de Resurrección, Pentecostés, y otros días del calendario cristiano. La ceremonia para celebrar la Cena del Señor debe ser una de las primeras que se instituyan.

Además de las ceremonias más comunes que los creyentes deseen celebrar, se ha de prestar atención a aquellas ceremonias, de esa cultura, que sean las más elaboradas y que requieran más tiempo y gastos en su celebración. Éstas pueden ser, por ejemplo, las bodas y las celebraciones del comienzo de la pubertad.

El evangelista intercultural debe dar prioridad a la necesidad de estudiar, con los líderes que van surgiendo en la nueva iglesia, las formas en que puedan substituir, con ceremonias cristianas, las que son tradicionales en esa cultura. Se debe hacer énfasis especial en enriquecer los ritos con un significado cristiano. Además, se deben simbolizar claramente las enseñanzas bíblicas básicas en las ceremonias. A los líderes locales probablemente les encantará poder desarrollar tales ceremonias. Los creyentes que participan en ellas encontrarán un gran significado en las ceremonias. También la comunidad entera hará lo mismo. El desarrollo de ceremonias cristianas positivas realzará grandemente la imagen de la iglesia en la comunidad y, por lo mismo, el efecto positivo de su testimonio.

Características de la religiosidad popular

Preocupación por necesidades cotidianas

Otra característica de la religiosidad popular es que en ella hay un énfasis mayor en la búsqueda de bendición que en la búsqueda de salvación. Muchos observadores han afirmado que la gente común se preocupa más en cómo ganar u obtener el pan de cada día que por la doctrina de la predestinación; se mortifican más por encontrar un trabajo, o por tener buena suerte en el amor o en la lotería, que en entender la relación entre la naturaleza divina y la naturaleza humana de nuestro Señor Jesucristo. Sin embargo, los teólogos que representan la gran tradición[9] dan más importancia a conceptos teológicos que a los problemas de la vida diaria del pueblo.

En sociedades tribales o primales existían especialistas religiosos para tratar cuestiones de teología, y otros especialistas para ayudar a la gente con sus problemas diarios. Por ejemplo, en el hinduismo los sacerdotes (los brahmanes) en los grandes templos se desempeñan como expertos en teología y en las doctrinas del karma, la reencarnación, la naturaleza de los grandes dioses como Shiva, Vishnu y Kali. Pero en las muchísimas aldeas rurales de la India, son los adivinos, shamanes y los magos quienes atienden a los problemas diarios de los aldeanos buscando remedios, talismanes y mantras para ayudar a sus conciudadanos con problemas tales como el mal de ojo, la esterilidad, las enfermedades, problemas mentales y cómo encontrar a los animales de caza. Se cree que muchos de estos problemas son causados por espíritus malos, hechicería, o por la transgresión de algún tabú. La creencia popular, no sólo en la India, sino también en muchas partes de América Latina, es que los problemas producidos por agentes espirituales (como espíritus malos o brujos) no pueden ser resueltos por los doctores o médicos locales. La ciencia tiene que ver solamente con problemas materiales.

El antropólogo cristiano Paul G. Hiebert[10] ha denominado al área de competencia de los teólogos de la gran tradición como la zona alta, y al área de competencia de los médicos y científicos como la zona baja. El área de competencia de los shamanes, magos y adivinos es la así llamada zona media. Cuando, por la influencia de misioneros cristianos, el cristianismo

---

[9] Véase el capítulo 4.

[10] Hiebert, Paul G., *The Flaw of the Excluded Middle*, en *Missiology: An International Review Vol X, No.1* (Scottdale, Pennsylvania, 1983).

llega a remplazar la religión pagana, los pastores, evangelistas y misioneros cristianos remplazan a los teólogos de la vieja religión al proveer una nueva teología para explicar la creación del universo, la naturaleza del verdadero Dios, y el camino de la salvación. Con frecuencia, la medicina moderna que se enseña en las escuelas y clínicas del estado y la nueva tecnología científica llegan a remplazar a la ciencia primitiva o folclórica. Pero, también con frecuencia, no se provee de equivalentes funcionales para los shamanes, adivinos, exorcistas y magos que funcionaban en la zona media y ayudaban a la gente en sus problemas cotidianos. Como resultado, muchos cristianos, buscando ayuda con sus problemas diarios, acuden a los templos cristianos los domingos, y a los centros espiritistas los días de semana.

En el Brasil la mayoría de los espiritistas que practican la Umbanda, la Macumba y el Candomblé se consideran buenos católicos. Entre los miembros del pueblo, el catolicismo tradicional al nivel de la zona alta, sirve para dar interpretaciones teológicas, mientras que el espiritismo, el ocultismo o el Cristo-paganismo sirven, al nivel de la zona media, para resolver los problemas de la vida cotidiana. Puesto que los santos venerados o adorados a nivel del catolicismo popular ayudan a las personas en sus problemas cotidianos, ha sido difícil para los reformadores dentro de la Iglesia Romana suprimir las prácticas supersticiosas identificadas con el culto a los santos. La agrupación evangélica que ha tenido más crecimiento en América Latina es el pentecostalismo, movimiento que, por medio de sus revelaciones, visiones y profecías, proporciona respuestas a los problemas cotidianos. Los que han estudiado el pentecostalismo en América Latina señalan que ésta es una de las razones principales por la que el pentecostalismo ha llegado a ser la rama más grande del protestantismo en el hemisferio.

Según Paul Hiebert, uno de los problemas más críticos para el pastor o evangelista cristiano que desempeña su ministerio en un ambiente donde predomina el Cristo-paganismo o el catolicismo folclórico, es desarrollar una teología bíblica para los problemas cotidianos, o sea para la zona media. Lamentablemente, muchos pastores y misioneros con una cosmovisión moderna solamente se ríen de las personas que creen que las enfermedades, los problemas psíquicos, y la mala suerte pueden ser causados por espíritus malos, espíritus de antepasados, hechicería y mal de ojo. Para los miembros de sociedades primales y folclóricas, tal actitud solamente sirve para comprobar que el pastor o evangelista sabe muy poco acerca de las realidades espirituales. En tal caso, rápidamente el 'cristiano' nativo buscará la ayuda de especialistas que comprenden las realidades espirituales.

Uno de los pasos hacia una teología práctica de la zona media sería enfatizar la comunión de los santos vivos en vez de la comunión de los santos muertos. La Santa Biblia en ninguna parte apoya la idea de acudir a santos, ángeles o espíritus como mediadores entre los creyentes y el Creador. Pero la Palabra de Dios sí pide que los cristianos oren e intercedan los unos por los otros:

"Orando en todo tiempo con toda oración y súplica en el Espíritu, y velando en ello con toda perseverancia y súplica por todos los santos." Ef 6.18

"¿Está alguno enfermo entre vosotros? Llame a los ancianos de la iglesia, y oren por él, ungiéndole con aceite en el nombre del Señor. Y la oración de fe salvará al enfermo, y el Señor lo levantará." Stg 5.14-15

La importancia de textos como éstos estriba en el hecho de que en ellos se ve una comunidad de santos vivos preocupados por los problemas diarios del creyente, y que esta comunidad eleva intercesiones por él, día y noche. En esta comunidad de santos vivos hay hermanos y hermanas que dan consejo, consuelo, ayuda, y la dirección que anhelan tantas personas que carecen de los recursos para buscar ayuda del gobierno, las agencias oficiales y de padrinos con influencia. Cuando los pobres y marginados se encuentran dentro de una verdadera comunión de santos, una verdadera comunidad terapéutica, no sentirán la necesidad de apelar a los espíritus de personas muertas para ser sus intermediarios ante Dios. Para los investigadores como David Martin,[11] éste es otro factor que ha ayudado al crecimiento del movimiento pentecostal en América Latina.

Otra cosa que debe considerar el evangelista que está ministrando en un ambiente donde predomina el Cristo-paganismo es enfatizar la fiesta de la Ascensión. Puesto que siempre cae un jueves y no un domingo, muchas iglesias luteranas urbanas han dejado de celebrar la fiesta de la Ascensión como una de las celebraciones principales del año eclesiástico. Esto es una lástima pues la Ascensión no sólo nos asegura que Jesús está a la diestra de Dios intercediendo por nosotros, sino también que Jesús ahora está por encima de todo trono, principado, potestad, dominio y espíritu. Es decir, el Padre ha entregado a Jesús la autoridad sobre todos los poderes espirituales, demonios y fuerzas satánicas. La celebración de la Ascensión

---

[11] Martin, *Op. Cit.*, p. 283.

nos da la oportunidad de proclamar que Jesús es el supremo mediador, y aquél que tiene poder para ayudarnos en todos los problemas cotidianos.

La importancia de la bendición y de la salvación en el ministerio de la iglesia

Otra manera de tratar el problema de la zona media y de la preocupación por las necesidades cotidianas consiste en comprender mejor la distinción entre la salvación y la bendición. Se pudiera afirmar que una de las características más importantes de todas las religiones folclóricas es el énfasis que se pone en la bendición. Por medio de sus fiestas, peregrinaciones, y rituales folclóricos, los católicos están buscando bendición. Bendiciones y objetos religiosos tales como medallas, reliquias, rosarios e imágenes portátiles desempeñan un papel importante en la invocación del poder divino.[12] El catolicismo popular está más interesado en la comunicación de bendición que en la comunicación de salvación. En la mayoría de los países latinos los niños comienzan y terminan cada día pidiendo la bendición a sus padres, abuelos, padrinos, tíos y hermanos mayores. En las zonas rurales, crucifijos e imágenes de santos son colocados en los sembradíos con el fin de que la tierra y sus frutos sea bendecida. Se encienden velas sobre innumerables altares familiares ante las representaciones de los santos a fin de obtener bendiciones para el hogar y sus moradores. En el altiplano andino los criadores de llamas celebran toda clase de ritos precolombinos para obtener la bendición de la Pachamama y de los "apus" de la montaña sobre el ganado.[13] Muchas de las fiestas y peregrinaciones del catolicismo folclórico se relacionan con los ritmos del año agrícola y son de origen precolombino. Uno de los propósitos de celebrar dichas fiestas es incrementar la fertilidad de campos, animales y seres humanos.[14]

---

12 Schreiter, Robert J., *Constructing Local Theologies* (Maryknoll, New York, Orbis Books, 1985), p. 129.

13 *Op. Cit.*, Sallnow, p. 135.

14 Maldonado, Luis, *Dimensiones y tipos de la religiosidad popular*, en *La Religiosidad Popular, Concilium 206* (Norbert Greinacher & Norbert Mette ed. Madrid, Ediciones Cristiandad, 1986), pp. 9-18.

El protestantismo, con su énfasis en las grandes obras de Dios para salvar a los seres humanos del pecado, del demonio y de la muerte, da mayor importancia a la comunicación de la salvación que a la comunicación de la bendición. Se ha dicho que el sanarse de un cáncer incurable es un milagro, y nunca enfermarse de cáncer es una bendición. Para muchas denominaciones protestantes de corte liberal, la idea de impartir poder o bendición por medio de la imposición de manos, la aspersión de agua, o por una palabra hablada, sabe a magia o a superstición. En la década de 1960, la Iglesia Evangélica de Alemania contemplaba la eliminación de la bendición pastoral de la nueva liturgia revisada de la Iglesia. Se decía que el concepto de bendición ya no tenía sentido para personas modernas que viven en la presente era científica y tecnológica.

El concepto de la bendición y de la salvación en las Escrituras

Antes de eliminar la bendición de la liturgia de la iglesia, se comisionó al famoso exégeta luterano Claus Westermann para llevar a cabo una investigación sobre el concepto de la bendición en las Escrituras. Como resultado del trabajo de Westermann, se decidió dejar la bendición como una parte de la liturgia revisada. En su investigación Westermann hizo hincapié en el hecho de que Dios desempeña un doble papel en la Biblia: Él es activo, tanto como el Dios de la salvación, como como el Dios de la bendición. Ambas actividades son esenciales para la vida del pueblo de Dios. En el Antiguo Testamento recibir bendición, berakhah, era recibir vida y poder del Creador para poder crecer, multiplicarse y ser fructífero. Recibir bendición era recibir poder para tomar parte en la actividad creadora del Señor. En Génesis 1 Dios el Creador dio su bendición a todos los seres vivientes a fin de que pudieran fructificar y multiplicarse.[15] Uno de los temas principales del Génesis es la transmisión de la bendición de una generación a otra. En el libro del Génesis la bendición es entendida como una transferencia de poder en conexión con un acto o un gesto. El concepto de la bendición predomina en los libros del Génesis y Deuteronomio, mientras que el concepto de la salvación predomina en Éxodo, Levítico y Números.

---

15 Nowell, I., *Contexto narrativo de la bendición en el Antiguo Testamento,* en *Concilium 198, La Bendición como Poder* (Madrid, Ediciones Cristiandad, 1985), pp. 155-167.

Según Westermann, la literatura de Sabiduría fue incluida dentro del canon del Antiguo Testamento porque la sabiduría fue considerada como una parte de la bendición impartida por Dios al pueblo escogido.[16] Uno de los problemas más grandes para el pueblo de Israel, al entrar en la tierra prometida y dedicarse al cultivo de la tierra, fue la forma de asegurar la fertilidad, es decir, la bendición. Muchos en Israel afirmaban que Yahvé (Jehová) era el Salvador que entró en acción para liberar de Egipto al pueblo escogido, pero que los diferentes baales eran las divinidades que comunicaban la bendición al campo, al ganado, al hogar y a la familia. En consecuencia, existió por mucho tiempo en Israel el problema del sincretismo. Yahvé era adorado como el Dios de la salvación, y los baales como los dioses de la bendición. En su enfrentamiento con los profetas de Baal sobre el Monte Carmelo, el profeta Elías preguntó al Pueblo de Israel:

"¿Hasta cuándo claudicaréis vosotros entre dos pensamientos? Si Jehová es Dios, seguidle; y si Baal, id en pos de él." 1 R 18.21

En el catolicismo folclórico de América Latina persiste la lucha entre el Dios salvador y las otras divinidades y espíritus que son considerados como portadores de la bendición y la fertilidad. Son los santos y las divinidades precolombinas quienes han sido incorporados a los santos que son venerados como las fuentes de bendición para campos, animales y seres humanos. En el Antiguo Testamento el templo es el lugar de donde sale la bendición para toda la nación. El propósito de celebrar las grandes fiestas en el templo es asegurar bendición para la comunidad y para el individuo.[17] El profeta Hageo anunció a los israelitas que regresaron de la cautividad en Babilonia que no habían recibido la bendición de Dios sobre sus campos y animales porque habían sido negligentes en la reconstrucción del templo.

En el Nuevo Testamento el concepto de la bendición pasa por una transformación. En textos como Gálatas 3.14-15 y Efesios 1.3 Pablo emplea la palabra bendición como significado de justificación, perdón y salvación escatológica. Sin embargo, el concepto veterotestamentario de bendición como crecimiento, maduración, y fortalecimiento, no ha sido asimilado por completo. Según Westermann, la bendición que Jesús imparte a los niños debe ser entendida como incluyendo el poder para crecer y prosperar. La bendición que Jesús otorga a sus discípulos sobre el monte

---

16 Westermann, Claus, *Blessing* (Philadelphia, Fortress Press, 1978), pp. 35-52.

17 *Ibid.*, p. 30.

de la ascensión debe ser entendida como una comunicación de poder. Los saludos dados al principio de la epístolas paulinas son bendiciones impartidas a las congregaciones cuando éstas se reúnen para adorar al Señor. Así, estas bendiciones contienen el elemento de prosperidad y crecimiento. En Romanos 15.29 Pablo dice que el propósito de su próximo viaje a Roma será para impartir una bendición a la congregación. Según Westermann la bendición mencionada en Romanos 15.29, y en los saludos en las otras epístolas paulinas tienen que ver, no solamente con el fortalecimiento y la maduración de la congregación, sino también con su crecimiento numérico.[18]

Lamentablemente, en muchas partes de la iglesia cristiana, se ha hecho una separación entre la bendición y la salvación. En la religiosidad popular encontramos un énfasis fuerte en el concepto de la bendición. La bendición ha sido separada de la salvación y de la actividad de Dios en la historia. Uno de los resultados de este divorcio es el hecho de que el concepto de bendición ha llegado a mezclarse con lo mágico y lo supersticioso.

La cultura de la pobreza

Al hablar del problema de la zona media se ha sugerido que pueden existir dificultades en comunicar el evangelio a miembros de sociedades folclóricas debido a que existen diferencias entre evangelizador y evangelizado a nivel de cosmovisión. Cosmovisión quiere decir el concepto formado sobre la realidad. Son las suposiciones que se forjan en cuanto al espacio, el tiempo, la casualidad, la identidad, causa y efecto, e incluye la manera de relacionarse con otros. En algunas sociedades el tiempo se mueve en una forma lineal, mientras que en otras sociedades el tiempo es cíclico o pendular. El evangelista tendrá que tomar en cuenta la cosmovisión de los evangelizados y presentar el evangelio en una forma comprensible a su concepto de la realidad. Investigaciones recientes han señalado que muchas personas que forman parte de la clase baja inferior tienen una cosmovisión muy distinta a la cosmovisión de las personas que pertenecen a otras clases socioeconómicas. Para evangelizar efectivamente entre estas personas, que por generaciones y generaciones han sido pobres y marginados, es indispensable conocer algo acerca de la así llamada "cultura de la

---

18 *Ibíd.*, p. 82.

pobreza."

Oscar Lewis es el antropólogo que, debido a sus estudios en Puerto Rico y México, ha contribuido más para clarificar el contenido de la cosmovisión de la "cultura de la pobreza".[19] Según Lewis y Stravers,[20] los atributos de quienes viven dentro de una cultura de la pobreza son los siguientes:

Primero, existe una orientación hacia el tiempo presente y no hacia el tiempo futuro. Las personas dentro de la clase media generalmente se sienten optimistas en cuanto al futuro. Hacen planes y ahorros para el futuro; planifican la futura carrera universitaria de sus hijos. Buscan un préstamo para tener un buen hogar en el futuro. Prefieren sacrificar el gozo y el placer del momento por el futuro. Los de la cultura de la pobreza, en cambio, han recibido tantos golpes, generación tras generación, que han perdido confianza en el futuro. El futuro es inseguro, amenazante, peligroso. No vale la pena sacrificar el gozo del momento para asegurar un futuro más feliz o más próspero. No pensarán en ahorrar para el futuro. Compartiré algo que me pasó hace tiempo. Una mujer muy pobre una vez me preguntó: Pastor, mi ex-marido me mandó doscientos pesos para ayudarme en mi pobreza. ¿Puede usted ayudarme a pensar cómo he de gastar el dinero ya que estoy en camino hacia el mercado? ¿Por qué no poner una parte del dinero en el banco? le propuse, así tendrá algo guardado para un caso de emergencia o para comprar medicinas en caso de enfermedad. La mujer contestó: No, eso no. Tengo que gastar todo el dinero esta misma mañana, de otra manera puedo perder el dinero o alguien podría robarmelo.

Segundo, existe un fatalismo y una resignación. Tantos intentos de cambiar la situación de los pobres han fracasado que ellos han llegado a creer que su pobreza ha sido decretada por Dios, por la suerte, o por una ley cósmica como la ley del karma. La religión hindú enseña que los que sufren física, social o económicamente están cosechando en la vida presente lo que ellos mismos sembraron en reencarnaciones anteriores. Su estado

---

[19] Lewis, Oscar, *Ensayos Antropológicos* (México D. F., Editorial Grijalbo S. A. , 1986), pp. 107-123.

[20] Stavers, David, *Poverty, Conversion and Worldview in the Philippines,* en *Missiology Vol. XVI, No. 3* (Scottdale, Pennsylvania, American Society of Missiology, 1988), pp. 331-348.

presente es la voluntad de los dioses. Ir en contra de la voluntad de los dioses es, por lo tanto, tratar de cambiar la suerte de uno, así sea ayudar a otro a mejorar su situación o cambiar de una clase o casta. Los miembros de la casta de los limpia-letrinas tienen que aceptar su suerte como la voluntad de Dios para ellos, y no tratar de cambiar su karma, ya que ello redundaría solamente en una suerte inferior en la próxima reencarnación.

Los teólogos de la liberación afirman que tales creencias religiosas son invenciones de las élites dominantes utilizadas para justificar su opresión de los marginados. Para que los pobres no se den cuenta de que la riqueza de los ricos es la causa de la pobreza de ellos, los ricos siempre usan la teología para justificar el status quo, y para socavar movimientos que tratan de cambiar las estructuras injustas. Los miembros de la clase media suelen culpar a los pobres por su pobreza. "Ustedes son pobres porque no trabajan, son flojos, gastan todo su dinero en vicios en vez de mejorar sus familias. Su pobreza es el castigo de Dios por su incredulidad y desobediencia."

Así, algunos culpan a los ricos por la pobreza de los pobres, y otros culpan a los mismos pobres. ¿Quién tiene razón? Lewis y Stravers creen que las estructuras socio-económicas llevan una buena parte de la culpa, pero a la vez los marginados han llegado a creer que no se puede hacer nada para cambiar el mundo. Por lo tanto, han caído en un fatalismo que solamente perpetúa la situación en la que han vivido.

Tercero, el espacio es más importante que el tiempo. Para los miembros de la clase media el tiempo es dinero. Se dan cursillos para administrar mejor el tiempo. Se compra toda clase de instrumentos para medir el tiempo. A cada momento alguien pregunta por el tiempo: "¿Qué hora es?" Se buscan maneras para ahorrar tiempo. Nadie tiene tiempo de sobra; el tiempo se va volando. Es más fácil conseguir de un rico un poco de su dinero que un poco de su tiempo. Para quienes viven dentro de la cultura de la pobreza esto no es así. Cuando uno no tiene trabajo, ni goza de oportunidades de estudiar, ni de hacer escuchar sus voces de protesta, el tiempo sobra. Hay que matar el tiempo. Existe tiempo para las relaciones personales.

En las iglesias de la clase media los miembros se quejan porque los cultos se prolongan. "El culto tiene que comenzar a la hora exacta y durar sólo una hora, ni un minuto más." Los pobres no tienen prisa para regresar a sus "favelas", ranchitos, barriadas y cordones de miseria donde no hay agua, electricidad, protección policial y cloacas. Los pobres prefieren estar en la iglesia donde encuentran refugio de la violencia, las pandillas y las drogas de su medio ambiente. En una oportunidad asistí a un oficio luterano aymara en La Paz, Bolivia, que se prolongó de las ocho de la mañana hasta mediodía. A las doce, los hermanos de la iglesia salieron para comer todos juntos en el césped frente a la iglesia. Después de comer juntos, todos regresaron al templo y el oficio continuó hasta las cinco de la tarde. Nadie se quejó de lo largo del oficio. No existe un tiempo ideal para la duración de un culto, oficio, o predicación. Todo depende de la orientación cultural del grupo en el cual se ministra.

Cuarto, dentro de la cultura de la pobreza predomina el concepto de la limitación de lo bueno.[21] El concepto, brevemente, es éste: todas las cosas deseables en la vida, tales como la tierra y otras formas de riqueza, salud, amistad, amor, hombría, honor, respeto, poder, influencia, higiene y seguridad, existen en cantidades limitadas e insuficientes para llenar, por lo menos, las necesidades mínimas de las personas en la sociedad. Además, no hay directamente, dentro del poder del individuo, una manera de incrementar las disponibilidades que existen de esos bienes.[22] Esto significa que los pastores que trabajan dentro de una cultura de pobreza tendrán dificultades en establecer su credibilidad dentro del grupo si sus ingresos y su nivel de vida difiere mucho de los ingresos y nivel de vida de los pobres.

Quinto, en una cultura de pobreza, como también en una cultura campesina, los miembros de la comunidad buscarán su seguridad estableciendo relaciones de dependencia con otros familiares, padrinos y patrones. Puesto que no hay programas de seguridad social, jubilación, pensiones, servicios médicos, provisión de víveres, beneficios de desempleo para los más marginados, los pobres han aprendido a compartir lo poco que tienen para sobrevivir. Si una persona en una familia de diez personas tiene empleo, ella compartirá lo que gana con los demás a pesar de saber que mañana puede perder su trabajo, y necesitará la ayuda de otro miembro de la familia. Entre los miembros de la clase media existe una tendencia para distanciarse de los lazos familiares y no preocuparse mucho de la suerte del

---

[21] Para entender mejor este concepto se recomienda el estudio de un artículo escrito en inglés por el antropólogo cristiano Dr. Paul Hiebert, *The Flaw of the Excluded Middle*, en *Missiology Vol. X No.1* (Scottdale, Pennsylvania, The American Society of Missiology, 1983).

[22] Foster, George M., *Tzintzuntzan* (México D.F., Fondo de Cultura Económica, 1972), p. 125.

primo segundo o del tío político. Pero no es así en la cultura de la pobreza. La única defensa que se tiene es la familia, el padrino y el patrón. Por lo tanto, individuos del campo, recién llegados a la gran ciudad, buscarán una iglesia que sirva como un substituto funcional de la familia que dejó en su pueblo natal. Buscarán una iglesia con un pastor autoritario para ser su patrón. Buscarán una iglesia donde exista una hermandad íntima entre hermanos y hermanas. No es por casualidad que el sociólogo Christian D'Epinay Lalive escogió el título *Refugio de las Masas* para su famoso estudio del crecimiento del pentecostalismo en Chile.

8

Factores culturales

El concepto que tienen muchos europeos y norteamericanos sobre América Latina es que ésta es una conglomeración de diferentes países que comparten una misma cultura. Se cree, por lo tanto, que las estrategias misioneras que han dado resultado en un sector de un país latino, también deben dar el mismo resultado en otro país hispano. Se cree que un programa de educación teológica que funciona en el altiplano de Bolivia, también debe funcionar en la Ciudad de México. En realidad, América Latina no es solamente un mosaico de diferentes países, sino también de muchísimas culturas diferentes una de otra. El ministerio de la iglesia en América Latina tiene que contextualizarse, es decir, ajustarse a las diferentes culturas del hemisferio. En este capítulo se analizarán algunas de las características de las cuatro grandes clases de sociedades, según la taxonomía elaborada por la famosa antropóloga Mary Douglas, es decir: sociedades campesinas, sociedades tribales, sociedades modernas y sociedades fronterizas.

El modelo de Douglas

Las dos características esenciales que usa Mary Douglas para distinguir entre una sociedad y otra son: 1) presión grupal, es decir, la presión que ejerce el grupo sobre un miembro del grupo, clan, tribu o familia, para que éste se conforme a las actitudes, normas, roles, sentimientos, y tradiciones del grupo del cual forma parte; 2) presión social, es decir, la presión que ejerce la sociedad sobre el individuo a fin de que él se conforme a las tradiciones, normas, leyes, modelos, y roles del país o sociedad del cual es miembro.

El uso de estos dos criterios nos da cuatro clases básicas de sociedades, cada una con una cosmovisión distinta y características marcadamente diferentes. Estas cuatro clases de sociedades son:

1. Sociedades tribales y sociedades dominantes. Mary Douglas ha clasificado éstas como caracterizadas por una fuerte presión de grupo y fuerte presión social.

2. Sociedades campesinas o multi-grupales. Mary Douglas ha clasificado éstas como caracterizadas por una fuerte presión de grupo pero con una débil presión social.

3. Sociedades individualistas y urbanas. Mary Douglas ha caracterizado éstas como aquéllas que tienen una débil presión de grupo pero una fuerte presión social. Ejemplos de esta clase de sociedades son las sociedades urbanas del primer mundo y las sociedades "Big Man" de Nueva Guinea y el Pacífico.

4. Sociedades fronterizas y milenialistas. Mary Douglas ha clasificado éstas como caracterizadas por una débil presión de grupo y débil presión social.

Sociedades tribales y sociedades dominantes

Las sociedades tribales son aquéllas que poseen una cultura homogénea en la cual existe una fuerte presión sobre el individuo para conformarse, tanto a las normas de la sociedad en general, como también a las normas de la familia o clan. En América Latina todavía existen algunas sociedades tribales en zonas indígenas. La sociedad misionera "Nuevas Tribus" y el "Instituto Lingüístico de Verano" se han especializado en la evangelización de sociedades tribales. Algunos luteranos han servido en estas agencias. Actualmente, algunos luteranos están ministrando entre grupos tribales en Guatemala, México, Colombia y la región andina.

Las sociedades dominantes son sociedades homogéneas que funcionan como tribus que se caracterizan por el alto nivel de conformidad de sus miembros, y por el fuerte énfasis en la prioridad del grupo sobre el individuo. Algunos ejemplos de sociedades dominantes son: la China (durante el régimen de Mao), la Unión Soviética (antes de Gorbachov), el Vaticano, y el pueblo de Israel durante el tiempo de la monarquía unida; el luteranismo estatal de Suecia, Dinamarca, Finlandia, Islandia, y Noruega. Algunos de los estados alemanes también han funcionado como una sociedad dominante y, por lo tanto, comparten con las sociedades tribales algunas de las características tratadas a continuación:

Características de sociedades tribales y sociedades dominantes

Tecnología simple de subsistencia. Las personas producen lo que necesitan para subsistir; existe poca producción sobrante. Las personas se ganan la vida de la caza, la horticultura, apacentando ovejas, chivos etc., y recolectando frutas, raíces y nueces silvestres. Las poblaciones, por lo tanto, son pequeñas, necesariamente, debido a que se requiere de una tecnología más avanzada para mantener a una población mayor.

Una fuerte orientación grupal. Un resultado de esta orientación es el fuerte sentimiento de pena cuando las normas del grupo son violadas. Los miembros de las sociedades tribales piensan en sí mismos principalmente como miembros de su grupo, clan o tribu y no como individuos que tienen una identidad particular o especial. El pertenecer a un grupo da identidad al individuo. El grupo tiene prioridad sobre el individuo. Los miembros de la sociedad necesitarán compartir y realizar los fines culturales del grupo para poder sentir dignidad personal. Los educadores que trabajan en algunas sociedades tribales (como, por ejemplo, entre los indios Pueblo en el suroeste de los EE.UU.) se quejan diciendo que los niños en la escuela no se esfuerzan en obtener la calificación superior. Todos quieren sacar el promedio regular. Ninguno quiere destacarse como el mejor del grupo. Los niños no quieren tomar parte en competencias individuales donde uno gana y el resto pierde. Todos desean el bien del grupo, no del individuo aparte del grupo.[1–2]

La organización social se basa principalmente en lazos familiares. Las unidades de organización son linajes, clanes y familias extendidas, y no municipios, condados y parroquias.

Los antepasados desempeñan un importante papel como guardianes de familias, linajes y tribus. Los lazos familiares a veces se extienden cuando se incluyen animales y plantas en un sistema totemístico.

El liderazgo, con frecuencia, recae en los ancianos de la tribu. Los asuntos de importancia son discutidos en una reunión de toda la tribu.

Existe una fuerte conciencia de responsabilidad mutua. Se toman las decisiones por consenso o acuerdo mutuo sin votación. Nadie desea tomar una posición contra el consenso del grupo. Las decisiones para hacerse cristianos, son hechas por el grupo y no por los individuos. Los evangelizadores deben intentar la conversión de todo el grupo y no separar

---

1 Malina, Bruce J., *Christian Origins and Cultural Anthropology* (Atlanta, John Knox Press, 1986), pp. 29-37.

2 Douglas, Mary Tew, *In the Active Voice* (London, Routledge & Kegal Paul, 1982), pp. 205-226.

al individuo del grupo y presionarlo para tomar una postura contra su propio grupo.

La sanción o castigo más grande en la sociedad es ser expulsado del grupo. Se ejerce el control social por medio de la burla o chismes. Un miembro de una sociedad tribal no aguantará el ser rechazado por su propio grupo. Los individuos son responsables por los pecados que cometen. No son títeres en manos de un destino mecánico. Se define el pecado como la violación de reglas formales. Los ritos son eficaces para contrarrestar las consecuencias de los pecados. La sociedad se preocupa por la conformidad de los individuos a sus normas. Lo que importa es guardar la letra de la ley y el mantenimiento de las estructuras sociales. No importa tanto el estado interior del corazón.

Poca jerarquía. Existe poca distancia socioeconómica entre los miembros más pobres de la sociedad y los más ricos. Los más pobres siempre tendrán familiares o amigos entre los más ricos y poderosos, y por lo tanto sus quejas se oyen. Hay comunicación vertical entre los ricos y pobres. Los pobres no forman una subcultura.

La comunicación es principalmente oral. Se comunica la información cultural por medio de proverbios, adivinanzas, mitos, rituales y danzas. Los evangelizadores en sociedades tribales buscarán tomar ventaja de estos medios de comunicación en su pastoral.

El simbolismo juega un papel muy importante en la sociedad. Hay una sensibilidad especial hacia los símbolos o a la comunicación por medio de símbolos. Con frecuencia los símbolos tienen una eficacia mágica. En muchas sociedades tribales no se establece la diferencia entre la forma y el significado. Nadie, por lo tanto, dudará de la presencia real de Cristo en el Sacramento, pero muchos creerán que los sacramentos poseen poderes *ex opere operato*.

Las sociedades tribales tienen un concepto positivo en cuanto al mundo, la creación, cosas materiales, el cuerpo humano, y la sociedad. No hay una dicotomía entre materia y espíritu, o entre forma y significado. Las cosas materiales, en verdad, pueden servir como vehículos de lo sagrado. Por lo tanto, se aprecian los sacramentos. Se percibe al universo como justo y moral. En las historias y cuentos de las sociedades tribales los malos siempre reciben su merecido, y los justos siempre triunfan al final. Los que traicionan los valores del grupo y de la sociedad siempre sufren las consecuencias de su infidelidad al grupo. Los héroes son los que se sacrifican y luchan para defender al grupo.

Dios sí existe y es la base del orden social. Transgredir las normas de la sociedad es pecar contra Dios. Los que gobiernan lo hacen por derecho divino. Dios es alto y sublime. Los sufrimientos y adversidades vienen como castigos merecidos contra quienes han ofendido a Dios o violado las normas del grupo.

Las celebraciones y fiestas sirven para reafirmar el orden social. Se da gran importancia a los rituales y ritos de transición (rituales de pasaje).

Para los miembros de sociedades tribales y sociedades dominantes las verdades son eternas e inmutables.

Las iglesias que se establecen dentro de sociedades tribales y sociedades dominantes tienden a ser iglesias litúrgicas que dan mucha importancia a ceremonias, rituales, y a los sacramentos.

Problemas misiológicos en sociedades tribales

- Decisiones grupales contra decisiones individuales. Intentos de convertir individuos dentro de grupos tribales generalmente tienen poco éxito. En sociedades tribales, las personas no toman decisiones importantes solos, sino como miembros de un grupo. Raramente decidiría una persona a hacerse miembro de una nueva religión por su propia cuenta. Las decisiones importantes se hacen en consulta con el grupo. Los lazos sociales son tan fuertes que pocos individuos irían en contra de la voluntad del grupo. Los esfuerzos evangelísticos, por lo tanto, tendrán que ser dirigidos al grupo y no al individuo. Se busca de una vez la conversión de todo el grupo, y no del individuo aparte del grupo.
- La poligamia como un medio para resolver una crisis social, como la muerte de un cónyuge. A fin de que las viudas no recurran a la prostitución, como una manera de resolver sus dificultades económicas, los miembros de grupos tribales prefieren que la viuda sea la segunda o tercera esposa de un hombre ya casado, que una mujer sola y vulnerable que necesita venderse para poder alimentarse a sí misma y a sus hijos.

- El culto a los antepasados y el totemismo. La solidaridad entre los miembros de la sociedad tribal es tan grande que se extiende a los familiares muertos. Se busca, por lo tanto, mantener el contacto con los familiares muertos a través de muchos y diferentes ritos, ceremonias y prácticas considerados como idólatras por la mayoría de los misioneros.

Peligros eclesiásticos en sociedades tribales

- La idolatría de tradición. En sociedades tradicionales y tribales existe la creencia de que la tradición es, no solamente un valor muy positivo, sino que es también de origen divino. Todo intento de cambiar las tradiciones del pueblo encontrará una enconosa resistencia. Habrá una tendencia de ver cada intento de hacer un cambio en la liturgia, o de introducir una innovación en la iglesia, como una traición a Dios. Recordamos cómo, hace siglos, la introducción de una nueva liturgia en la Iglesia Ortodoxa Rusa sirvió para provocar una cisma que ha perdurado hasta nuestros tiempos.

- Ritualismo (la celebración de rituales sin significado como un fin en sí mismo). En muchas sociedades tradicionales se ha olvidado cuál era el propósito original de un rito, o de su simbolismo. Lo que ha perdurado, es la creencia de que el rito es algo divino, y que su celebración traerá beneficios a los celebrantes. Con frecuencia, tal ritualismo va acompañado del concepto *ex opere operato*.

- Legalismo. Puesto que las leyes son muy antiguas y de origen divino, se da gran importancia a su cumplimiento, aunque se ha olvidado el propósito por el cual las leyes fueron establecidas. Esto conduce a un énfasis en la letra de la ley, sin tomar en cuenta el espíritu de la misma.

Estrategias misioneras en sociedades tribales

- La necesidad de establecer residencia entre los miembros de la tribu para ganarse así la confianza del pueblo. Miembros de sociedades tribales no darán crédito a extraños. Uno tiene que hacerse miembro de la sociedad, y llegar a ser adoptado por la tribu.

- La utilización de métodos de comunicación oral. Miembros de sociedades tradicionales desconfían de las comunicaciones que han tenido su origen fuera del grupo.
- La utilización de lazos familiares en la evangelización. Habrá mucha más aceptación de un mensaje que viene de una persona conocida, que es miembro del grupo, que de un mensaje que viene de un desconocido. Por la importancia que se da a la vejez, habrá más aceptación de un mensaje que viene de parte de un anciano, que del mensaje proclamado por un joven sin experiencia. Algunas agencias misioneras han fracasado en la evangelización de sociedades tribales porque los evangelistas han sido jóvenes recién graduados de un instituto bíblico que intentaron evangelizar, primeramente, a los niños, los jóvenes y las mujeres, y no a los ancianos del pueblo. Hubiera sido mejor enviar a los ancianos cristianos de una tribu para compartir su fe con los ancianos de una tribu no cristiana. Así se respetan más las tradiciones del pueblo.
- Un ministerio al hombre íntegro, incluyendo atención a la salud, las necesidades materiales y espirituales. Como los antiguos hebreos, los miembros de sociedades tradicionales, no hacen una distinción radical entre materia y espíritu. Tampoco perciben un conflicto entre lo material y lo espiritual.
- Decisiones colectivas o multi-individuales. En sociedades tribales no se toman decisiones sin primero discutir todas las opciones en grupo. Cuando se consigue un consenso, la decisión del grupo será también del consenso del individuo. La idea de tomar una decisión en contra de la voluntad del grupo va en contra de las normas más sagradas de la sociedad.

Sociedades campesinas o multi-grupales

Son sociedades con fuerte presión de grupo pero débil presión social.

Muchas de las características de la religiosidad popular que se han tratado aquí son también características de sociedades campesinas. Puesto que muchos hispanos tienen sus raíces en sociedades campesinas, sería instructivo esbozar algunos de los atributos de las sociedades campesinas en general, y a la vez esbozar también algunas pautas para pastores, evangelistas y misioneros que llevan a cabo su ministerio dentro de una sociedad campesina, o entre personas que provienen de una sociedad campesina.

Se comenzará ofreciendo una definición de una sociedad campesina. Nuestra definición constará de tres partes, a saber:[3]

1. Las sociedades campesinas están compuestas por productores agrícolas que poseen ciertos derechos sobre la tierra que cultivan.
2. Los campesinos producen primordialmente para su propia subsistencia.[4]
3. Las sociedades campesinas forman parte de un sistema político organizado por el estado.

Los antropólogos hacen una distinción fundamental entre la sociedad campesina y la horticultura primitiva o tribal al analizar si quienes cultivan la tierra controlan los medios de producción, y tienen la libertad de vender sus servicios o sus bienes por otras mercancías o comodidades.[5] En la horticultura primitiva la producción sobrante puede ser negociada directamente con otros grupos o con miembros de otros grupos.[6] Los cultivadores tribales tienen una autonomía relativa ya que no están bajo el control de un gobierno o estado central. Éste no es el caso en una sociedad campesina.

En una sociedad campesina los que cultivan la tierra no controlan los medios de producción ni la disposición de la mano de obra. El poder y la autoridad han pasado a otros grupos, principalmente a un sistema político organizado por el estado. Los productores o campesinos producen para abastecer sus propias necesidades, pero la producción sobrante es transferida a los grupos que controlan la sociedad. Estos grupos comercian con la

---

[3] Goldschmidt, Walter, *The Structure of the Peasant Family*, en *American Anthropologist*, Vol. 73 Número 5 (1971), p. 1059.

[4] Kearney, Michael, *Worldview* (Novato, California, Chandler & Sharp Publishers, Inc., 1984), p. 172.

[5] Goldschmidt, *Op. Cit.*, p. 1059.

[6] Wolf, Eric, *Peasants* (Englewood Cliffs, New Jersey, 1966), p. 3.

producción sobrante y la utilizan para mantener su estilo de vida.[7] Pudiera decirse que una sociedad campesina es una sub-sociedad dentro de una sociedad pre-industrial, o parcialmente industrializada, que está dividida en clases sociales bien definidas.[8] La sociedad campesina es parte de una sociedad multi-clasista en la cual no existe la homogeneidad, sino varios grupos o clases en competencia recíproca. Muchas de las características de las sociedades campesinas serán parecidas a las características del proletariado urbano, pues los miembros del proletariado son también un subgrupo dominado en su economía, cultura, y política, por una élite dominante.

Las otras sociedades o subculturas que comparten algunas de las características de las sociedades campesinas son las sectas, los movimientos políticos, y las pequeñas iglesias que están en competencia mutua como partes de una sociedad multi-grupal o multi-clasista. Los grupos no-elitistas en tales sociedades, con frecuencia, rechazan los valores del grupo elitista. Cada grupo pequeño tiene su propio liderazgo, sus propias normas, y su propia identidad. La lealtad hacia el grupo es fuerte, pero la lealtad hacia la sociedad en general es débil, más bien hostil. La verdad es propiedad del pequeño grupo, no de la sociedad en general, la cual es considerada equivocada, corrupta o injusta.

Las sociedades campesinas no podrían existir sin los centros urbanos, pues son ellos los que controlan las sociedades campesinas y hacen de ellas lo que son. Los campesinos necesitan los mercados de las ciudades para vender lo que producen y para comprar comodidades tales como ropa y herramientas.[9] Los campesinos no son independientes pues dependen de los de afuera para establecer sus valores, y aún para su religión. Las ciudades son los centros de innovación. Los campesinos tienen poca influencia política.

En las sociedades campesinas la actividad económica está bajo el control de los hombres. En las sociedades tribales, en cambio, son las mujeres quienes controlan las actividades económicas. Como resultado, las

---

[7] *Ibid.*, p. 4.

[8] Hoebel, E. Adamson, *The Study of Man* (New York, Mcgraw Hill Book Company, 1972), p. 673.

[9] Foster, George McClelland, *Traditional Cultures and the Impact of Technological Change* (New York, Harper and Row, 1962), p. 46.

sociedades campesinas son patriarcales y tienden a ser machistas.[10] La agricultura es mayormente una actividad masculina, mientras que la horticultura es mayormente una actividad femenina.[11]

A diferencia de la cultura de la pobreza, los pobres en una sociedad campesina no constituyen una clase social propia. Los pobres son aquéllos que no pueden mantener la posición que han heredado. Una persona puede perder su posición heredada debido a una enfermedad, un accidente que produce invalidez, o la muerte de quien gana el sustento. Pero el pobre no pertenece a una clase permanente de pobres. La viuda es pobre hasta que se casa de nuevo. El huérfano es considerado pobre hasta que es adoptado. El enfermo es pobre hasta que recobra su salud. En la mayoría de las sociedades campesinas los pobres constituyen una clase temporal.[12]

La causalidad en sociedades campesinas y multi-grupales

Puesto que tiene que depender del mundo de afuera, y porque no ejerce control sobre su propia vida, el campesino se siente impotente en un mundo que no puede controlar. El campesino cree que la ciudad y sus habitantes siempre están buscando la manera de explotar a los que viven cultivando la tierra; sospecha que los de la ciudad siempre buscan la manera de aprovecharse del campesino. Cuando está en la ciudad, el campesino se siente amedrentado e impotente. El estilo de comunicación que emplea el campesino en su trato con los de la ciudad es de súplica, imploración o propiciación. El campesino asume una actitud fatalista ante un mundo hostil que no puede cambiar. Percibe el cosmos como percibe la sociedad: fuera de su control, desconocido y hostil. Al igual que el miembro de "la cultura de la pobreza", el campesino también mantiene el concepto de la limitación de lo bueno.

Por supuesto, el campesino no está completamente equivocado al creerse menospreciado y explotado por las élites urbanas. Las élites, en efecto, consideran a los campesinos como inferiores o semi-civilizados. Al

---

[10] Goldschmidt, *Op Cit.*, p. 1070.

[11] *Ibid.*, p. 1061.

[12] Malina, Bruce J., *The New Testament Word, Insights from Cultural Anthropology* (Atlanta, John Knox Press, 1981), pp. 83-87.

relegar a los campesinos a una categoría inferior se hace más fácil justificar su explotación. Esto es lo que ha pasado en muchas partes de América Latina. Los agricultores rurales autónomos han sido integrados a la economía nacional y obligados a seguir patrones y normas impuestos por las élites urbanas. Cuando los agricultores primitivos se convierten en campesinos se facilita su explotación. Durante el tiempo de la Conquista y la Colonia los agricultores independientes tribales fueron obligados a trasladarse a aldeas donde pudieran ser cristianizados, civilizados, y explotados.[13]

En sociedades campesinas la causalidad es personal. Se atribuye todo lo que sucede, no a las fuerzas impersonales, sino a agentes como las divinidades, espíritus, duendes, demonios, y Satanás.[14] Tales agentes personales pueden ser benignos o malignos, por lo tanto, la causalidad en una sociedad campesina es dualista, los miembros de la sociedad tienen como una de sus prioridades la búsqueda de una protección ante las infiltraciones y las influencias de toda clase de seres malignos.

Puesto que el campesino o el miembro de un pequeño grupo o secta carece de los recursos para defenderse contra la explotación y opresión de las élites que controlan la macro-sociedad, recurrirá a la hechicería o la brujería para vengarse de los más fuertes. Todos los que han estudiado las sociedades campesinas y multi-grupales concuerdan en que un alto índice de brujería es una característica de ese tipo de sociedades.

Reciprocidad

El principio moral que anima a las sociedades campesinas es preservar el status o posición que ha heredado de sus antepasados. En términos generales, los campesinos no se levantan en rebelión para cambiar su situación, o para usurpar los privilegios del estado o de la élite. Las revoluciones campesinas han ocurrido cuando los campesinos han perdido su posición o su subsistencia. Históricamente, las revoluciones campesinas

---

13 Richards, Michael, *Cosmopolitan World View and Counterinsurgency, Anthropological Quarterly Vol. 58, Número 3* (1985), pp. 91-100.

14 Spradley, James P. & McCurdy, David W., *Anthropolgy, the Cultural Perspective* (New York, John Wiley, 1975), p. 468.

no han ocurrido para cambiar el mundo, sino para regresar a los niveles normales de subsistencia.[15]

Puesto que la acumulación de bienes materiales no es el fin hacia el cual se orientan las sociedades campesinas, funciona dentro de tales sociedades lo que ha sido llamado el principio de reciprocidad. Esto significa que las personas están en la obligación de mantener un balance entre lo que reciben y lo que dan. Un individuo podría aumentar sus posesiones a expensas de otros, si solamente recibiera regalos y ayuda de parte de otros sin devolverles nada. Por lo tanto, la recepción de cualquier beneficio obliga a retribuir del mismo modo. La recepción de un beneficio sirve para establecer un pacto entre el donante y el beneficiario.

Cuando el beneficiario retribuye al donante con algo que vale más que el don original, entonces la relación entre los dos individuos puede continuar, porque ahora el que recibió la retribución, está en la obligación de devolver al otro algo que vale más que la diferencia entre el valor del regalo original y la retribución. Si el beneficiario le da al donante una retribución que vale exactamente lo que recibió originalmente, sería una manera indirecta en decir: "Quiero terminar el pacto entre nosotros dos. No te necesito más, nuestra relación se ha terminado." Con frecuencia, regalos u ofertas de ayuda se rechazan en sociedades campesinas, porque el beneficiario potencial no desea establecer una relación de amistad o un pacto con el donante potencial.[16] El misionero que vive entre campesinos debe ser consciente, tanto de las implicaciones de ofrecer ayuda, como de recibirla.

El campesino honrado teme obligar a otros, o teme iniciar un pacto o alianza con otros. No quiere presumir. Espera que otros inicien cualquier contacto. Tampoco ofrece cumplimientos o adulación porque los halagos pueden provocar la envidia. Lisonjear es una forma de agresión. Es una manera de obligar al otro a devolver el cumplimiento.[17]

Con frecuencia, el bien que hace un misionero a un miembro de una sociedad campesina, es percibido como una solicitud de retribución a la persona del misionero. La asistencia a los cultos, y el cumplimiento con las

---

15 Malina, 1981, *Op. Cit.*, pp. 76-77.

16 *Ibíd.*, p. 82.

17 *Ibíd.*, pp. 78-79.

responsabilidades como miembro, pueden ser entendidos como formas de retribución a las obligaciones creadas por el pacto no-escrito que existe entre el misionero y el individuo. Al salir el misionero y ser reemplazado por un líder nacional, el entusiasmo de los nuevos cristianos puede menguar porque no existe un pacto informal entre ellos y el nuevo pastor. Es instructivo notar que el apóstol Pablo llama a sus hijos espirituales a retribuir su deuda espiritual no a Pablo, sino a Dios. Toda ayuda, espiritual y material, ofrecida por el misionero debe ser dada en el nombre de Dios. Los nuevos cristianos están en la obligación de repagar su deuda de gratitud a Dios y a todos los necesitados.

La relación entre el individuo y el grupo en las sociedades campesinas

Los antropólogos suelen hablar de las personalidades diádicas de los campesinos.[18] Esto quiere decir que las personas que viven en sociedades campesinas se auto-definen, no a base de lo que les hace diferente a las otras personas que viven entre ellos, sino a base de lo que tienen en común con los demás miembros de su grupo particular.

Lo que es importante para las personas que viven en sociedades campesinas, no es su individualidad, sino uniformidad. Los campesinos no buscan ser diferentes, sino ser como los demás. El campesino típico no busca ser una persona distinta, única, más bien quiere conformarse al estereotipo. Es decir, las personas que viven en una sociedad campesina buscan conformarse a las expectativas de otros como ellos. En las sociedades individualistas, como la de los Estados Unidos, el énfasis es el ser distinto, único, sobresaliente. En las sociedades modernas los hombres, en su búsqueda de la esposa ideal, quieren una mujer que sea diferente, única. En las sociedades tradicionales y las sociedades campesinas las personas quieren un cónyuge común, un cónyuge que se conforme al estereotipo de lo que debe ser un esposo o una esposa dentro de las tradiciones culturales.

Esto significa que los miembros de sociedades campesinas sólo tienen una identidad en tanto que son miembros de su grupo o diáda. La literatura producida por sociedades campesinas, al comentar sobre el comportamiento del individuo, da poca importancia a interpretaciones psicológicas, introspectivas y muy personales. Se hace caso omiso a todo

[18] Wolf, 1966, *Op. Cit.*, pp. 82-89.

lo que hace único a un individuo. Las actitudes y móviles de una persona son atribuidos a los estereotipos culturales. Un ejemplo bíblico de este estereotipo se encuentra en Tito 1.12-13: "...Los cretenses siempre mentirosos, malas bestias, glotones ociosos. Este testimonio es verdadero."

Relaciones interpersonales en las sociedades campesinas

Eric Wolf ha hecho la observación de que el campesino mestizo mexicano espera hostilidad y agresión de parte de otros, por lo tanto actúa agresivo y hostil en sus relaciones con otros. Su desconfianza ante extraños le lleva a disfrazar su lenguaje. Con los que no son de su familia o su grupo prefiere hablar por indirectas. No está dispuesto a revelar sus verdaderos sentimientos o de poner todas sus cartas sobre la mesa. Como el popular actor mexicano Cantinflas, busca evadir las situaciones difíciles con galimatías y un buen manejo de los pies.[19]

Las sociedades campesinas se caracterizan por tener una cultura "agónica". La palabra agónica viene del vocablo griego agón (ἀγών) que quiere decir lucha entre dos iguales. Esto quiere decir que los campesinos, en sus relaciones con otros, están involucrados en una competencia por el honor. En sus intercambios verbales los hombres constantemente están desafiando el honor del contrario. "Si logro defenderme con éxito cuando mi honor es desafiado, entonces he aumentado mi honor. Pero si no logro defenderme hábilmente, pierdo algo de mi honor. El honor de uno está inseparablemente conectado con el honor de su familia, su grupo (su iglesia) y especialmente de su esposa y de sus dependientes femeninas. Si un retador logra hacer una insinuación en contra del honor de una de mis dependientes sin una defensa adecuada de parte mía, entonces el retador ha aumentado su honor a expensas mías. Una de las maneras más efectivas de defender el honor propio o de desafiar el honor del oponente es haciendo un juramento."[20] Se debe tomar en cuenta que solamente dos personas que son iguales pueden tomar parte en este juego por el honor y el prestigio. "Soy responsable de defender mi honor solamente ante aquéllos que son mis iguales." En cambio, no es una pérdida de honor humillarse ante un patrón o ante un miembro de una clase social superior. "No es deshonroso mentir

---

[19] Wolf, Eric Robert, *Sons of the Shaking Earth* (Chicago, University of Chicago Press, 1959), pp.233-256.

[20] Malina, 1981, *Op. Cit.*, pp. 40-50.

o engañar a aquéllos que no son mis iguales sociales. En tales casos, uno simplemente le está negando la verdad a uno que no tiene derecho a ella."[21]

La única cosa confiable para los miembros de una sociedad campesina (o del proletariado urbano) es la familia extendida o los pequeños grupos que proveen la hermandad, el apoyo y la seguridad de la familia extendida. Las conexiones sociales íntimas al nivel horizontal se limitan a los miembros de la familia extendida o de la familia substituta. Las relaciones sociales verticales con los miembros más poderosos de la sociedad tomarán la forma de una relación patrón-cliente. En una relación patrón-cliente el patrón le da al cliente algo que el cliente necesita y vice versa. La relación patrón-cliente ocurre, en términos sociológicos, solamente entre los que no son iguales.

En una sociedad campesina es inevitable que la relación entre un misionero transcultural o foráneo y sus hijos espirituales tomará la forma de patrón-cliente. Aunque el misionero buscará la manera de evitar esta clase de relación, la sociedad misma buscará la manera de fomentarla. El papel de patrón podrá ser utilizado con provecho por el misionero, pero a la vez, podrá convertirse en una gran desventaja.

Una relación patrón-cliente es por definición paternalista y capaz de crear dependencias peligrosas que fácilmente pudieran destruir la iniciativa de los nuevos cristianos. Al escribir sobre la cosmovisión venezolana, Rafael Carias observa que una de las características de los venezolanos es la tendencia de evitar posiciones de riesgo y responsabilidad. Buscan refugio, por lo tanto, en el segundo puesto en vez de arriesgarse en aceptar el primer puesto. Según Carias, es más seguro llevar una vida dependiente, aprovechando vivir bajo la sombra y la protección del gran árbol, el patrón. Como dice el refrán "Quien a buen árbol se arrima, buena sombra recibe."[22] En un sociedad como ésta habrá presión sobre el misionero transcultural o foráneo para desempeñar el papel del gran árbol frondoso. Aunque la aceptación de tal papel pudiera ser muy lisonjero para el ego de uno, los que sufrirán serán sus hijos espirituales, quienes se contentarán en vivir a la sombra del misionero en vez de crecer en la fe y desarrollar sus propios dones espirituales. Jesús mismo llevaba a cabo su

---

[21] *Ibíd.*, p. 38.

[22] Carias, Rafael, ¿Quiénes Somos los Venezolanos? Antropología Cultural del Venezolano (Los Teques, Editorial ISSFE, 1982), p. 19.

ministerio en una sociedad campesina donde sus discípulos buscaban la manera de relacionarse con el Señor a base de una relación cliente-patrón. Jesús, sin embargo, constantemente buscaba la manera de compartir su ministerio y su espíritu con sus discípulos y no permitirles depender de su sombra.

En una sociedad campesina existen varios medios que se utilizan para obtener beneficios, favores, o protección de un patrón. Estos medios incluyen la súplica, el argumento, la oración, y el soborno. Se debe notar que en sociedades caracterizadas por una fuerte presión grupal, el soborno es aceptado como algo perfectamente moral. En tales sociedades los votos, ayunos, ofrendas y sacrificios a los dioses o a los espíritus, fácilmente pueden llegar a entenderse como diferentes formas de soborno. Los miembros de estas sociedades buscarán relacionarse con los dioses en la misma forma en que se relacionan con sus superiores sociales, por medio de sobornos.[23]

En sociedades campesinas, los sacrificios a los dioses o a Dios son parecidos a los dones dados al patrón. Como los patrones, los dioses anhelan recibir honor, sumisión, reconocimiento y muchos seguidores. Los dioses, al aceptar los sacrificios, reciben a los que les sacrifican como sus clientes y los ponen bajo su protección.[24]

Peligros para el grupo

Puesto que en sociedades multi-grupales se considera el cosmos como un lugar peligroso y hostil, los miembros de los distintos grupos en competencia buscarán la protección, contra las influencias malignas, de las macro-sociedades y de otros pequeños grupos enemigos. Es decir, el peligro de contaminación es una de las preocupaciones más grandes para las personas que viven en esta clase de sociedad. Muchos ritos y ceremonias buscarán proteger al grupo y al individuo de la contaminación. Se ha observado que en sociedades multi-grupales hay una tendencia de preferir comida bien cocida sobre comida cruda. Por medio del cocinar bien la comida, los alimentos se transforman, y los agentes contaminantes son destruidos o cambiados. No se debe permitir que algo extraño o peligroso

---

23 Malina, 1986, *Op. Cit.*, pp. 87-89.

24 Malina, 1981, *Op. Cit.*, p. 142.

se introduzca en el cuerpo humano sin antes ser transformado. De igual manera, el cuerpo social buscará protegerse al "cocinar muy bien" a personas extrañas que quieren llegar a ser miembros del grupo. Es decir, tendrán que ser procesados con largas clases de confirmación y elaboradas ceremonias de iniciación, antes de que se les permita formar parte del grupo. Muchas ceremonias y ritos servirán para fortalecer los límites o fronteras porosas del grupo. Según los sociólogos, la función principal de las ceremonias es el "mantenimiento de las fronteras."[25]

Una de las características de las iglesias en sociedades multi-grupales es la preocupación de proteger a la congregación de herejes y personas inmorales. Los temas importantes en la vida eclesiástica de sectas y pequeñas iglesias son la disciplina eclesiástica, el exorcismo, y la excomunión. Otra característica de las sociedades multi-grupales es que no poseen medidas adecuadas para resolver conflictos. Existe, por lo tanto, una preocupación para evitar el conflicto, porque la expulsión del grupo, o cismas, son las únicas maneras para resolver conflictos. Demasiados conflictos abiertos podrían fácilmente amenazar la existencia del grupo. Consecuentemente, desacuerdos personales se mantienen escondidos debajo de la superficie en sociedades multi-grupales. A esto se debe que encontramos tanta mala voluntad, facciones secretas y frustración en las sociedades campesinas, movimientos revolucionarios, sectas y pequeñas denominaciones.[26] Esto también explica por qué miembros de pequeños grupos, dentro en una sociedad multi-grupal, emplean la brujería y la hechicería contra otros miembros de la subcultura. Se debe a que temen provocar la disolución del grupo con ataques formales en contra de los líderes del grupo, o contra otros miembros del grupo. El hecho de que sociedades campesinas, pequeñas iglesias y sectas carezcan de mecanismos para resolver conflictos, indica que uno de los papeles más fructíferos para un misionero es el de desempeñar el rol de mediador.

---

25 Douglas, *Op. Cit.*, p. 215.

26 *Ibíd.*, pp. 205-210.

Diferencias entre sociedades campesinas y sociedades tribales

Entre las sociedades campesinas y las clases obreras urbanas existe una fuerte presión para conformarse a las normas del grupo, clase, secta, partido o subsistema al cual pertenecen los individuos. Hay, a la vez, poca presión social para conformarse a las normas del macrosistema, es decir, a las normas de las élites que dominan el macrosistema. Para ilustrar esto, podemos referirnos a Palestina en los tiempos del Nuevo Testamento. El macrosistema era controlado por los romanos y los miembros de la aristocracia judía. La mayoría de los miembros de la aristocracia se identificaba con el partido de los saduceos. Existían, a la vez, varios grupos o movimientos pequeños como los fariseos, los esenios, los samaritanos, y los seguidores de Jesús de Nazaret. Puesto que los miembros de estos movimientos consideraban que la élite que dominaba la macrosociedad se había desviado de la voluntad divina, había poco respeto y poca lealtad hacia ella. Existía poca presión social para conformarse al sistema representado por la élite. La élite no hablaba por Dios. Sin embargo, entre los fariseos, esenios, y cristianos existía una fuerte presión grupal para conformarse a las normas de sus movimientos. La autoridad moral estaba centrada, no en el macrosistema, sino en el sub-sistema.

El drama y la literatura de las sociedades multi-grupales han sido clasificados como tragedia satírica, mientras que la literatura de sociedades dominantes y tribales es comedia satírica. En la comedia satírica los valores de la sociedad no cuadran con la experiencia humana. En la comedia satírica el argumento describe cómo los seres humanos llegan a reconciliarse con otros seres humanos, con la sociedad, y con el mundo. En la tragedia satírica, en cambio, el héroe, o el grupo heroico, lucha contra un mundo injusto y aprende que los seres humanos por sí solos son incapaces de transformar el status quo. Las fuerzas malignas, o el pecado original, son demasiado fuertes. El héroe tiene que aprender a trabajar y sobrevivir dentro de una sociedad injusta, o tiene que buscar salvación o liberación fuera de ella. Según esta definición, el Nuevo Testamento tendría que ser clasificado como tragedia satírica.[27]

Las sociedades tribales y dominantes hacen hincapié en la conformidad, el institucionalismo, la formalidad, y el ritualismo. En las sociedades tribales no existe una dicotomía entre forma y significado. A veces, la forma es completamente identificada con el significado. Otras

---

[27] Malina, 1986, *Op. Cit.*, p. 171.

veces, la forma toma precedencia sobre el significado. Con frecuencia se cree que los ritos funcionan en una forma mágica: ex opere operato.

Las sociedades tribales y dominantes dan más importancia al cuerpo social exterior, es decir, al dominio del cuerpo sobre el espíritu. En las sociedades multi-grupales el espíritu toma precedencia sobre el cuerpo material y sobre el control que ejerce la clase elitista en los grupos minoritarios. En las sociedades tribales y dominantes el cuerpo humano sirve como un símbolo de la vida, como un vehículo de lo sagrado, y como símbolo de la sociedad ideal. Ya que la sociedad ideal necesita ser controlada, el cuerpo humano también debe ser sujetado a un control estricto. En las sociedades tradicionales se teme permitir que los miembros del cuerpo estén fuera de control. Habrá poca tolerancia, por lo tanto, para los trances, el éxtasis, el danzar en el espíritu o el hablar en lenguas. Las personas que están danzando en el espíritu, o que están en éxtasis, o que son poseídas por un espíritu, no tienen control de sus cuerpos. La glosolalia (hablar en lenguas desconocidas) es hablar en una forma descontrolada, es una sublevación contra las formas del habla.[28]

En términos sociológicos, pudiéramos decir que los miembros de los movimientos anti-elitistas están en sublevación contra el control ejercido por las élites. Se oponen al control de la macrosociedad y a las restricciones impuestas por las élites. Se oponen a las estructuras injustas y todas las formas que inhiben el libre ejercicio del espíritu. Las sectas, movimientos de reforma, y movimientos revolucionarios no tienen tanto interés en formas, sino en significados. El espíritu es más importante que el cuerpo. No es tanto el rito lo que importa, sino la verdad espiritual simbolizada en el rito. No siempre, pero con frecuencia, los movimientos de reforma manifiestan tendencias anti-sacramentales. En los pequeños grupos o subsistemas que existen al margen del macrosistema, podemos encontrar una dicotomía entre espíritu puro y materia. Con frecuencia, las sectas, los movimientos de reforma, y los movimientos revolucionarios pondrán énfasis en el ascetismo, el rechazo de formas externas, y la degradación del cuerpo y las cosas materiales. El espíritu predomina sobre el cuerpo. Si estas tendencias anti-materialistas y anti-sacramentales latentes en esta clase de sociedad llegan a cobrar demasiado ímpetu, las consecuencias pueden ser muy negativas, tanto para la sociedad, como para la iglesia.

---

[28] Douglas, Mary Tew, *Natural Symbols* (London, Barrie & Jenkins, 1973), pp. 104-112.

Peligros para la iglesia en sociedades multi-grupales

La antropóloga Mary Douglas, cuyos argumentos se han seguido aquí, es miembro de la Iglesia Católica Romana. Douglas discierne dos peligros latentes en los movimientos discutidos arriba. El primer peligro es que la dicotomía entre espíritu y cuerpo pudiera llevarnos a nuevas formas de gnosticismo en las que la materia es rechazada como algo maligno en sí mismo, y no como parte de la buena creación de Dios. El misionero transcultural o foráneo, por lo tanto, debe tener cuidado en no fomentar (consciente o inconscientemente) un rechazo anti-bíblico de la materia y un énfasis exagerado en lo espiritual.

El segundo peligro que vislumbra Mary Douglas es que el anti-ritualismo, presente en sociedades anti-tradicionales, podrá llevar a un rechazo de los sacramentos y de todos los símbolos tradicionales. Esto podría llevar, no solamente al rechazo de la presencia real en la Santa Eucaristía, sino a un rechazo de la misma encarnación.[29] Hay fuertes tendencias anti-sacramentales, no solamente en las sectas y en el espiritismo, sino también en la teología de la liberación.[30] A la larga, los seres humanos no pueden vivir sin símbolos. Existe, por lo tanto, el peligro de que se inventen nuevos símbolos que no tengan nada que ver con la fe cristiana. Hay otra lección aquí para el misionero transcultural, a saber: en vez de atacar los ritos y los rituales se debe enseñar el verdadero significado de ellos. Se debe tener mucho cuidado en no divorciar la forma de su significado, ni el significado de su forma. Los rituales son útiles para comunicar información cultural y religiosa. Ayudan a las personas a actuar en los momentos de crisis. Ayudan a los individuos y a los grupos a relacionarse con el mundo de la naturaleza y con el Creador.[31] Por ejemplo, es difícil encontrar palabras o gestos adecuadas con que expresarse cuando muere un ser querido. En tales momentos muy emotivos, poder seguir un rito o liturgia para el velorio o el entierro, puede ayudar mucho a canalizar las fuertes emociones de los familiares y amigos.

---

29 *Ibid.*, pp. 198-201.

30 Véase el capítulo 7.

31 Hiebert, Paul G., *Cultural Anthropology* (Philadelfia, J. B. Lippincott Company), p. 375

Existe otro peligro latente para la iglesia en las sociedades campesinas y en otras sociedades, caracterizadas por una dicotomía entre una élite dominante, y la oposición de pequeños grupos. Este peligro es la deificación del pequeño grupo, secta o iglesia. Puesto que los pequeños grupos han rechazado los valores y las normas de la macrosociedad como una estructura sagrada, existe la tendencia de reemplazar el carácter sagrado de la macrosociedad con la exaltación del grupo pequeño o secta. A base de su análisis de las sectas e iglesias, el famoso sociólogo francés Emile Durkheim llegó a la conclusión de que Dios es simplemente la autoproyección de la iglesia. Según Durkheim, Dios es un símbolo de la iglesia o secta, la cual se ha auto-divinizado.[32]

Aunque se rechazan las implicaciones de la teoría de Durkheim, se debe tener cuidado en no poner a la iglesia por encima del Señor de la iglesia, como suele suceder en muchos movimientos sectarios. El misionero transcultural hará hincapié en el hecho de que Dios puede estar activo tanto en las estructuras e instituciones de la gran sociedad, como en las actividades del grupo pequeño. Tanto la macro-sociedad, como los movimientos de renovación, pueden llegar a ser, o vehículos del Espíritu Santo, o vehículos de fuerzas demoníacas. Un peligro es el subrayar tanto la importancia de la secta o la iglesia pequeña con el fin de marginar a la iglesia universal. El otro peligro es negar los dones singulares de la denominación o de una congregación particular, en nombre de un catolicismo exagerado y un conformismo antibíblico. No se aboga aquí a favor de una sociedad tradicional ni a favor de una sociedad multi-grupal como la sociedad ideal. Ambas clases de sociedades tienen sus ventajas y sus desventajas. Los obreros cristianos deben ser conscientes de los peligros latentes en cualquiera cultura o sociedad, y tomar medidas para contrarrestarlos.

Características de sociedades individualistas y urbanas

Una tercera clase de sociedades se caracteriza por un fuerte individualismo donde los grupos son agregados funcionales de los individuos para fines personales. Aquí el individuo tiene precedencia sobre el grupo. El grupo ejerce poca presión o control sobre el individuo. En cambio, la macrosociedad ejerce una gran influencia sobre el individuo al

---

32 Douglas, 1973, pp.198-201.

cual busca conformar según las normas o patrones culturales dominantes. Ésta es la clase de sociedad que se encuentra en las grandes ciudades del primer mundo y que está llegando a imponerse en las grandes ciudades latinoamericanas. Se ofrece ahora una lista de las características básicas de las sociedades individualistas:

1. Alta tecnología y organización social compleja que hacen posible la concentración de muchas personas en una ciudad o región.
2. Énfasis en el individuo y su autorealización. En la literatura de las sociedades urbanas modernas el héroe es el individuo que logra el éxito, la prosperidad, y la fama después de independizarse de las normas y restricciones del grupo del cual ha salido. El héroe es el que se realiza y se afirma por encima del grupo.
3. Énfasis en la libertad. El individuo quiere tener libertad para vivir su propia vida. Lucha contra su familia para independizarse. Los jóvenes prefieren vivir en su propio apartamento y no con sus familias como es la costumbre entre las sociedades tribales y multigrupales. Los hijos casados se mudan lejos de la familia o tribu en búsqueda de oportunidades para realizarse. El énfasis está en la familia nuclear, y no en la familia extendida. Las relaciones con otras personas son de poca duración, y se basan en el concepto del contrato, no del pacto.
4. Mucha movilidad social y geográfica.
5. Heterogeneidad y relativismo. Existen pocos absolutos culturales. Hay pocas verdades o doctrinas universales y eternas. Cada individuo tiene su propio concepto de lo que es la verdad. La verdad es lo que "yo creo." Es el individuo, y no el grupo o la sociedad, que establece lo que es la verdad. Las verdades se cambian según las circunstancias.
6. Liderazgo de "hombres grandes" o líderes dinámicos o caudillos que logran atraer a muchos seguidores. La importancia del líder estriba en la cantidad y calidad de sus seguidores, y no en las doctrinas como el derecho divino de los reyes, papas o ancianos. Una vez que el líder pierde sus seguidores deja de ser un "Big Man" y es reemplazado por otro. Típicas sociedades del "Hombre Grande" son las de Nueva Guinea, los Estados Unidos y las Filipinas.

7. Organización social basada en relaciones personales, organizaciones burocráticas, asociaciones voluntarias y "networks". "Networks" son redes de contactos personales e institucionales por cuyo medio se comparte información, ayuda y servicios especiales.

8. El individuo hace sus propias decisiones. En otras sociedades es el grupo que hace las decisiones. Esto quiere decir que hay un énfasis en conversiones individuales, no en conversiones familiares o de grupo.

9. Los principales medios de comunicación son los medios masivos (radio, televisión, periódico), símbolos públicos y conexiones personales (networks).

10. Hay una tendencia de asociar el éxito con lo bueno y el fracaso con lo malo. No hay un concepto bien definido del pecado o de la expiación. El pecado no es una violación de las normas del grupo o de la sociedad, sino una violación de la individualidad de la persona. Ejemplo: las mujeres que abogan a favor del aborto enfatizan que tienen derecho sobre sus cuerpos; el derecho de tener un aborto es una manera de afirmar su individualidad. Las personas buscan ser fieles a sí mismas, no a Dios.

11. El cosmos es caótico y sin orden, pero no malo. La lucha no está en contra de seres espirituales personales, sino contra fuerzas naturales. El concepto del universo es mecánico, no personal como en las sociedades tribales y campesinas.

12. El personalismo es una característica de la sociedad. Hasta las iglesias tienden a llevar los nombres de los líderes dinámicos (Big Men) Ejemplos: La Universidad de Oral Roberts o Bob Jones, la Organización Luis Palau, el Seminario de Fuller, etc.

13. Otra característica de la sociedad individualista es el énfasis que se pone en la buena suerte, y la manera de conseguir la buena suerte, y en cómo evitar la "pava" o la mala suerte.

14. Los peligros inherentes en esta clase de sociedad, y en las iglesias que forman parte de esta sociedad son: auto-idolatría, el culto a la personalidad y la tendencia de seguir ciegamente a líderes religiosos y políticos como Jim Jones, el reverendo Moon, y los muchos gurus orientales. La lealtad ya no es para el grupo o la denominación, sino para el líder dinámico. Al morir o marcharse el líder

dinámico, muchas congregaciones individualistas experimentan gran pérdida de miembros.

15. La evangelización en sociedades individualistas buscará crear hermandades y pequeños grupos en los que los individuos sin orientación puedan experimentar la comunidad que se ha perdido, y que anhelan en la sociedad urbana. Se buscará comunicar el evangelio haciendo uso de los medios masivos, y por medio de testimonios personales. El evangelismo usará la red de conexiones personales (networks), y buscará formas de la iglesia que llenen las necesidades de los hombres y mujeres modernos. Una de las formas de iglesia, que ha tenido más éxito en las sociedades individualistas, es la mega-iglesia con un sinfín de programas diseñados para cada gusto y necesidad personal. Otra forma que ha tenido éxito es el pequeño grupo que se reúne en casas particulares, oficinas, apartamentos, y fábricas. Aquí el individuo puede afirmar su individualidad, participar activamente, y poner en práctica sus dones espirituales. Las parroquias tradicionales han tenido dificultad en ajustarse a la sociología urbana, pues son un modelo de la iglesia mejor adaptada a la sociedad rural.

Sociedades fronterizas y milenialistas

Según Mary Douglas, estas sociedades se caracterizan por una débil presión social. Es decir, ni la sociedad en general ni los pequeños grupos dentro de la sociedad, ejercen una presión considerable sobre el individuo.

La cuarta clase de sociedad que se debe considerar es aquélla donde el individuo ha rechazado o descartado casi todas las normas de grupo, familia, clan, y mega-sociedad. Es una sociedad no-conformista que es intensamente individual, igualitaria, anti-institucional e inestable; es una contra-cultura. Ejemplos de esta clase de sociedad son la cultura hippie de la década de los 60, o las sociedades fronterizas o sin ley como en el viejo oeste, Cultos de Cargo (Cargo Cults) en el Pacífico, y movimientos milenialistas. Estas sociedades surgen como reacciones contra las sociedades tipo "Big Men".[33]

---

[33] Malina, 1986, *Op. Cit.*, pp. 55-61.

El movimiento franciscano comenzó como una sociedad de esta clase. De acuerdo con el dicho popular, que afirma que la naturaleza aborrece un vacío, estas clases de sociedades fácilmente se transforman en sectas o hasta en nuevas tribus. Ejemplo: el movimiento adventista se convirtió en una secta después de pasar el fervor apocalíptico. Puesto que una sociedad fronteriza es una sociedad en transición, corresponde a la fase limenal en el esquema de Van Gennep que ya se ha considerado en el capítulo 7, página 112. Un ejemplo bíblico de esta clase de sociedad sería "el tiempo de los jueces" donde cada uno hacía lo que era bueno a sus propios ojos. Difícilmente podrán los miembros de la contracultura ser evangelizados por las instituciones tradicionales. Los que tuvieron más éxito en la evangelización de los hippies, "yippis", y "beatniks" fueron los que lograron crear un nuevo movimiento antisistema basado en principios bíblicos. Así nació el llamado "movimiento de Jesús", en California, que enfatizaba la personalidad de Jesús y daba importancia a la igualdad de todos los miembros del movimiento. El héroe de la sociedad fronteriza e individualista es el que va en contra de todas las normas de la sociedad y del grupo. Típicamente, el héroe tendrá cabello largo y barba como Juan el Bautista. Se vestirá, como Juan el Bautista, en una forma no-convencional, y comerá alimentos naturales, sin cocinar. Es decir, el héroe rechaza los símbolos de la macro-sociedad, y de los que están en el poder.

9

La llegada de las iglesias del protestantismo histórico a América Latina

"Por tanto id y haced discípulos a todas las naciones, bautizándolos en el nombre del Padre, y del Hijo, y del Espíritu Santo." Mt 28.19

Ya se han considerado los modos con los que los reyes, teólogos, y misioneros católicos se esforzaron en cumplir con la gran comisión de nuestro Señor Jesucristo durante los siglos XVI y XVII. Durante esos siglos, millones de personas en América Latina y en otras partes del mundo, fueron bautizadas por misioneros de la Iglesia Romana. Sin lugar a dudas, los católicorromanos tomaron muy en serio el mandato del Señor Jesús de ir por todo el mundo y predicar el evangelio a todas las criaturas. Lo que nos llama la atención es la poca actividad misionera entre luteranos, presbiterianos y anglicanos durante el mismo período. Las referencias a la obra misionera protestante en América Latina, durante la era de la Conquista y de la Colonia, son casi inexistentes. ¿Es que los protestantes no tenían interés en extender el evangelio de Jesucristo? Esta es la conclusión a la cual han llegado algunos historiadores como Gustavo Warneck. El teólogo jesuita, Roberto Bellarmine (1542-1621) alegó que la Iglesia Luterana no tenía derecho a llamarse la iglesia de Jesucristo porque le faltaban algunas de las marcas de la verdadera iglesia, a saber: la apostolicidad y la catolicidad.[1] Bellarmine declaró que para que una iglesia fuera apostólica tenía que promover la obra misionera foránea, y estar representada en todas las partes del mundo.

Lutero y las misiones

¿Cómo se puede explicar la falta de penetración misionera en América Latina por parte de las iglesias protestantes durante la era de los conquistadores y colonizadores? Se contestará esta pregunta afirmando que Martín Lutero no era rotundo enemigo de la empresa misionera. Más bien, en sus predicaciones, cartas y libros, Lutero subrayó la necesidad de

---

[1] Scherer, James A., *Justinian Welz: Essays by an Early Prophet of Mission* (Grand Rapids, Michigan, 1967), p. 67.

proclamar el evangelio de Jesucristo a todos los habitantes del mundo. En su exposición de la tercera petición del Padrenuestro, Lutero afirma que la preocupación más grande de la iglesia debe ser el establecimiento del Reino de Dios. La iglesia no es un fin en sí misma, sino un instrumento por medio del cual Dios ejecuta sus planes para todo el mundo. Según Lutero, la proclamación del evangelio, que comenzó con los apóstoles, es una proclamación universal que continuará hasta el última día (Romanos 10.18). Al final, no quedará ningún rincón del mundo al cual no se le haya proclamado el evangelio. Lutero era consciente de la necesidad de continuar predicando el evangelio en todo el mundo, porque el diablo constantemente está buscando la perdición de los seres humanos con toda clase de herejía e idolatría.

Lutero enfatizó, por lo tanto, la necesidad que tiene todo cristiano de dar testimonio de su fe. Así como Abraham, Jacob, José, Daniel, y Jonás aprovecharon sus visitas al extranjero para proclamar la palabra de Dios a los gentiles, los cristianos hoy también están bajo la obligación de compartir su fe cuando se encuentran en otras partes del mundo donde no hay congregaciones cristianas que proclaman el evangelio verdadero. En varias ocasiones Lutero reiteró que un cristiano viviendo entre los turcos como esclavo o prisionero de guerra está bajo la obligación, so pena de condenación eterna, de compartir su fe con los infieles. En un sermón basado en 1 Pedro 2.9 predicado en 1523, Lutero declaró que una parte del sacerdocio real de todos los creyentes es proclamar la Palabra, es decir, proclamar el milagro por el cual Dios nos libra de las tinieblas y nos introduce a la luz. Según Lutero, tal proclamación debe enfatizar la forma en que somos redimidos del pecado, infierno, muerte y toda miseria, a fin de heredar la vida eterna. Es necesario instruir a otros para que ellos también puedan llegar a la luz. Lutero enfatizó que cuando un laico se encuentra en una situación donde está entre incrédulos y que no hay un ministro ordenado para proclamar el evangelio, entonces el laico, en virtud del llamamiento que ha recibido en su bautismo, tiene la responsabilidad de enseñar el evangelio.[2]

Durante toda su vida Lutero mantuvo un interés en la evangelización de los judíos y los turcos. Llamó a los cristianos a estudiar el Corán para aprender la mejor manera para testificar a los seguidores del profeta

---

2 *Ibid.*, p. 67.

Mahoma. Inspirados por la visión misionera de Lutero, Primus Truber y el barón Ungnad von Sonegg se dedicaron a enviar Biblias, tratados y libros para la evangelización de los turcos. En 1583, el duque Ludwig de Württemberg envió al predicador Valentín Class de Knittlingen al Reino de Fezzan, en el norte de Africa, para aprender el modo de comunicar el evangelio en árabe, a fin de que la religión salvadora pudiera publicarse entre los mahometanos. Gustavo Vasa, rey luterano de Suecia, envió predicadores que lograron convertir a los lapones a la fe en Cristo. Gustavo Adolfo, otro rey sueco luterano, instruyó a los pastores luteranos en América del Norte a dar buen trato a los indígenas y a compartir con ellos el santo evangelio. Cumpliendo con los deseos de Gustavo Adolfo, el pastor Johann Campanius tradujo el Catecismo Menor de Lutero al idioma de los indios, y los convidó a participar en los servicios luteranos en la pequeña colonia luterana a orilla del río Delaware.[3]

La Inquisición y la influencia protestante en América Latina

La razón por la que los discípulos de Lutero no lograron penetrar en los territorios de América Latina para llevar el evangelio, se debió principalmente al hecho de que las dos grandes potencias marítimas en el siglo XVI eran España y Portugal. Los estados luteranos no tenían los barcos necesarios para emprender una obra misionera a las tierras de ultramar. Las autoridades españolas, además, temiendo la contaminación herética de la doctrina luterana, prohibieron la entrada de protestantes a los territorios del Nuevo Mundo bajo su dominio. Una de las primeras instituciones montadas en la América Colonial fue la de la Inquisición, dedicada a "poner en marcha la represión hacia los enemigos de la fe", y en perseguir y denunciar a "los lobos y perros rabiosos que infestaban las almas y quienes eran destructores de la viña del Señor."[4] Bastian escribe que "el obispo Juan de Zumárraga asumió funciones inquisitoriales extraordinarias el 27 de junio de 1535 y organizó el tribunal el 5 de junio de 1536, lanzando la lucha contra el luteranismo con el proceso de Andrés

---

[3] Elert, Werner, *The Structure of Lutheranism* (Saint Louis, Concordia Publishing House, 1962), p. 398.

[4] Bastian, Jean-Pierre, *Historia del Protestantismo en América Latina* (México D. F., CUPSA,1990), p. 73.

Alemán, joyero moravo, acusado de difundir doctrinas luteranas respecto a la confesión, la excomunión, las imágenes, el casamiento de sacerdotes, las indulgencias, la autoridad del papa y la interpretación de las Escrituras."[5]

Los misioneros que en verdad fueron enviados desde los centros luteranos y reformados a América Latina fueron las miles de Biblias, catecismos, tratados, y libros de teología, los que por cierto eran ocultados entre las otras mercancías enviadas desde los puertos de Europa hacia el Nuevo Mundo. En España, a partir de 1558, la imprenta y la librería fueron sometidas a severas normas, y a revisiones por los arzobispos, obispos o prelados buscando erradicar las ideas reformistas y erasmistas. "En la Nueva España un edicto de 1572 advirtió que la introducción de libros contrarios a la religión católica estaba prohibida, exhortando a los funcionarios del Santo Oficio a proceder a adecuadas revisiones de las naves que llegaban a Veracruz. Debían interrogar a las personas, abrir las cajas, baúles y cajones sospechosos, porque el estilo original de los herejes era esconder los libros entre ropas y mercancías que embarcaban en navíos comerciantes."[6] Sabemos que de esta manera algunos libros protestantes llegaron a las manos de laicos y sacerdotes. En el gran auto de fe celebrado en Cartagena de las Indias en 1688, cuatro sacerdotes fueron quemados en la hoguera porque se negaron a renunciar a la fe luterana a pesar de que fueron sujetados a terribles torturas y maltratos en las mazmorras de la Inquisición. Tres de los sacerdotes ejecutados eran españoles y el otro, llamado Juan de Frías, era un mulato venezolano.

Según los datos históricos disponibles, Juan de Frías fue el primer mártir luterano en el Nuevo Mundo, aunque tal vez hubo otros antes que él. En su jornal, el infame Tirano Aguirre cuenta que había mandado ahorcar a un soldado en la Isla de Margarita por ser partidario del hereje Martín Lutero. Desconocemos el nombre del soldado, y tampoco podemos afirmar si en verdad fue luterano. Durante la época colonial solía usarse el nombre luterano como un epíteto para designar a cualquiera persona que tuviera ideas contrarias al sistema impuesto por las autoridades coloniales. Prueba de esto es la acusación de la misma Inquisición en contra del Padre Miguel Hidalgo y Costilla, autor de: *Grito de Dolores*, y padre de la independencia mexicana. Según la Inquisición, el Padre Hidalgo era culpable de ser

[5] *Ibid.*, p. 70.

[6] *Ibid.*, pp. 78-79.

"libertino, sedicioso, cismático, hereje formal, judaizante, luterano-calvinista, sospechoso de ateísmo y materialismo."[7]

Otra razón por la cual había poca actividad misionera en América Latina por parte de luteranos, anglicanos, y presbiterianos obedeció a que los protestantes dieron prioridad a la tarea de difundir sus ideas a lo largo de Europa, y así consolidar la Reforma en los estados que habían aceptado las enseñanzas de los reformadores. En muchas partes los protestantes tuvieron que gastar casi todas sus energías en defenderse de los ataques lanzados en su contra por los agentes de la Contra-Reforma. La Guerra de los 30 Años dejó a los estados luteranos y reformados severamente debilitados y en ruinas.

¿Fueron luteranos los Welser en Venezuela?

Se admite el desconocimiento de los primeros seguidores de la Reforma que se establecieron en el Nuevo Mundo. Ciertos autores, como Jean-Pierre Bastian y Enrique Dussel, sostienen que los primeros protestantes arribaron con la expedición de los Welser a Venezuela en 1528. Los Welser eran comerciantes alemanes de quienes Carlos V había recibido un préstamo para financiar la compra de los votos de los electores imperiales que le ayudaron a conseguir la designación como emperador en la elección imperial de 1519. Así logró la victoria en contra de las candidaturas de Francisco, rey de Francia, y del duque Federico el Sabio, de Sajonia, que fue protector de Lutero.

Faltándole los recursos para pagar su deuda en efectivo, Carlos V entregó la provincia de Venezuela a los Welser. En el acuerdo, se les permitió a los Welser explorar y explotar Venezuela con el fin de extraer de dicha provincia oro, perlas, y los esclavos necesarios para cancelar la deuda del soberano español. La casa comercial de los Welser estaba ubicada en la ciudad alemana de Augsburgo, la que ya para aquella época, había aceptado la reforma encabezada por Martín Lutero. Bastian afirma que Ambrosio Alfinger, quien fue nombrado gobernador de Venezuela, y Nicolás Federman, el vicegobernador, habían firmado la Confesión de

---

7 *Ibíd.*, p. 91.

Augsburgo.[8] Según Bastian, salieron 50 maestros mineros enviados con los exploradores y soldados que zarparon hacia Venezuela. La tarea de los mineros fue extraer oro de las minas de la provincia venezolana. Bastian afirma que la mayoría de estos mineros eran luteranos. No tenemos información en cuanto a las actividades religiosas efectuadas por estos supuestos mineros luteranos en Venezuela. Aparentemente no compartieron su fe con los indígenas, antes bien, los Welser eran implacables en su trato con los indígenas. Miles de ellos murieron a manos de los alemanes y miles más fueron vendidos como esclavos.[9]

En desacuerdo con Bastian, otros autores niegan que los Welzer fueran luteranos. El profesor Roberto Huebner, del Seminario Luterano Augsburgo en la ciudad de México, ha estudiado con gran interés el supuesto luteranismo de los Welzer. El profesor Huebner, basándose en el libro de Juan Friede *Los Welser en la Conquista de Venezuela*, afirma que los mineros llevados por los Welser no eran de Augsburgo sino de Silesia. No eran maestros mineros sino mineros desempleados y desesperados. Según Friede, los 80 mineros que salieron de Alemania nunca llegaron a Venezuela, sino a Santo Domingo, donde casi todos murieron, solamente 11 sobrevivieron. Éstos, con la ayuda del obispo católico de Santo Domingo, regresaron a Europa donde demandaron a los Welser por no haber cumplido con el contrato hecho con los mineros.

Friede, en desacuerdo con Bastian, niega que los Welser fueron al Nuevo Mundo para buscar oro, sino para buscar una ruta hacia el lejano oriente. En realidad, los Welser estuvieron en Venezuela solamente 7 años, y no 28 como afirma el libro de Bastian. Tampoco existe evidencia fidedigna de que Federman y Alfinger firmaran la Confesión de Augsburgo. La suposición de que eran luteranos se basa en el hecho de que fueron oriundos de la ciudad alemana de Ulm, la cual llegó a ser un centro de la reforma luterana. Pero esto no quiere decir que Federman y Alfinger fueran luteranos.[10]

---

[8] Huebner, Roberto G., *¿Eran Luteranos los Conquistadores Welser en Venezuela?*, en *Presencia Ecuménica 23* (Caracas, Acción Ecuménica, 1991), p. 14.

[9] Bastian, *Op. Cit.*, p. 49.

[10] Huebner, *Op. Cit.*, pp. 15-16.

Colonias de hugonotes en el Nuevo Mundo

La mayoría de los historiadores concuerdan en afirmar que el primer intento para establecer una presencia protestante permanente en el Nuevo Mundo fue la fundación de una colonia de hugonotes en una isla frente a lo que hoy es la ciudad brasileña de Río de Janeiro entre los años 1555-1560. El establecimiento de esta colonia cumplía con una doble función: Primero, para servir como un lugar de refugio para los protestantes franceses quienes habían sufrido sobremanera durante las persecuciones religiosas en su país de origen. Segundo, los hugonotes habían proyectado una evangelización de los indígenas Tupís, quienes habían sido víctimas del abuso de las incursiones violentas de los portugueses en sus tierras. Lamentablemente, la hostilidad de los católicorromanos puso fin a la colonia francesa de hugonotes en aquella isla. Esta hostilidad se repitió unos años más tarde durante otra tentativa de hugonotes en la Florida (1564-1565), la cual, por cierto, exterminó a los franceses.[11]

Ingleses y holandeses en América Latina

Después de la derrota sufrida por la Armada Española a manos de los ingleses en 1588, España perdió su hegemonía sobre los mares. Poco a poco los ingleses y holandeses llegaron a establecer su dominio sobre los mares hasta llegar a ser las dos grandes potencias marítimas del siglo XVII. Aprovechando su nuevo control del océano Atlántico, Inglaterra y Holanda comenzaron a buscar fórmulas para arrebatar algunas posesiones de los imperios coloniales de España y Portugal. Valiéndose de su marina, los ingleses ocuparon Bermudas en 1625 y conquistaron Jamaica en 1655. Más tarde se instalaron en Barbados, Trinidad, las islas de Tortuga y de San Andrés, y por la costa atlántica de Centro América.

Justinianus von Weltz, una voz clamando en el desierto

Para el siglo XVII las iglesias luteranas de Alemania habían olvidado el gran interés que tenía el mismo Lutero en la necesidad de

[11] La historia de estas dos colonias francesas de hugonotes que se tratan en los textos de González y Mackay no se analizan aquí.

proclamar el evangelio por todo el mundo. Entre las escuelas de teología, en las universidades alemanas, llegó a predominar la idea de que la gran comisión tenía que ver solamente con la iglesia primitiva en la era de los apóstoles. En otras palabras, se pensó que la comisión de predicar el evangelio a todas las naciones fue un mandato que obligó solamente a los doce apóstoles, pero no a las iglesias luteranas de Europa. Se admitió que un príncipe evangélico tenía la obligación de evangelizar a sus súbditos no-cristianos. Por lo tanto, había que enviar pastores a las colonias extranjeras que estaban bajo el control de gobernantes luteranos. Pero en relación a la organización de sociedades misioneras, a fin de enviar misioneros a países que no estaban bajo control de gobiernos cristianos, como hacían los jesuitas en el Africa y el Lejano Oriente, los teólogos oficiales mantuvieron que la labor misionera no era la tarea de agentes humanos, sino de la intervención directa del Dios soberano.[12]

Como tantas veces sucede en la historia de la iglesia cristiana, Dios levantó un profeta para llamar la atención a una iglesia dormida. Movimientos de renovación en la iglesia, raras veces ocurren en los centros de control eclesiástico y político, pero ocurren en la periferia de la iglesia oficial. El hombre que inició la experiencia misionera fue Justinianus von Weltz, nacido a fines de 1621 en la provincia de Carintia en Austria. El padre de Justinianus era un miembro de la nobleza que poseía terrenos y castillos. Cuando el emperador de Austria decretó que los protestantes austriacos tenían que decidir si renunciar a su fe evangélica o renunciar a su patria, la familia von Weltz prefirió perder sus terrenos y su castillo antes de renunciar a su fe luterana. Así, la familia von Weltz se mudó a la ciudad de Chemnitz, en Alemania, en búsqueda de un refugio donde se pudiera adorar a Dios según las enseñanzas del reformador Martín Lutero. El padre de Justinianus von Weltz murió cuando el joven apenas tenía nueve años. Así Justinianus von Weltz llegó a heredar el título y la fortuna de su padre.

En 1641 cuando tenía 20 años, el joven barón von Weltz comenzó a interesarse por cuestiones sociales y escribió un tratado llamado Tractatus De Tyrannide, en el que denunciaba la tiranía de los príncipes alemanes sobre sus súbditos. Esta tiranía, tan deplorable, perjudicaba en gran manera a la misión de Iglesia Luterana, ya que la administración de la iglesia estaba en manos de los príncipes. Dos años más tarde, en 1643, von Weltz escribió un segundo tratado denunciando al rey Felipe II de España como

---

12 Shrerer, *Op. Cit.,* pp. 66-67.

el peor enemigo de la verdadera cristiandad. No sabemos mucho de las actividades de von Weltz entre los años 1643-1663. En sus tratados posteriores, von Weltz menciona que llegó a tener la amistad de algunos malos compañeros y pasó varios años tras la búsqueda de los placeres de este mundo. Más tarde, en base a un estudio de las Escrituras y la historia de la iglesia, Justinianus se arrepintió y se convirtió al Señor de todo corazón. Entonces resolvió dedicar el resto de su vida al servicio del Señor Jesucristo.

Al dedicarse al estudio de las Escrituras, las obras de Martín Lutero, San Agustín, Eusebio, Juan Arndt, y Tomás de Kempis, von Weltz comenzó a escribir y publicar una serie de libros y tratados sobre la vida cristiana y la proclamación de la fe a los no-cristianos. En 1663, von Weltz publicó un escrito que llevaba por título: *Un Informe Breve de Cómo Establecer entre los Cristianos Ortodoxos de la Confesión de Augsburgo una Nueva Sociedad*. En este ensayo propuso establecer una sociedad cuyo fin sería el envío de candidatos para predicar el evangelio a los paganos. En 1664 von Weltz comenzó a escribir cartas a todos los importantes teólogos luteranos de sus días buscando el apoyo de ellos para su nueva sociedad, que se llamaría: "La Sociedad de los Amantes de Jesús." Algunos de ellos, como Juan E. Gerhard, animaban a von Weltz a proseguir con su proyecto. Como laico, se puso a estudiar las Escrituras y a llamar a otros para ayudar en la formación de una sociedad misionera dedicada a la tarea del envío de misioneros voluntarios a países no-cristianos.

En 1664 von Weltz publicó otro ensayo llamado: *Una Admonición Sincera y Cristiana a Todos los Cristianos Ortodoxos de la Confesión de Augsburgo Referente a una Sociedad Especial por medio de la Cual con la Ayuda de Dios Nuestra Religión Evangélica será Extendida*. Vale decir que para publicar y distribuir sus tratados y establecer la sociedad, el propio von Weltz gastó toda la fortuna que había heredado de su padre. Von Weltz, en sus escritos, subrayó la necesidad de evangelizar a los no-cristianos de la misma manera en que los antepasados de los cristianos europeos habían sido evangelizados por los grandes misioneros como Bonifacio, Ansgar y Patricio. Cuando von Weltz llevó su plan para el establecimiento de una sociedad misionera ante la reunión de los representantes de los 39 territorios y estados evangélicos de Europa (El Corpus Evangelicorum), reunidos en la ciudad de Regensburg, encontró apatía y oposición. La apatía fue notable entre los príncipes luteranos y la oposición vino de parte de uno de los teólogos más notables del siglo XVII. Este teólogo fue Johann Ursinus (1608-1667), quien catalogó a von Weltz como fanático y hereje porque como laico había calificado de anti-bíblica e inmoral la interpretación que los teólogos habían dado a Mateo 28.19 (la gran comisión).

No encontrando voluntarios dispuestos a llevar el evangelio a otras naciones, el mismo von Weltz se ofreció como misionero, pero nadie quiso comisionarlo como tal. Triste y decepcionado por la dureza de corazón de sus hermanos luteranos, Justinianus von Weltz, quien había gastado toda su fortuna para la causa de las misiones, se marchó para Holanda donde se hospedó en la casa del pastor luterano Federico Breckling en la ciudad de Zwolle. Breckling abrazó la causa de Von Weltz y escribió una serie de cuatro tratados apoyando la formación de una sociedad misionera. Por fin Justinianus von Weltz fue comisionado como el primer misionero luterano para América del Sur en la congregación de Breckling. En el día de su ordenación Von Weltz renunció a su título como barón y entregó lo que quedaba de su fortuna a la causa misionera. Una vez ordenado, von Weltz salió para Surinam con el fin de proclamar el evangelio a los indígenas de ese país sudamericano.

Después de unos pocos años de servicio misionero en Surinam, von Weltz murió. Algunos creen que falleció víctima del paludismo, mientras que otros, como Spener, afirman que fue despedazado por las fieras. Aparentemente la vida de este mártir de la causa de las misiones luteranas fue un fracaso. Pero Dios utilizó la semilla sembrada por von Weltz para despertar las conciencias, no solamente de sus hermanos luteranos, sino también de otros cristianos de muchas diferentes denominaciones y países. Los libros y tratados escritos por von Weltz fueron leídos y estudiados por otros que lograron poner en práctica las ideas del misionero luterano. Entre los que fueron inspirados por los escritos de von Weltz encontramos los nombres de William Carey, John Wesley, Augustus Hermann Franke, y el conde Nicolás von Zinzendorf. William Carey fue el fundador de la primera sociedad misionera bautista. Wesley fue fundador de la Iglesia Metodista, mientras que Franke ayudó a fundar la primera sociedad misionera luterana. Nicolás von Zinzendorf, un príncipe luterano, ayudó a fundar la Iglesia Morava de Herrenhut, uno de los movimientos misioneros más activos del siglo XVIII.

La obra misionera de los moravos en el Caribe

Con la llegada de los colonos ingleses a las islas del Caribe se establecieron iglesias anglicanas para atender las necesidades espirituales de los europeos. Los bautistas y moravos hicieron mucho por evangelizar a los esclavos negros que trabajaban en las plantaciones de los ingleses. Las autoridades de la corona inglesa, temiendo que la evangelización de los esclavos pudiera terminar en levantamientos de los esclavos contra sus amos, trataron de impedir la actividad evangelística de los moravos. En su afán por cumplir con la gran comisión del Señor, algunos moravos se dejaron vender como esclavos para trabajar en las plantaciones al lado de los negros y así tener la oportunidad de compartir con ellos el evangelio de Jesucristo. Los moravos comenzaron su labor evangelista en América del Sur en 1735, y llegaron a ser la iglesia más activa en Surinam donde fundaron una serie de empresas y negocios, a fin de financiar su actividad misionera. Los indios miskitos, de la costa atlántica de Nicaragua, también fueron convertidos por los moravos. Los miskitos, quienes recién han resistido los intentos del gobierno sandinista de Nicaragua de integrarlos a la cultura y economía, y a la mayoría hispana, siguen siendo moravos hasta el día de hoy.

Recuérdese que los moravos son los descendientes espirituales del pre-reformador Juan Hus, quienes huyendo de la persecución en Bohemia, se instalaron en las propiedades del conde luterano-pietista Nicolás von Zinzendorf en Sajonia. Allí, con la ayuda de Zinzendorf, los moravos establecieron una congregación dedicada a la causa de llevar el evangelio por todo el mundo. Un diez por ciento de los miembros de la congregación se dedicó a la obra misionera en el exterior como misioneros moravos, la mayoría de los cuales fueron laicos. Los moravos fueron uno de los grupos misioneros más dinámicos en la historia de las misiones. Hicieron mucho para evangelizar los habitantes de las nuevas posesiones inglesas, holandesas y danesas en el Caribe. Puesto que los moravos estaban convencidos del pronto retorno de Jesucristo para establecer su reino, dieron prioridad a la conversión de individuos y no al establecimiento de congregaciones de creyentes. Como resultado, muchos de los creyentes convertidos por los moravos se hicieron miembros de las congregaciones de otras denominaciones.

Holanda se instaló en Curazao, Aruba, y en lo que se llegó a conocer como Surinam o la Guyana Holandesa. Holanda también intentó arrebatar y poblar una parte del Brasil, llegando a controlar la región de Pernambuco entre 1630 y 1654.

Los holandeses en el Brasil

La penetración holandesa en el Brasil comenzó con la captura de las ciudades de Recife y Olinda en el noreste del Brasil en 1630. Durante sus 24 años en el Brasil los holandeses, a diferencia de las otras potencias coloniales, permitieron una amplia tolerancia en lo que a la religión se refiere. Tanto los judíos como los católicos pudieron gozar de libertad de culto. El príncipe holandés, Juan Mauricio de Nassau-Siegen, líder de la colonia holandesa, ayudó a organizar 22 congregaciones calvinistas en Pernambuco. Para servir a las necesidades espirituales de los habitantes de la colonia, se celebraron los servicios religiosos en holandés, francés e inglés. Los 50 pastores reformados que trabajaron en el Brasil holandés dirigieron su evangelización, no solamente a los holandeses y hugonotes, sino también a los portugueses, judíos y esclavos negros. Sin embargo, viendo la importancia que representaba la mano de obra de los esclavos negros para la economía de la colonia, las autoridades holandeses nada hicieron para poner fin a la esclavitud. En 1654, los portugueses lograron expulsar a los holandeses de Brasil y retomar el control sobre la región de Pernambuco. Lamentando su expulsión de Brasil, los pastores calvinistas llegaron a la conclusión de que, "Dios se muestra irritado porque en estas tierras no supimos tomar las medidas necesarias para que la existencia de Dios y de su hijo Jesucristo llegase al conocimiento de los negros, dado que el alma de estas pobres criaturas, cuyo cuerpo empleamos para nuestro servicio, debió haber sido arrebatada de la esclavitud del diablo."[13]

Las iglesias protestantes de trasplante

Con la excepción de las congregaciones protestantes en las colonias inglesas, holandesas y danesas en el Caribe y las Guyanas, el movimiento evangélico no logró penetrar en América Latina hasta después de las guerras de independencia que se libraron entre 1810 y 1824. Los líderes de las élites criollas de las nuevas repúblicas, establecidas después de la independencia, estaban preocupados en cómo mantener su hegemonía

[13] Bastian, *Op. Cit.*, p. 57.

política sobre los ciudadanos de las naciones nacientes. Las élites vieron a la iglesia católica como la religión que prometía mantener y aún consolidar su control sobre los indios, negros, analfabetos, y campesinos pobres. "La Iglesia Católica era la única fuerza ideológica capaz de cohesionar las incipientes nacionalidades sometidas a potentes fuerzas centrífugas."[14] Los líderes políticos de las nuevas naciones no estaban, por lo tanto, dispuestos a declarar la libertad de culto y promover la separación entre el estado y la iglesia. Así como el emperador Constantino buscó en la religión cristiana el elemento necesario para unificar su imperio, así los políticos y las élites de las nacientes repúblicas latinoamericanas quisieron usar la fe católica como un medio para la unificación nacional.

Los líderes políticos, sin embargo, no quisieron ser dominados por Roma y por obispos y prelados enviados desde España. Anhelaban una iglesia católica más moderna, más liberal y más nacionalista. Apoyaron, por lo tanto, todos los intentos de modernizar la Iglesia Católica y de reformarla desde adentro. En las nuevas repúblicas habían un buen número de sacerdotes nacionales que apoyaban la idea de una iglesia católica más latinoamericana y menos romana. Muchos de estos sacerdotes habían apoyado la revolución contra la Madre Patria. Hasta hubo una amplia participación del clero católico en las logias masónicas.[15]

Con el fin de ayudar a reformar la Iglesia Católica desde adentro varios gobiernos latinoamericanos apoyaron el establecimiento de centros de Las Sociedades Bíblicas en sus países. Muchos sacerdotes progresistas participaron en el establecimiento de Las Sociedades Bíblicas en sus respectivos países. De esta manera se abrieron las puertas para los agentes de las Sociedades Bíblicas como Diego Thompson, quien fue recibido en Argentina por el presidente Bernardino Rivadavia, en Chile por el presidente y libertador Bernardo O'Higgins, y en el Perú por el libertador San Martín.

Los gobiernos progresistas de la nueva América Latina no solamente deseaban una reforma interna en la Iglesia Católica, querían, además, modernizar e industrializar sus países; querían establecer tratos comerciales con las naciones más modernas, especialmente con la Gran

---

14 *Ibíd.*, p. 98.

15 *Ibíd.*, p. 99.

Bretaña. Los planes para América Latina incluyeron el establecimiento de escuelas populares, la construcción de puertos, oficinas de telégrafos y líneas de ferrocarriles, métodos agrícolas más científicos y productivos. Para realizar estos proyectos se necesitaba que vinieran a América Latina comerciantes, inversionistas y obreros experimentados. Países como Brasil y Argentina vieron la necesidad de poblar sus zonas fronterizas para proteger su hegemonía sobre aquellas regiones. Se buscaba, por lo tanto, atraer inmigrantes progresistas de países tales como Italia, Alemania y Escocia. Pero los comerciantes e inversionistas extranjeros, y los inmigrantes nuevos, necesitarían libertad para adorar a Dios según las tradiciones de sus países de origen. Se comenzó, por lo tanto, a liberalizar las leyes en cuanto a la tolerancia religiosa y la libertad de culto.

Fue entonces que comenzó una inmigración a Brasil, Uruguay y Argentina de muchos extranjeros. Para el año 1870, 300.000 alemanes habían arribado al estado brasileño de Rio Grande do Sul. Por lo menos la mitad de estos alemanes eran evangélicos luteranos o reformados. En Río de Janeiro los alemanes construyeron un templo luterano en el año 1837. Después del fracasado levantamiento liberal en Alemania en 1848, muchos alemanes con ideas liberales y democráticas emigraron a Brasil y Argentina. El gobierno de Brasil alentó esta inmigración porque fomentó la población de la región casi despoblada del sur; de esta manera afirmaría su hegemonía en la región fronteriza con Argentina. También deseaba estimular la inmigración de los alemanes porque ella ayudaría a "blanquear" la raza, a luchar contra los indígenas, a valorar la tierra, y a procurar la mano de obra barata.[16] Fue así que, súbitamente, congregaciones luteranas y reformadas comenzaron a brotar entre la población inmigrante, la cual había traído consigo pastores de Europa.

Otras colonias de inmigrantes se establecieron en las provincias argentinas de Santa Fe (1856), Entre Ríos (1857), Chubut, Buenos Aires, y la Capital Federal. La mayoría de los inmigrantes europeos en Argentina eran italianos y españoles, pero en la provincia de Chubut, se estableció un buen número de inmigrantes galeses pertenecientes a iglesias congregacionales, metodistas, y calvinistas. Los escoceses (calvinistas), daneses (luteranos), y rusos alemanes (menonitas y luteranos) establecieron colonias y congregaciones protestantes en otras partes del país. El gobierno argentino justificó esta inmigración de protestantes como una medida

---

[16] *Ibid.*, p. 111.

necesaria para estabilizar la frontera, combatir los indígenas, modernizar el campo, y diversificar la economía a base de los nuevos conocimientos traídos por los inmigrantes.

Para 1856 comenzaron a llegar a Uruguay los primeros inmigrantes valdenses del Piamonte italiano. Estos seguidores del pre-reformador Pedro Valdo también establecieron congregaciones protestantes.[17]

Iglesias luteranas de trasplante en Argentina

Al llegar luteranos de Alemania a Argentina en la primera parte de siglo XIX, no encontraron una congregación luterana a la cual unirse. Después de pasar un tiempo asistiendo a los cultos de la Iglesia Anglicana de Buenos Aires, solicitaron a la Iglesia Evangélica de Prusia, el envío de un pastor. En 1843 se fundó la Congregación Alemana de Buenos Aires. La Congregación, que pronto comenzó a funcionar como un sínodo, fue incorporando entre sus fieles tanto a personas de la tradición calvinista como de la tradición luterana. Los primeros pastores enviados desde Alemania comenzaron a reunir en congregaciones a los inmigrantes alemanes en diferentes partes de Argentina. Estas congregaciones llegaron a formar el Sínodo Evangélico Alemán del Río de la Plata en 1899. Más tarde el nombre fue cambiado a Iglesia Evangélica del Río de la Plata. Se llama Iglesia Evangélica y no Iglesia Luterana porque en su membresía y en su teología la Iglesia Evangélica del Río de la Plata es luterana y calvinista.

A fines del siglo XIX y principios del siglo XX, llegó a Argentina una nueva inmigración de personas que hablaban el alemán. Estos eran los *Volksdeutsche* o alemanes provenientes de Rusia y de otros países eslavos. La fallida revolución social en Rusia en 1905 y la derrota de Rusia en su guerra con el Japón, causó una crisis social en Rusia que impulsó a muchos protestantes a abandonar Rusia y a optar por la emigración a Argentina, Brasil y Paraguay. Encontrando dificultades para adaptarse social y doctrinalmente con los argentino-alemanes de la Iglesia Evangélica del Río de la Plata, los ruso-alemanes, con la ayuda de misioneros del Sínodo de Misuri, establecieron la Iglesia Evangélica Luterana en el año 1919.

---

[17] *Ibid.*, p. 112.

Actualmente la Iglesia Evangélica Luterana de Argentina (I.E.L.A.) mantiene el Seminario Concordia en José León Suárez, cerca de Buenos Aires, y publica trimestralmente la Revista Teológica.

Durante la primera mitad del siglo XX, la Iglesia Evangélica del Río de la Plata y la Iglesia Evangélica Luterana Argentina mostraron un considerable crecimiento estableciendo nuevas congregaciones al incorporar entre sus fieles nuevos inmigrantes procedentes de Europa, especialmente después de la Segunda Guerra Mundial. Durante las últimas décadas este crecimiento ha menguado debido al reducido número de nuevos inmigrantes europeos. Para mantenerse viables en una cultura latinoamericana, las iglesias luteranas de trasplante están en la necesidad de transformarse en iglesias argentinas capaces de atraer nuevos conversos de la sociedad argentina en general y no solamente a quienes tienen la herencia cultural alemana. Ésta es la crisis por la cual cada iglesia de trasplante tiene que pasar.

Como se reiteró anteriormente, no basta una política misionera de auto-sostén, auto-propagación y auto-gobierno. Cada iglesia de trasplante tendrá que establecer su propia identidad. Esto quiere decir que los líderes y miembros de las congregaciones tienen que considerarse como la iglesia de Dios en el lugar en donde se encuentran, tienen que identificarse con el país en el que viven, con sus habitantes, sus sufrimientos, sus aspiraciones y sus problemas socio-económicos y políticos. Tienen que definirse como una iglesia que tiene una misión para todos los habitantes del país y no solamente para quienes provienen del mismo trasfondo étnico y cultural, como lo hicieron los fundadores de la denominación. En otras palabras, hay la necesidad de lo que quisiéramos llamar auto-misión. Auto-misión es más que autopropagación porque auto-propagación puede significar crecer y extenderse solamente entre los miembros de la propia subcultura. Una iglesia alemana puede auto-propagarse solamente entre otros alemanes, y así seguirá siendo una iglesia, aunque no se identifique con la sociedad en general. Sin embargo, para poder, no solamente identificarse con su medio ambiente, sino también comunicar el evangelio eficazmente a personas que pertenecen a otras subculturas en el país, se necesita no solamente una auto-identificación y una auto-misión, sino también una auto-teologización; es decir, una teología capaz de aplicar el evangelio a los problemas específicos de la sociedad.

Se cita una parte de la conclusión del libro *Las Iglesias del Trasplante: Protestantismo de Inmigración en la Argentina* editado por Waldo Luis Villalpando:

> Si estas iglesias han de tener una contribución futura a sus propias comodidades y a la sociedad argentina, deben considerar a fondo sus tradiciones teológicas y su manifestación en la vida eclesiástica actual. Hay elementos muy positivos en las historias de estas iglesias. . . pero estas comunidades tienen fuertes tendencias a encerrarse y ser un factor altamente negativo tanto para sus propios fieles como para la sociedad en general. Cada una de estas iglesias tiene una gran preocupación por disponer de pastores con buena formación teológica y están orgullosas de su tradición religiosa. Pero por ello no se puede decir que tengan "buena teología." Una buena teología es dinámica, busca relacionarse con su ambiente, y busca una expresión "secular", en el idioma y el lenguaje del pueblo circundante, y no simplemente en función de grupos reducidos con intereses propios y limitados. Una teología que no alcanza a hacerlo, está reducida a "religión", que mira siempre el pasado, y tiende a volver a los orígenes y aislarse de la historia. . . Ello implica, concretamente para las iglesias de inmigración, que tienen que revisar su manera de enfocar la teología, que al fin y al cabo es una nueva manera de enfocar la vida. Ésta es una tarea crítica cuyo primer paso es descubrir y ser consciente de sus teologías vigentes y cuyo fin ha ser redefinirse en base a una teología dinámica y humanizante que las lleve a participar con Dios en la construcción de un nuevo futuro para los hombres.[18]

Se incluyen aquí estas observaciones sobre los desafíos de las iglesias del trasplante del cono sur porque a la vez tienen su aplicación a la situación de las iglesias hispanas en los Estados Unidos y Canadá. El fin de estas iglesias tampoco puede ser el de encerrarse en sí mismas, o de ser simplemente un refugio en el cual se pueda preservar nuestra tradición cultural, o de ser un medio por el cual se busque acomodar a la cultura predominante.

---

[18] Villalpando, Waldo Luis, *Las iglesias del trasplante* (Buenos Aires, CEC, 1970), pp. 216-217

Actualmente las iglesias luteranas del trasplante más grandes son las de Brasil, donde se calcula el número total de luteranos en más de un millón de miembros repartidos en dos denominaciones, una apoyada por la Federación Luterana Mundial y la otra por el Sínodo de Misuri. Recientemente fue organizada como Iglesia Luterana independiente la Iglesia Evangélica Luterana de Paraguay. Durante las últimas décadas ha habido una fuerte emigración de luteranos del Sur del Brasil hacia el Paraguay, ya que el gobierno paraguayo ha ofrecido buenos terrenos para la agricultura a los colonos brasileños. La nueva Iglesia Luterana de Paraguay es una iglesia del trasplante en un triple sentido. Sus antepasados, hace varios siglos, emigraron de Alemania a Rusia. Hace varias generaciones los ruso-alemanes emigraron de Rusia a Brasil, y tuvieron que aprender el portugués y contextualizarse a un ambiente brasileño. Ahora los nietos de estos inmigrantes han ido al Paraguay donde tendrán que aprender a contextualizarse en un país donde el español y el guaraní son los idiomas oficiales. Tanto las iglesias luteranas de Brasil y Argentina están ayudando a la Iglesia Evangélica Luterana de Paraguay en el entrenamiento de pastores para sus parroquias.

El repliegue de la iglesia de Roma contra las tendencias liberales

Con la llegada al papado de Gregorio XVI (1831-1846) y Pío IX (1846-1878), la Iglesia Católica Romana comenzó a buscar la manera de frenar las tendencias nacionalistas, progresistas, reformistas y liberales de sus sucursales en América Latina. El Vaticano comenzó a atacar las ideas democráticas y modernas del clero progresista y nacionalista. Los líderes con tendencias liberales fueron remplazados por conservadores que habían sido educados en Europa. El Vaticano comenzó a denunciar la educación pública, las propuestas para las reformas agrarias y las elecciones democráticas. Muchos sacerdotes católicos progresistas renunciaron a sus posiciones y salieron de la iglesia para militar en pro de la modernización de la sociedad y en contra de la Iglesia Católica Romana.

Los presidentes latinoamericanos liberales que lucharon para ampliar sus bases políticas y disminuir la influencia de la Iglesia Católica, comenzaron a buscar aliados con ideas progresistas para ayudarles en sus luchas contra el Vaticano. Entre estos aliados estaban los masones, los grupos espiritistas y los protestantes. Los presidentes latinoamericanos liberales, como el general Tomás Cipriano Mosquera en Colombia, declararon: "que vengan al país misioneros protestantes para establecer iglesias, fundar escuelas y diseminar ideas democráticas." Otros presidentes liberales, como Benito Juárez en México, Justo Rufino Barrios en Guatemala, y Antonio Guzmán Blanco en Venezuela, ayudaron a cambiar las leyes a fin de permitir la libertad de culto, el matrimonio civil, la educación para laicos, y la tolerancia religiosa. En algunas naciones como México, se estableció la separación completa entre la iglesia y el estado. En algunos países los gobiernos liberales nacionalizaron las haciendas y otras propiedades de la iglesia. En México todos los templos pasaron a ser propiedad del estado.

Analizando la forma en que las iglesias protestantes llegaron a establecerse en América Latina en el siglo XIX, Jean-Pierre Bastian concluye: "La llegada de los misioneros fue una negociación en la cual los líderes latinoamericanos disidentes religiosos les pusieron a disposición sus redes y contactos liberales, mientras los misioneros ofrecieron los medios para sostener redes asociativas, escuelas y una prensa combativa. El protestantismo latinoamericano nació como un sincretismo de ideas, y más que Calvino, Lutero, o Wesley, los héroes liberales de las luchas anti-conservadoras eran los que alimentarían su civismo y su carácter de sociedades de ideas desde un principio."[19]

Los misioneros, al llegar a América Latina, encontraron un buen número de ex-sacerdotes, liberales, y masones listos para colaborar con ellos en la tarea de reformar la sociedad y atacar el clericalismo y oscurantismo de la Iglesia Romana. Muchos de los primeros pastores nacionales de las nuevas congregaciones protestantes eran ex-sacerdotes. La Iglesia de Jesús, una iglesia formada por sacerdotes y otras personas que habían roto con la Iglesia Católica Romana en México, se asoció con la misión episcopal y se convirtió en la Iglesia Episcopal de México. En el siglo XIX los francomasones, los protestantes, y los espiritistas hicieron un frente común en contra de la Iglesia Católica considerada como anticuada, atrasada y anti-científica. Un estudio hecho en Brasil muestra que, entre los años 1910-1920, el sesenta por ciento de los pastores pertenecían a logias masónicas, y un diez por ciento practicaban la medicina tradicional.

A fines del siglo XIX los gobiernos liberales y anti-clericales comenzaron a debilitarse ante las fuerzas conservadoras. Los gobiernos

---

[19] Bastian, 1987, *Op. Cit.*, p. 124.

conservadores favorables a la Iglesia Católica tomaron el poder y establecieron nuevos pactos y concordatos con Roma. Bajo el impulso de la bula papal Rerum Novarum, que exhibe un catolicismo social audaz, la iglesia de Roma comenzó a revitalizarse en todo el continente. Se fundaron nuevas órdenes religiosas, y se abrieron nuevos seminarios y escuelas. Surgió una nueva prensa católica combativa lanzando ataques contra el liberalismo, los francomasones, las asociaciones espiritistas, y los protestantes. Las organizaciones evangélicas comenzaron a sufrir una persecución redoblada de parte del catolicismo en expansión.[20]

Tal vez lo que más caracterizaba la primera ola del protestantismo era el gran énfasis dado a la educación. Con escuelas diurnas, nocturnas, rurales, urbanas, agrarias, técnicas e industriales, así como escuelas dominicales, las iglesias protestantes fueron pioneras en la promoción de la educación popular en América Latina. En el altiplano alrededor del Lago Titicaca, los Adventistas del Séptimo Día establecieron 19 escuelas para los indígenas entre 1899 y 1916. Las escuelas protestantes, en muchas partes, eran superiores a las del estado en cuanto a técnicas de enseñanzas, pedagogía pre-escolar y enseñanza técnica. Un énfasis especial fue dado a la enseñanza de mujeres. Tanto la Iglesia Católica como las escuelas estatales habían descuidado la educación de la mujer. Las escuelas protestantes ayudaron a promover la tradición liberal, anticatólica y democrática, y a elaborar una cultura política antiautoritaria. Muchos de los futuros líderes políticos e intelectuales liberales del continente recibieron su formación en las escuelas protestantes.

Las tres olas del protestantismo en América Latina

Tanto el protestantismo tradicional de las iglesias de trasplante como de las sociedades misioneras denominacionales, comenzaron poco a poco, a ceder a las otras dos formas del protestantismo, es decir, a las misiones de fe y al pentecostalismo. A partir del inicio del siglo XX, pero especialmente después de la Primera Guerra Mundial, los fundamentalistas y los pentecostales comenzaron a establecerse a lo largo de América Latina. Actualmente, estas iglesias se dedican más a la santidad personal, la conversión, el proselitismo y a los avivamientos. No se dedican con fervor

[20] *Ibíd.*, p. 143.

al establecimiento de escuelas e instituciones benéficas. Su tendencia es no intervenir en la lucha por los derechos humanos.

Otra característica de las misiones de fe y de las iglesias pentecostales, es su tendencia a dirigir su mensaje principalmente a los pobres y desposeídos, y con menor intensidad a las capas socio-políticas más pudientes.

David Martin[21] suele hablar de tres diferentes "olas" o "corrientes" del protestantismo que llegó a América Latina, cada una impactando en forma diferente a los países hispanos, y produciendo distintas configuraciones sociales y culturales. La primera "ola", por supuesto, es el protestantismo histórico de las iglesias del trasplante y las misiones establecidas por agencias misioneras denominacionales anglicanas, presbiterianas, congregacionalistas, luteranas, bautistas y metodistas. La segunda "ola" corresponde a las misiones de fe y a las agrupaciones fundamentalistas que surgieron de los agudos debates entre los proponentes del fundamentalismo y de las iglesias más liberales a principios del siglo XX.

Mientras que la mayoría de los misioneros del viejo o primer protestantismo vinieron de la clase media y cursaron sus estudios en universidades y seminarios de renombre, la mayoría de los misioneros de la "segunda ola" han formado parte del proletariado y realizado sus estudios en institutos bíblicos. Fue a partir de 1950 que las iglesias fundamentalistas y pentecostales comenzaron a crecer en gran manera. Con el cierre de China a la influencia norteamericana, y con la expulsión de los misioneros evangélicos de ese país, quedaron centenares de ex-misioneros a China libres para empezar un nuevo ministerio en América Latina. La nueva fuerza misionera llegó a los países latinos en el preciso momento en que millones de campesinos estaban en el proceso de trasladarse del campo a las ciudades. Este movimiento de campesinos a las ciudades coincide con las grandes inversiones capitalistas en América Latina que dieron como resultado la mecanización del campo y la industrialización de las zonas urbanas. Esto significó escasez de trabajo en el campo y la promesa de nuevas fuentes de trabajo en la ciudad. Los sociólogos nos recuerdan que los tiempos de gran desplazamiento geográfico y social son tiempos cuando las personas están más dispuestas a cambiar de una religión a otra. Se

---

21 Martin, *Op. Cit.*, p. 207.

puede apreciar el crecimiento de las misiones de fe al notar que, para el año 1958, un 82 por ciento de los misioneros en América Latina estaba trabajando con misiones sin ninguna relación con el viejo protestantismo y el Consejo Mundial de Iglesias. Actualmente, el 75 por ciento de los protestantes en América Latina pertenecen a la "tercera ola" del protestantismo, es decir, al pentecostalismo .[22]

Los evangélicos de la segunda y tercera olas, a diferencia de las iglesias protestantes más viejas, no buscaron asociarse con el Consejo Mundial de Iglesias, considerado como demasiado liberal por los fundamentalistas. Kenneth Strachan, hijo del fundador de la Misión Latinoamericana (una de las misiones de fe más grandes) dio las siguientes razones de su rechazo al Consejo Mundial de Iglesias:

> por su liberalismo y su compañerismo sin bases bíblicas, su centralización del poder eclesiástico sin fundamentos bíblicos, su dedicación a otras tareas y preocupaciones de las que legítimamente tiene que preocupar a la Iglesia de Cristo. De mayor preocupación para nosotros es su repudio virtual a la Reforma Protestante por su abierto cortejo a la Iglesia Católica Romana.[23]

Puesto que los gobiernos latinoamericanos ya estaban resposabilizándose por la salud pública y por la educación popular, los evangélicos de la segunda y tercera olas no se preocuparon tanto por el establecimiento de escuelas, orfanatos y hospitales. Dedicaron el grueso de sus recursos a la evangelización valiéndose de los medios de comunicación masiva. Proclamaron el evangelio desde poderosas estaciones de radio ubicadas en Quito (Estación HCJB-La Voz de los Andes) y en la isla de Bonaire (Radio Transmundial). Más tarde, las iglesias fundamentalistas y pentecostales, comenzaron a aprovechar la televisión como un medio para alcanzar a las masas latinoamericanas. Programas como el Club 700 y el Club PTL llegaron a transmitir sus mensajes a lo largo de América Latina.

Fue durante el tiempo de la expansión de las misiones de fe que la Iglesia Luterana Sínodo de Misuri comenzó a trabajar en el Norte de América Latina, no entre luteranos de trasplante, sino, como las misiones de fe, entre los que eran latinoamericanos de herencia y cultura. En 1946

---

22 Bastian, 1987, *Op. Cit.*, p. 199.

23 *Ibíd.*, p. 203.

el Sínodo de Misuri abrió su misión en Guatemala, de donde la obra se extendió a Honduras, El Salvador, Costa Rica, y Panamá. En 1951 los primeros misioneros luteranos misurianos se establecieron en Venezuela. En 1940 el Sínodo de Misuri había comenzado una obra misionera en México. Los primeros misioneros en México eran pastores mexicanos y méxico-americanos que se hicieron luteranos en los Estados Unidos y que retornaron a México para compartir su nueva fe con sus compatriotas.

Como las misiones de fe, los luteranos del Sínodo de Misuri dieron un gran énfasis a la comunicación del evangelio por medio de transmisiones radiales. Actualmente una sede de *Cristo Para Todas las Naciones,* La Hora Luterana en América Latina, está ubicada en la ciudad de Caracas, Venezuela desde donde, apoyada por la Liga Internacional de Laicos Luteranos, realiza escritos, los edita, graba y distribuye sus programas para una parte de América Latina y España. El video-programa "Bringing Christ to the Cities" (Cristo para las ciudades), preparado por la Iglesia Luterana de Venezuela, muestra la forma en la cual la Iglesia Luterana está utilizando la radio para evangelizar en las grandes ciudades del hemisferio. Otra cede de *Cristo Para Todas las Naciones* se encuentra en Buenos Aires, Argentina, y desde allí cubre los países de Uruguay, Argentina, Chile y Paraguay.

A diferencia de las viejas iglesias protestantes, las misiones de fe siguieron el modelo establecido por el gran misionero Hudson Taylor, fundador de la Misión al Interior de la China. El énfasis de Taylor era permitir a los misioneros salir de sus países para evangelizar en el extranjero por fe, sin tener la seguridad de un sueldo pagado por los directores de la misión de su denominación. Los misioneros de las misiones de fe esperaban que individuos y congregaciones cristianas aportarían los fondos necesarios para realizar su trabajo misionero. Se puede apreciar la manera en que cambió el panorama del protestantismo en América Latina al notar que para el año 1958, las misiones de fe y los pentecostales contaban con un 82 por ciento de los misioneros operando en países latinoamericanos.

Tanto las misiones de fe como los pentecostales, pusieron un gran énfasis en las campañas evangelísticas. Siguiendo el modelo de campañas establecidas por Dwight L. Moody, Billy Sunday y Billy Graham, las iglesias fundamentalistas y los pentecostales lanzaron una serie de grandes campañas para salvar a América Latina del romanismo y el comunismo.

Las campañas de los fundamentalistas como Juan Isaías, Israel García y Luis Palau, enfatizaron la conversión mientras que las campañas de los pentecostales (Tommy Hicks, Osburn y Yiyi Avila), dieron gran importancia a la sanidad divina. Críticas a las campañas de fe han señalado que durante la década de los setenta y los ochenta, varios dictadores militares (como Pinochet en Chile) dieron su apoyo a dichas campañas para así debilitar a la Iglesia Católica y a la teología de la liberación.

El programa social y democrático del protestantismo histórico

El protestantismo histórico de América Latina "se entendía a sí mismo como un movimiento de reforma intelectual y moral según las pautas europeas y buscaba contribuir activamente en la creación de una cultura democrática, liberal y protestante. Su proyecto histórico se entendía como un frente religioso y cultural amplio, que si bien surgía desde los sectores sociales en transición, debía un día alcanzar las élites."[24] El programa de las sociedades misioneras del viejo protestantismo era el siguiente:

1) Difundir las bendiciones de la educación y el cristianismo, y promover y sostener escuelas misioneras. 2) Combatir el romanismo. La mayoría de los primeros misioneros protestantes creían firmemente en la leyenda negra del cristianismo español y sus consecuencias. Creían que toda la pobreza, ignorancia, y miseria de los países latinos se debía a la iglesia de Roma. 3) Imponer una ética o nuevo estilo de vida. Los misioneros creían ser embajadores de un nuevo orden social y moral. 4) Promover la democracia.

El énfasis dado por la "primera ola" de iglesias protestantes a la democracia y la transformación de la sociedad, llevó a muchos líderes protestantes nacionales a dar su apoyo a movimientos políticos y sociales que pretendían establecer en el continente un orden social más justo y más humanitario. Por apoyar la candidatura de Jorge Elizer Gaitán, el asesinado dirigente liberal popular, centenares de protestantes colombianos sufrieron el martirio, tanto por sus convicciones políticas, como por sus creencias bíblicas.[25]

---

[24] *Ibíd.*, p. 154.

[25] *Ibíd.*, p. 207.

En Guatemala, el protestantismo:

> se había implantado en los sectores sociales desconformes con el control político y religioso como también económico ejercido por el sistema de cargos ligado a las celebraciones pueblerinas católicas. Hasta 1944 las diferencias sociales que surgían en los pueblos indígenas, en gran parte por el desarrollo de una economía del mercado, tomó la única forma tolerada: la diferenciación religiosa. Con el movimiento de reforma democrática y agraria, el protestantismo indígena entre los Mayas de la región del lago Atitlán y los Cackchiquel . . . no se limitó ya sólo a la denuncia del vicio y de la superstición. . . sino del orden agrario caciquil y latifundista legitimizado por el catolicismo popular. Por lo tanto, mientras los ancianos de las jerarquías de cargos tendieron a oponerse a la reforma agraria temiendo que sus propios terrenos estuvieran expuestos, los protestantes figuraron de manera prominente en los nuevos comités agrarios y ligas campesinas.[26]

Con el derrocamiento de Jacobo Arbenz y su reforma agraria por parte del general Castillo Armas, quien fue respaldado por la CIA, muchos líderes campesinos y sindicales protestantes guatemaltecos fueron perseguidos y hasta asesinados por la oligarquía y los militares. Posteriormente, muchos protestantes indígenas guatemaltecos militaron en la guerrilla contra el gobierno.

Es sabido que muchos laicos y pastores protestantes dieron su respaldo al movimiento contra el dictador cubano Fulgencio Batista. Muchos pastores bautistas y presbiterianos tomaron parte en las acciones armadas contra la dictadura y llegaron a formar parte del primer gobierno de Fidel Castro. Sin embargo, la mayoría de éstos abandonaron el gobierno cuando Fidel Castro se declaró marxista-leninista. Poco después, el protestantismo cubano se debilitó con la salida hacia los Estados Unidos del 80 por ciento de los laicos, y 90 por ciento de los pastores.

Al hablar de la participación de los protestantes en movimientos populares en América Latina no se debe descartar la injerencia de muchos laicos y pastores protestantes en la Revolución Mexicana y la participación de destacados protestantes en el nuevo gobierno revolucionario.

---

26 *Ibíd.*, p. 209.

El pentecostalismo, que surgió por primera vez en Chile a principios del siglo XX, era más bien una religión del oprimido desde la cultura del oprimido. La clase oprimida fue descuidada, tanto por la oligarquía, como por las vanguardias ideológicas liberales y protestantes. En los próximos capítulos se considerará más a fondo el tipo de pentecostalismo que está creciendo notablemente en América Latina hoy, el cual es como un "sincretismo religioso independiente y antagónico hacia la cultura de las élites." En el capítulo siguiente miraremos al fenomenal crecimiento que han experimentado las iglesias evangélicas en las últimas décadas, para ver los segmentos de la sociedad en que el protestantismo ha logrado crear un espacio social, y una penetración en la vida y en la cultura de América Latina.[27] Es decir, estudiaremos las subculturas latinoamericanas que han sido más receptivas a la evangelización de las iglesias protestantes.

[27] Martin, *Op. Cit.*, p. 278.

10

Factores en el crecimiento del protestantismo

Movimientos ecuménicos protestantes en América Latina

Las iglesias protestantes históricas constituyeron el bloque más grande de iglesias del protestantismo en América Latina al principio del siglo XX. A fines del siglo, en cambio, sólo el 10 por ciento de los protestantes latinoamericanos pertenecen a las iglesias protestantes históricas. Las iglesias y misiones que han prosperado, y están en pleno crecimiento, son las que se identifican con las misiones de fe, las misiones evangélicas conservadoras y los movimientos pentecostales. Ahora se empezará a considerar la teología y misión de las iglesias evangélicas que constituyen el ala derecha del protestantismo hispano.

Factores sociopolíticos en el crecimiento del protestantismo hispano

Uno de los fenómenos que ha llamado la atención de los sociólogos, políticos, antropólogos y estudiantes del movimiento del iglecrecimiento, es el gran crecimiento que han experimentado las iglesias protestantes de América Latina después de la Segunda Guerra Mundial. Los cálculos de COMIBAM indican que para el año 1990 la comunidad evangélica de América Latina contaba con unos 40 millones de personas. En Brasil el 20 por ciento de la población es evangélica. Con sus 12 millones de protestantes, Brasil, que tiene más católicos que cualquier otro país en el mundo, es a la vez la nación latinoamericana con mayor número de evangélicos. En el Brasil viven 15,000 pastores protestantes de tiempo completo, en comparación con solamente 13.176 sacerdotes católicos. Hay más de un millón de evangélicos en Chile, es decir, los evangélicos son entre el 15 y el 20 por ciento de la población. El 80 por ciento de los evangélicos chilenos pertenecen a congregaciones pentecostales. En Centroamérica, Guatemala cuenta con 30 por ciento de la población como evangélica. Los directores del movimiento AMANECER esperan que para el año 2000 la mitad de los guatemaltecos serán evangélicos, y que Guatemala será el primer país latinoamericano con una mayoría protestante. En Nicaragua los protestantes son el 20 por ciento de la población, y en Costa Rica el 16 por ciento. En Jamaica el 30 por ciento de la población es pentecostal. En

México los evangélicos cuentan con un 7 por ciento de la población. En Colombia hay un millón de evangélicos, o sea 4 por ciento de la población.

Existe un gran debate sobre el auge del movimiento evangélico. Según David Martin, las condiciones óptimas para la expansión del protestantismo en América Latina, surgen donde la Iglesia Católica Romana ha sido seriamente debilitada, pero donde la cultura no ha sido secularizada. Los ejemplos dados por Martin para sostener su tesis son Guatemala, Brasil y Chile. Dos ejemplos de países donde la Iglesia Católica Romana ha sido debilitada y donde la cultura ha sido secularizada son Uruguay y Venezuela. En estos últimos países, las iglesias protestantes han tenido poco crecimiento debido al considerable sentimiento anti-religioso, superior que en el resto del hemisferio.

¿Cuáles han sido las causas del gran crecimiento del protestantismo durante las últimas décadas? ¿Dónde han crecido más las iglesias protestantes y por qué? Ciertamente se debe considerar la operación del Espíritu Santo, quien, como el viento, "sopla de donde quiere" y es soberano en lo que hace. Al mismo tiempo se tiene que reconocer que Dios, con su presencia en el mundo, puede actuar por medio de las leyes naturales que Él mismo ha establecido, y que estas leyes naturales incluyen las ciencias sociológicas y antropológicas. Dios puede aprovechar ciertos factores sociológicos en favor de su reino. No se niega, entonces, la iniciativa ni la soberanía de Dios al considerar las condiciones políticas, económicas y sociológicas que han ayudado a generar la gran expansión de las iglesias evangélicas en América Latina.

Algunas investigaciones han demostrado que bajo ciertas condiciones, y en ciertos sectores geográficos y socio-económicos específicos, las iglesias evangélicas han tenido más éxito que en otros. Entre las condiciones y los lugares señalados se apuntan los siguientes:

1. Los artesanos, maestros y dueños de pequeños negocios han sido más abiertos al mensaje evangélico que los que trabajan en otros empleos. Cuando los primeros misioneros evangélicos llegaron a América Latina existió mucha oposición de parte del clero oficial y la vieja aristocracia. Para muchas personas que dependían económicamente de otros, aceptar la nueva fe sería arriesgar su empleo. Así las personas más independientes, económicamente y socialmente, fueron las que tenían más libertad para convertirse.

Estudios hechos por Emilio Willems en el Brasil[1] y por Christian Lalive D'Epinay en Chile[2] respaldan estas conclusiones.

2. Los agricultores que son dueños de su propios terrenos han sido más abiertos al mensaje evangélico que los peones que trabajan en terrenos ajenos. Según los estudios de Willems y otros, el crecimiento de las iglesias protestantes en las zonas rurales del Brasil comenzó con los agricultores independientes. Los agricultores dependientes no tuvieron la libertad para convertirse en evangélicos, debido a que estaban bajo el control de los grandes terratenientes y hacendados, muchos de los cuales mantenían capellanes católicos en sus haciendas para facilitar el control de las actividades religiosas de sus dependientes. Weld y McGavran han mostrado que en Puerto Rico las iglesias evangélicas han crecido más rápidamente entre los agricultores independientes que cultivan café en sus propios terrenos en las montañas, en el interior de la isla. En contraste, los peones simpatizantes del protestantismo que trabajan en las tierras bajas y fértiles de los finqueros ricos, pueden ser desalojados de sus chozas si el finquero es contrario al protestantismo. Los agricultores independientes pueden hacerse protestantes y tener cultos en sus hogares, mientras que los peones en las fincas de católicos pueden perder sus hogares y su empleo si se convierten al protestantismo.[3]

3. Los agricultores que se han mudado a nuevas comunidades o colonias agrícolas han llegado a ser terreno fértil para el crecimiento de nuevas obras evangélicas. En muchas partes de América Latina los gobiernos más liberales han puesto en marcha programas de reforma agraria que han permitido la explotación de sectores vírgenes de jungla para la agricultura. Se construyeron nuevas vías de penetración, y a lo largo de estas vías surgieron nuevas comunidades fronterizas que son más independientes, más democráticas,

---

1 Willems, Emilio, *Followers of the New Faith* (Nashville, Vanderbilt University Press, 1967), pp. 247-260.

2 Lalive d'Epinay, *Haven of the Masses: A Study of the Pentecostal Movement in Chile* (London Lutterworth Press, 1966).

3 Weld, Wayne, *Crecimiento de la Iglesia* (Chicago, Moody Press, 1970), capítulo 9 p. 6.

y menos estructuradas que las comunidades tradicionales. La Iglesia Romana, por falta de sacerdotes, ha sido lenta en establecerse en tales comunidades, mientras que los protestantes, especialmente los pentecostales, han logrado movilizarse con mayor rapidez para establecerse en las comunidades nuevas. El énfasis dado al sacerdocio universal de todos los creyentes, y la obligación de todos los creyentes de extender la iglesia, son factores que han ayudado a las iglesias evangélicas a su crecimiento. Los laicos han tomado la iniciativa para evangelizar, predicar y establecer nuevas congregaciones evangélicas, mientras que los católicos han reservado estas actividades para los sacerdotes ordenados. Este ha sido el caso en países como Brasil, Colombia, Venezuela y en las regiones amazónicas del Perú y Bolivia.

En México, entre 1872 y 1910, el movimiento protestante se implantó y se desarrolló primero en las regiones esencialmente rurales, alejados de los centros de poder estatal, en distritos que antes habían buscado más autonomía e independencia del control político de las haciendas grandes y de los caciques políticos tradicionales.

4. El movimiento evangélico indudablemente ha tenido más éxito entre los recién llegados a las metrópolis como Sao Paulo, Río de Janeiro, Bogotá, Santiago de Chile, Lima y la ciudad de México. Una de las grandes realidades de nuestro tiempo es la urbanización, es decir, el traslado de millones de personas desde las zonas rurales a las zonas urbanas en búsqueda de empleo, educación, mejores servicios médicos, superiores servicios sociales, y mejores oportunidades económicas. Alrededor de todas las grandes ciudades de América Latina se han formado cordones de miseria, barriadas, ranchitos y "favelas" donde los pobres se han establecido. La ciudad de México se ha convertido en la ciudad más grande del mundo. Se calcula que vivirán en ella 30 millones de habitantes para el año 2000. En 1900, 84 por ciento de los venezolanos vivían en el campo y 16 por ciento en las ciudades. Para el año 1990 los porcentajes se han invertido: 84 por ciento viven ahora en las ciudades y solamente 16 por ciento siguen en las zonas rurales. Al llegar a los centros urbanos, donde hay menos control social que en el campo, las personas tienen más oportunidades y libertades para identificarse con nuevos movimientos sociales, políticos y religiosos, sin que tengan necesidad de sufrir recriminaciones o grandes

presiones de parte de familiares, vecinos y patrones.

Los recién llegados a las urbes con frecuencia se sienten perdidos en ellas. Sufren de lo que Emilio Durkheim ha llamado anomia, es decir, la pérdida de valores y de identidad del individuo.[4] Anhelan pertenecer a una pequeño grupo íntimo dentro del cual puedan encontrar orientación, hermandad, refugio de las presiones de la vida urbana, consejo, y ayuda material y espiritual. Existe un buen número de congregaciones evangélicas que ofrecen a los recién llegados orientación, compañerismo, y ayuda para encontrar empleo y llenar otras necesidades básicas. También ayudan a los recién llegados a conocer y utilizar los servicios sociales que les pueden brindar beneficios y otras ventajas. Los pentecostales en Brasil, Chile, y México han tenido un gran crecimiento en los grandes centros urbanos. Las iglesias protestantes que se han concentrado en la evangelización del interior del país, y han sido negligentes para evangelizar las ciudades, se han estancado o han tenido un crecimiento muy lento. Los presbiterianos en Brasil son un ejemplo de esto último.

5. Los miembros de grupos minoritarios que han sido marginados del poder por grupos mayoritarios han mostrado más apertura a las iglesias evangélicas. Este ha sido el caso, especialmente, entre grupos de indígenas que han sido relegados a la categoría de ciudadanos de segunda clase por los criollos, los aristócratas tradicionales y por la iglesia católica tradicional. Con frecuencia la iglesia evangélica ha ayudado a revitalizar una cultura indígena moribunda. En muchas partes los evangélicos, con sus programas lingüísticos, han enseñado a los indígenas a leer y escribir en sus propias idiomas y a adorar y servir a Dios usando música indígena, arquitectura indígena y formas de liderazgo indígenas. Obligar a un indígena a adorar a Dios en latín o en castellano es una manera de decirle que su idioma es un vehículo indigno para comunicar la santa Palabra de Dios. En cambio, el autorizar a los indígenas a usar sus propias formas culturales ha sido, en muchos casos, una forma de liberación que ha dado a los indígenas un orgullo por su idioma y su cultura.

---

[4] Bastian, *Op. Cit.*, p. 218.

Las escuelas, clínicas, y cooperativas establecidas en comunidades indígenas han ayudado a muchos grupos indígenas a aprender a sobrevivir en el mundo moderno. En Bolivia y el Perú, la Iglesia Adventista fue pionera en el establecimiento de escuelas, cooperativas y hospitales entre los quechuas y aymaras. La aristocracia tradicional y la Iglesia Católica en esos países se opusieron a esta obra beneficiosa para los indígenas, porque brindaba a los pobres oportunidades para librarse de quienes los habían explotado y oprimido. La Iglesia Adventista buscó la manera de comprar tierra para los indígenas, a fin de que pudieran cultivar sus propios terrenos. Actualmente, en algunas comunidades, los aymaras han llegado a ser más educados y mejor pagados que los criollos, y en algunas municipalidades han conseguido los mejores puestos políticos. Como resultado, la Iglesia Adventista se convirtió en la iglesia protestante más grande del Perú. El 18 por ciento de los aymaras son adventistas.

6. Las clases socioeconómicas más abiertas a la penetración evangélica han sido las clases del proletariado, es decir, la clase baja-superior y la clase media-inferior. Los pentecostales, y otros grupos evangélicos exitosos, han experimentado la mayor parte de su crecimiento dentro de estas dos clases. Los miembros de estas clases han sido marginados del poder por las clases altas y por la iglesia católica tradicional. La clase media-inferior y la clase baja-superior no han tenido una voz en la sociedad, el ejército, o las estructuras eclesiásticas. Las iglesias evangélicas han ofrecido a los miembros del proletariado la oportunidad de expresarse, organizarse democráticamente, y aspirar a puestos de liderazgo. Dentro de las iglesias protestantes muchos miembros del proletariado han obtenido la experiencia necesaria para dirigir a grupos pequeños y grandes, y como resultado, las iglesias evangélicas proletarias han sido los semilleros de donde han salido muchos líderes sindicales y políticos populares. (Ejemplo: Haya de la Torre en el Perú.)

Este hecho es significativo para explicar por qué las iglesias pentecostales han crecido más rápidamente que muchas iglesias protestantes tradicionales como los presbiterianos, luteranos, metodistas, y anglicanos. La mayoría de los misioneros de las iglesias protestantes tradicionales provienen de la clase media en sus países de origen, por lo tanto también sus iglesias son iglesias de clase media o burguesa. Se sienten, por lo tanto, más cómodos con los miembros de la clase media de América Latina, y las entienden mejor. Una buena parte de los recursos de las iglesias protestantes tradicionales han sido designados para proyectos dedicados a la evangelización de la clase media-superior. Así se han construido escuelas de prestigio y bellos templos en zonas de la clase media-superior. Sin embargo, estas congregaciones burguesas no han experimentado un crecimiento tan grande como el de las iglesias proletarias de los pentecostales. Una de las razones por las cuales esto sucede así, es el hecho de que la clase media-superior es una de las clases (sociológicamente hablando) más conservadoras y más resistentes a los cambios.

Los miembros de la clase media-superior han surgido recientemente de las clases inferiores con gran esfuerzo y sacrificio. Su nueva posición en la estructura socioeconómica del país no está completamente segura. El gran temor de muchos de los miembros de la clase media-superior es caer a su antigua posición. Los burgueses temen cambios repentinos que puedan cambiar el panorama político-socio-económico, y alterar el status quo. Se ha notado, por lo tanto, una tendencia entre los miembros de la clase media-superior de apoyar a las instituciones del sistema vigente, incluyendo a la Iglesia Católica Romana. Se ha observado que en algunos países los miembros de la clase media-superior han dado su apoyo a dictadores despóticos, y al estado de seguridad nacional porque éstos han prometido mantener el status quo.

Con respecto a las clases socioeconómicas baste subrayar el hecho de que la clase baja-inferior ha mostrado menos apertura a la evangelización. Esto se debe, en gran parte, al fatalismo del cual hablamos en el capítulo donde tratamos la "cultura de la pobreza."

7. En algunas partes los miembros de la clase alta-inferior han gravitado hacia el movimiento evangélico porque les ha ofrecido un vehículo de reforma, y un medio para desafiar al poder tradicional de las aristocracias de la clase alta-superior. En la mayoría de las sociedades existe un elemento reformador en la clase-alta inferior, que ha sido marginado del poder por la vieja aristocracia que resiste tenazmente los intentos de los reformadores para cambiar las estructuras. Si no existen medios dentro del sistema vigente y la iglesia tradicional para reformar y modernizar al país,

la clase alta-inferior puede aliarse con la iglesia evangélica en la medida en que la interprete como una fuerza liberadora, y la considere un agente de cambio. Ya hemos notado la manera en que las iglesias protestantes del siglo XIX encontraron apoyo de parte de los reformistas y los liberales de la clase alta-inferior, cuando luchaban para modernizar el continente frente a la intransigencia de una iglesia católica oficial que resistía todos los intentos de los reformadores para crear una sociedad más liberal y participativa.

8. La dislocación geográfica y sociológica es un factor que crea una receptividad mayor hacia el cambio y hacia la conversión al protestantismo. Ya hemos visto que el protestantismo ha crecido entre los millones de campesinos que se han refugiado en las grandes ciudades en búsqueda de mejores oportunidades económicas. El protestantismo también ha crecido entre campesinos que han tenido que mudarse a otros sectores rurales del mismo país. Colombia puede servir como ejemplo aquí. Los grandes hacendados criollos han aplicado la política de dividir tierras comunales y convertirlas en pequeños minifundios, para después buscar la manera de comprar los minifundios a sus dueños. De esta forma, muchos indígenas han tenido que abandonar sus tierras tradicionales y buscar el cultivo de la tierra en otras partes de la república. Los que no vendieron sus minifundios tuvieron que dividirlos entre sus hijos, y así con cada generación el minifundio se hace más pequeño. Así, tarde o temprano, la tierra no alcanza para permitir a todos los descendientes del dueño original que trabajen la tierra.

   Después del colapso económico mundial en 1930, muchos colombianos que se habían mudado a la ciudad, tuvieron que volver al campo. Comenzó una lucha entre sindicatos de campesinos y los grandes hacendados sobre el control de las tierras. Esta tensión, que se combinó con la violencia política entre los años 1946 y 1964, fue la causa de más de 200.000 muertos y la dislocación de centenares de miles más. Huyendo de la violencia, muchos campesinos emigraron a la selva y a zonas remotas de los focos de violencia. Entre esta población se ha visto un gran crecimiento de membresía entre las iglesias evangélicas. Lo mismo ha sucedido en Centroamérica a raíz de las guerras civiles que han convulsionado la región. Las iglesias evangélicas han crecido en una manera formidable en Nicaragua, El Salvador y Guatemala. La Iglesia Luterana en El Salvador, bajo el obispo Medardo Gómez, ha trabajado ampliamente entre los refugiados de la guerra civil. Ha visto así una de las tasas de crecimiento más grandes de las iglesias luteranas de América Latina.

El caso de Brasil ofrece una lección interesante si se considera que el protestantismo ha crecido a la par con las grandes migraciones a la ciudad, y a la par con las inversiones de grandes capitales extranjeros en la economía del país. Los tres movimientos religiosos en el Brasil que han mostrado más crecimiento son el pentecostalismo, las comunidades de base y la Umbanda. Al cambiar la economía basada en el cultivo del azúcar y el café en el noreste hacia la zona sureste, comenzaron a crecer las grandes ciudades que estuvieron abiertas a los siguientes cambios: positivismo, masonería, republicanismo, y protestantismo. Los presbiterianos comenzaron a crecer en los municipios rurales entre miembros de la clase media rural. Con el comienzo de la industrialización después de 1930, los centros urbanos comenzaron a crecer, y con el movimiento hacia las ciudades, los pentecostales comenzaron a crecer también. Hay un porcentaje más alto de personas de color entre los pentecostales que en cualquier otra denominación (70 por ciento en Bahia y 45 por ciento en Pernambuco). El movimiento Umbanda ha crecido a la par con el pentecostalismo durante el mismo lapso. Las religiones afro-brasileñas, como Umbanda y Candomblé comenzaron a crecer en la última parte del siglo XIX cuando las hermandades y cofradías comenzaron a declinar. Muchos políticos se han aprovechado de la Umbanda para extender su "padrinazgo" a las clases inferiores. La Umbanda ofrece un sistema de mediadores mientras que el pentecostalismo ha trasferido el sistema de padrinos a toda la comunidad. Todos los hermanos y hermanas en la fe funcionan como padrinos.[5]

Según Martin las comunidades de base son protestantes en estructura, y por lo tanto representan una amenaza a la jerarquía. Pero al mismo tiempo, la jerarquía ha tratado de usar estas comunidades para extender su hegemonía.

9. El protestantismo ha mostrado un crecimiento substancial en regiones mineras y entre trabajadores de la industria textil. Bastian hace la siguiente observación: "La presencia de congregaciones

---

[5] Martin, 1990, *Op. Cit.*, p. 186.

protestantes en las fábricas textiles y en las minas nos hizo entender una de las funciones sociales cumplidas por las congregaciones como sociedades de ayuda mutua: ofrecían por ejemplo, una solidaridad activa para sus miembros quienes eran parte de una población obrera en constante migración, asegurándoles el apoyo necesario al llegar a otro centro fabril en busca de trabajo".[6]

10. La inestabilidad social y política crea una clima donde las personas están más abiertas al mensaje del evangelio. Por más de cien años Argentina fue considerado como un país sumamente cerrado al mensaje del protestantismo. Sin embargo, después de su derrota en la guerra de las Malvinas, y la subsiguiente crisis económica y política, se ha visto una gran apertura hacia la proclamación del evangelio. Hoy en día Argentina es uno de los países donde las iglesias evangélicas han mostrado uno de los porcentajes más altos de crecimiento. Otros países en medio de grandes conflictos sociales que también han mostrado un gran crecimiento en el número de los fieles evangélicos son: Nicaragua, El Salvador y Guatemala.

David Martin ha señalado que la independencia es lo que tienen en común quienes son propensos a convertirse al protestantismo, además de poseer todos los factores que hemos anotado. Es decir, las personas que se convierten en protestantes deben gozar de cierto grado de independencia. Ésta puede ser una independencia de las estructuras sociales, o una independencia de los lazos familiares, o del control eclesiástico o político. Aún la mujer abandonada por su marido, o el niño abandonado por sus padres, goza de una independencia que no tienen las otras personas. Donde el individualismo es más marcado, existe más espacio social donde la semilla del evangelio puede caer y comenzar a germinar. Durante el tiempo de la colonia era casi nula la existencia de espacio social donde los disidentes pudieran encontrar el modo de mantenerse como un grupo de oposición al bloque monolítico de una cristiandad que abarca e integra todas las facetas de la vida social, económica, política, y religiosa.

Además de los factores sociales que han contribuido al crecimiento del protestantismo en el continente se podrían añadir muchos

[6] Bastian, *Op. Cit.*, p. 135.

factores espirituales. Se ha observado que las iglesias con más alta tasa de crecimiento en América Latina, son las iglesias que han dado una alta prioridad a la oración, la formación de células de oración, vigilias de oración, cultos especiales de oración, y oración ferviente a favor de la obra misionera, y de las personas que todavía no conocen a Cristo.

Movimientos ecuménicos y pan-protestantes

Al crecer el protestantismo en América Latina, y al entrar más sociedades misioneras a buscar campos blancos para la cosecha, se hizo más patente la necesidad de coordinar el trabajo de tantos grupos e iglesias. Había mucha duplicidad de esfuerzos y competencia entre diferentes grupos protestantes, lo que proyectaba una imagen de desunión a los latinoamericanos. La existencia de tanta división entre los protestantes daba un mal testimonio a los latinoamericanos a quienes se dirigía el mensaje del evangelio. Con el fin de buscar más unión y cooperación entre las diferentes misiones e iglesias protestantes en América Latina, se han celebrado muchas conferencias internacionales, concilios y organizaciones de iglesias. Se ha intentado coordinar, aconsejar y enfocar mejor la obra protestante entre hispanos. Se tratará aquí, en forma breve, de anotar la naturaleza y algunas características de los distintos movimientos y organizaciones pan-protestantes en el desarrollo del protestantismo en América Latina.

El Congreso de Panamá: 10-20 de febrero de 1916

En el año 1910 se celebró en la ciudad de Edimburgo, Escocia, una gran conferencia misionera con participación de casi todas las iglesias y sociedades protestantes que estaban trabajando en el campo misionero en Asia, África y el Pacífico. Debido a la insistencia de las iglesias estatales europeas no fueron invitados a esta conferencia delegados de las misiones protestantes de América Latina. La razón dada por las iglesias estatales europeas fue que ellas consideraban a América Latina como una región ya cristianizada (por la Iglesia Romana), y por lo tanto no existían razones para justificar una obra evangelística hispana. Por supuesto, las misiones e iglesias protestantes hispanas se sintieron ofendidas por su exclusión de la gran conferencia de Edimburgo, en la cual las sociedades misioneras trataron de coordinar sus esfuerzos, compartir sus recursos y establecer metas para la evangelización de todo el mundo en "este siglo".[7]

A fin de no quedar rezagados, los representantes de 30 diferentes asociaciones misioneras que operaban en América Latina, se reunieron en Nueva York en marzo de 1913, para formar un Comité de Cooperación en Latinoamérica (CCLA), quedando bajo la dirección del conocido misiólogo Robert Speer. Los miembros del comité vieron la necesidad de convocar un congreso de todas las iglesias y sociedades misioneras de América Latina para tratar, a nivel continental, muchas de las cuestiones tratadas por las otras iglesias en Edimburgo. La revolución mexicana había mostrado a los grupos que operaban en América Latina la necesidad de un trabajo mejor coordinado. Existía la necesidad de evitar competencia entre las diferentes agencias e iglesias, y de eliminar la duplicación de esfuerzos en las áreas de educación, obra social, evangelismo y educación teológica.

Se acordó, por lo tanto, reunir un congreso en la República de Panamá, la cual recién se había convertido en la encrucijada de las Américas merced a la apertura del Canal de Panamá. Tuvieron que convocar la celebración del congreso en el Hotel Tivolí de la Zona del Canal, debido a que el obispo católicorromano de Panamá emitió una declaración que afirmaba que cualquiera persona que ofreciera albergue a los protestantes sería declarado en estado de pecado mortal.[8] Eduardo Monteverde, profesor de la Universidad de Uruguay, fue elegido presidente del congreso, y ocho comités fueron organizados para tratar temas tales como: la promoción de la unidad, educación, literatura, métodos misioneros, trabajo entre mujeres etc. Un total de 481 personas asistieron al congreso de las cuales 230 eran delegados oficiales. 18 países hispanos estaban representados, y 5 países no-latinos. Los delegados representaron a 285.703 miembros en plena comunión de las iglesias protestantes latinoamericanas, y a 201.896 niños de familias protestantes. De estas personas, más de la mitad vivían en los territorios holandeses en Surinam

---

[7] Pierson, Paul Everett, *A Younger Church in Search of Maturity* (San Antonio, Texas, Trinity University Press, 1974), pp. 86-93.

[8] Costas, Orlando E., *Asambleas Ecuménicas Evangélicas en América Latina*, en *Diccionario de Historia de la Iglesia*, ed. Wilton M. Nelson (Miami, Editorial Caribe, 1989), pp. 89-90.

y el Caribe, y la cuarta parte eran miembros de las iglesias alemanas de trasplante en Argentina y Brasil.

Una de las preocupaciones principales de los delegados del congreso era la forma de evangelizar a los miembros de la clase alta. Se creyó que si se pudiera ganar a las élites, los pobres tendrían que seguir el ejemplo de los más educados. Se pasó mucho tiempo, por lo tanto, discutiendo la forma de construir templos más bellos, y hacer liturgias más formales para atraer a los miembros más pudientes de la sociedad. Se elaboraron planes para abrir más escuelas de calidad que pudieran cubrir las necesidades educacionales de las clases altas. Se creyó que las pobres capillas y salones alquilados, que abundaban entre los protestantes, ayudaron a alejar a las clases educadas. Se puede observar la preocupación por mayor reverencia y buen gusto en la liturgia, los sermones, y en la arquitectura, basándose en los comentarios de Mackay en su libro: *El Otro Cristo Español.*[9] Había temor de identificarse demasiado con el proletariado por miedo a deteriorar la obra entre los educados. En cierto sentido, el miedo por identificarse demasiado con los pobres y con las misiones de fe y los pentecostales (que trabajaban más entre el proletariado), es semejante al debate que paralelamente se estaba llevando a cabo en la India, donde muchos misioneros se opusieron al trabajo entre las castas inferiores porque esto sería perjudicar el trabajo entre los brahmanes y las otras castas altas. Según el criterio de los proponentes del iglecrecimiento, el hecho de que las viejas iglesias protestantes optaron por dar prioridad a la evangelización de las élites, y dejar la evangelización del proletariado a los pentecostales y fundamentalistas, es una de las razones que explica el por qué hoy en día los pentecostales tienen ocho veces más miembros que las iglesias protestantes históricas o tradicionales.

El Congreso de Panamá habló positivamente de la necesidad de ayudar a las clases marginadas. Se planeó la iniciación de la mayor obra social para ayudar a los pobres campesinos y los miembros del proletariado. Pero la mentalidad de los miembros del congreso era de clase media, es decir, era una mentalidad paternalista que buscaba administrar programas de ayuda para los pobres, e imponer soluciones a los pobres, en vez de permitir que los mismos pobres participaran en la elaboración y administración de programas que surgieran desde abajo. Los sociólogos nos dicen que

---

9 Mackay, Juan, *El Otro Cristo Español* (México D.F., CUPSA, 1988), p. 276.

los programas de ayuda diseñados por la clase media para la clase baja siempre contienen, como meta "invisible", el deseo de convencer a los pobres de los valores e ideales de la clase media. Veremos en capítulos posteriores que los teólogos de la liberación enfatizan que los pobres tienen que ser autores y sujetos de su propia liberación, y no solamente recipientes pasivos de la ayuda y de programas que vienen desde "arriba."

Otra gran preocupación del Congreso de Panamá fue la necesidad de preparar mayor número de líderes nacionales, por medio de la fundación de seminarios capaces de dar un entrenamiento de calidad a los futuros pastores, maestros y administradores de las iglesias protestantes de América Latina. Bajo la influencia del Congreso de Panamá, los metodistas y presbiterianos colaboraron para establecer un seminario unido en Santiago de Chile y en Buenos Aires en el año 1917. Otros grupos colaboraron en la organización del Seminario Evangélico de Puerto Rico en 1919. Se fundó otro seminario unido en Lima en 1930 bajo los auspicios de la Alianza Cristiana y Misionera y la Iglesia Libre de Escocia (la denominación de Juan Mackay).

Sin duda, una de las metas del Congreso de Panamá fue dar legitimidad al movimiento protestante en América Latina, recordando que varias organizaciones eclesiásticas europeas habían puesto la empresa misionera latinoamericana en tela de juicio en la reunión misionera de Edimburgo. Se puede entender mejor el libro de Mackay, *El Otro Cristo Español*, al recordar que fue escrito precisamente para justificar la presencia de una iglesia protestante responsable, democrática y liberal, ante un catolicismo anti-democrático, atrasado y anti-liberal. A través de su libro, Mackay enuncia con claridad los fines que perseguía el Congreso de Panamá. Como tal, *El Otro Cristo Español* es un buen reflejo de la mentalidad del protestantismo histórico en la primera mitad del siglo XX, especialmente ante un catolicismo tradicional que todavía no había experimentado los vientos de reforma, renovación y liberación que comenzaron a soplar en la década de los años 60.

Otro enfoque principal del Congreso de Panamá fue la eliminación de la competencia entre diferentes grupos protestantes, y la promoción de un organismo permanente que pudiera ayudar a coordinar la obra protestante y promover la unidad. El congreso, por lo tanto, pidió al CCLA ayuda para establecer comités regionales y nacionales, a fin de promover la unidad y encargarse de la demarcación de territorios de misión. Se establecieron siete comités regionales en México, Perú, Cuba, Brasil, Chile, Puerto Rico, y la zona del Río de la Plata.[10] Así estos comités asignaron a algunas iglesias para trabajar en una región particular del país, y a otras en otra región, a fin de no tener a dos o tres misiones en competencia en la misma región geográfica. El Congreso de Panamá concluyó acordando celebrar otro congreso diez años más tarde. Sin embargo, en realidad dos congresos fueron celebrados: uno para los países del sur de América Latina, que se reunió en Montevideo en 1925, y otro para los países del Caribe y el Norte de América del Sur que se reunió en La Habana en 1929.

La primera Conferencia Evangélica Latinoamericana

CELA 1 - 1949, Buenos Aires

Los diferentes comités evangélicos de los distintos países y regiones de América Latina siguieron funcionando durante los años de la Segunda Guerra Mundial, época durante la cual eran muy riesgosos los viajes internacionales. Al finalizar la guerra se acordó convocar una reunión de los comités nacionales evangélicos de América Latina. 56 delegados de 15 países asistieron a la reunión de CELA en julio de 1949, bajo el liderazgo del obispo metodista argentino, Sante Uberto Barbieri. La reunión dio importancia al estudio de la realidad latinoamericana, a las causas del bajo nivel de vida, y a la miseria de las clases populares. Se mencionaron como pecados sociales el acaparamiento de las tierras, el poco espíritu de trabajo, y la falta de aplicación de los principios cristianos. Se recomendó incrementar la cooperación interdenominacional, la acción social, un programa de literatura, y programas radiofónicos para atacar a los problemas del continente.[11]

La segunda reunión de CELA - Lima 1961

Los herederos de CELA II

---

[10] Bastian, *Op. Cit.*, p. 161.

[11] El capítulo tres del libro de Samuel Escobar aclara más algunas de las corrientes teológicas que se movían detrás de esta reunión y de la segunda reunión de CELA, celebrada en Lima, Perú, en 1961. *La Fe Evangélica y las Teologías de Liberación* (El Paso, Texas, Casa Bautista de Publicaciones, 1987), pp. 47-66.

El protestantismo latinoamericano comenzó a dividirse en dos corrientes opuestas a partir de la segunda reunión de CELA. Una corriente era la del protestantismo ecuménico, más preocupada por los cambios sociales, la cual recibía apoyo de los teólogos del Concilio Mundial de Iglesias; la otra corriente, más conservadora y más dedicada a la evangelización, comenzó a buscar su propia consolidación y a organizarse. Esta segunda corriente recibía apoyo de las grandes misiones de fe como L.A.M. y de otras entidades como la organización Billy Graham. Lo que es notable de la segunda reunión de CELA es que se dio ímpetu a la formación de otras tres organizaciones que llegaron, posteriormente, a jugar un papel importante dentro del protestantismo latinoamericano, a saber: 1) Iglesia y Sociedad en América Latina 1961 (ISAL); 2) Comisión Evangélica de Educación Cristiana 1962 (CELEDEC); 3) Movimiento Pro-Unidad Evangélica en América Latina (UNELAM).

La primera de estas organizaciones, Iglesia y Sociedad en América Latina (ISAL), llegó a ser una de las fuentes de donde, un poco más tarde, salió la teología de la liberación. Los fundadores de ISAL fueron un grupo de pastores y misioneros que estuvieron bajo la influencia de la teología dialéctica europea (Barth, Brunner, Tillich). Este grupo buscaba soluciones a los problemas de la pobreza, marginación y opresión en América Latina. Con el apoyo del Consejo Mundial de Iglesias (CMI), una fuerte organización ecuménica, este grupo organizó el Movimiento Iglesia y Sociedad en América Latina. ISAL comenzó como un movimiento que trataba de entender la realidad social en la cual vivían las iglesias latinoamericanas. Se hicieron preguntas semejantes a la siguiente: ¿cuál es el papel de las iglesias cristianas en medio de la pobreza, la explotación y la injusticia social que tanto abundan en el mundo latino? Poco a poco ISAL comenzó a girar más y más hacia la izquierda, y a utilizar criterios marxistas en su análisis de los problemas continentales. Como resultado, ISAL llegó a ser un movimiento que intentó radicalizar a las iglesias, y llamarlas a tomar parte en las revoluciones que buscaban alterar radicalmente la economía y la política de los países latinoamericanos.

Puesto que el desarrollo de ISAL y su revista *Cristianismo y Sociedad* ha sido analizado en detalle en el libro de Escobar, no repetiremos aquí la información presentada por él. Basta decir que, después de radicalizarse más y más, y de trasladar sus oficinas a Chile durante el gobierno del presidente marxista Salvador Allende, ISAL se desintegró con la caída de Allende cuando sus oficinas fueron allanadas y sus líderes obligados a dispersarse y buscar refugio fuera de Chile. Sin embargo, todavía se publica la revista *Cristianismo y Sociedad*, la que continua siendo una de la publicaciones protestantes más importantes en América Latina. Se publica en México bajo la dirección del historiador suizo Jean-Pierre Bastian. La revista *Cristianismo y Sociedad*, teológicamente, representa a los grupos protestantes que están comprometidos con la teología de la liberación, y que se identifican con el Consejo Latinoamericano de Iglesias (CLAI).

CELEDEC comenzó como una organización para educadores cristianos en América Latina que buscaba la manera de publicar literatura y material educativo que fueran producidos por latinoamericanos, y que estuvieran contextualizados a las necesidades del continente. CELEDEC logró producir una excelente serie de estudios bíblicos (llamada *Nueva Vida en Cristo*) para el uso de congregaciones y escuelas dominicales, con el propósito de presentar las enseñanzas evangélicas en una forma amena y contextualizada. Con el tiempo CELEDEC, como ISAL, llegó a tomar una postura mucho más radical, comprometiéndose con la teología de la liberación, y con la tarea de concientizar a los cristianos para la lucha política y económica. Durante la década de 1980, CELEDEC colaboró con el gobierno sandinista en la alfabetización de los campesinos nicaragüenses. De acuerdo con sus nuevas prioridades, CELEDEC se reorganizó en su asamblea celebrada en Caracas en 1985.

UNELAM celebró asambleas en 1965, 1970, 1972 y 1978. Buscó la forma de fomentar la cooperación entre las iglesias protestantes en las siguientes áreas: 1) los problemas entre iglesias nacionales y sociedades misioneras, 2) los derechos de los indígenas, 3) la transformación social y económica. Pero, finalmente se decidió disolver UNELAM para crear un Consejo Latinoamericano de Iglesias (CLAI). CLAI vendría a ser una organización de unidad permanente entre las iglesias protestantes en América Latina. En 1982 delegados de 85 diferentes iglesias latinoamericanas celebraron en Haumpaní, Perú, la asamblea constitutiva de CLAI. Desde el día de su fundación como organización ecuménica, CLAI, que no llega a representar ni al 10 por ciento de los protestantes de América Latina, ha sido guiada por una teología liberal fuertemente influida por la teología de la liberación. Su órgano oficial de noticias es una publicación llamada *Rápidas*, un pequeño periódico que comparte información entre las iglesias que pertenecen al CLAI. La gran mayoría de las iglesias latinoamericanas evangélicas y conservadoras optó por no tomar parte en CLAI. Un grupo de líderes más conservadores, en oposición a CLAI, formaron en 1982 otra organización: la Confraternidad Evangélica Latinoamericana (CONELA).

Organizaciones de cooperación entre conservadores

El establecimiento de CONELA como organización protestante internacional en oposición a CLAI y otras organizaciones más liberales, no fue el primer intento del movimiento evangélico conservador y misionero en establecer nexos interdenominacionales. Después de la reunión de CELA II en 1962, muchos líderes conservadores, preocupados por el giro hacia la izquierda tomado por CELA, decidieron desligarse del movimiento ecuménico auspiciado por CELA y el Consejo Mundial de Iglesias. Kenneth Strachan y la Misión Latinoamericana comenzaron un movimiento nuevo conocido como la Misión Latinoamericana, y el movimiento Evangelismo a Fondo (EVAF), que tenía como propósito movilizar a todos los laicos y pastores evangélicos de cada país a fin de celebrar campañas intensivas de evangelización.

Durante la década de 1960 un buen número de estas campañas fueron organizadas a nivel nacional en Guatemala, Bolivia, República Dominicana, Nicaragua, Costa Rica, Honduras, Venezuela, Perú, Ecuador y Paraguay. Las campañas intentaron involucrar a los miembros de todas las iglesias, integrándolos en grupos pequeños de organización, visitas evangelísticas a cada hogar del país, desfiles y marchas en favor de la Biblia, campañas evangelísticas locales, regionales, y nacionales. Para la campaña nacional se alquilaba el estadio más grande del país, transportaban miles de creyentes de todos los estados y provincias a una gigantesca reunión a la cual participaban coros, solistas, y oradores de renombre internacional. La organización Evangelismo a Fondo logró promover mayor cooperación entre iglesias evangélicas conservadoras y fundamentalistas, pero no dio el resultado esperado en cuanto a un gran crecimiento en el número de los creyentes en las iglesias que participaron. Según C. Peter Wagner, quien hizo un análisis de Evangelismo a Fondo, se puso demasiado énfasis en la proclamación de la Palabra, y no suficiente énfasis en persuadir a los no-cristianos a convertirse en miembros responsables de iglesias locales. El movimiento falló, además, al dar prioridad a la gran reunión, y no a la congregación local de creyentes.

Un buen número de líderes evangélicos latinoamericanos fueron invitados a participar en el Primer Congreso Internacional de Evangelismo, celebrado en Berlín en 1966 bajo los auspicios de la Asociación Billy Graham. Una de las consecuencias del congreso de Berlín fue la decisión de celebrar una conferencia sobre la evangelización en América Latina con la participación de los líderes del protestantismo evangélico. Así se celebró el primer Congreso Latinoamericano de Evangelización (CLADE I) en Bogotá en 1969. Durante la reunión de CLADE I un grupo de pastores y líderes de la corriente conservadora-evangélica del protestantismo latinoamericano, organizó la Fraternidad Teológica Latinoamericana con el objetivo de ser una organización dedicada a la reflexión teológica basada en la Palabra de Dios y el contexto latinoamericano. La Fraternidad Teológica Latinoamericana publica una revista llamada *Boletín Teológico*, que es una buena fuente de información y análisis teológico en el contexto hispano.[12] Otra revista, más popular, que enfoca temas de teología y misión en Hispanoamérica desde un punto de vista evangélico pero no fundamentalista es la revista *Misión*.[13]

En 1974 un buen número de delegados latinoamericanos tuvieron la oportunidad de participar en el Congreso Mundial de Evangelismo en Lausana, Suiza. Los promotores de CONELA son personas que han participado en el Movimiento de Lausana y se identifican con sus fines. Es decir, CONELA es la versión latinoamericana del Movimiento de Lausana.

La organización ecuménica más reciente entre los protestantes conservadores se llama Cooperación de Misiones Iberoamericanas (COMIBAM), creada en 1984. Tiene como su meta promover las misiones entre las iglesias evangélicas en América Latina. Uno de los factores más significativos en el desarrollo del protestantismo de los últimos años es el creciente número de asociaciones misioneras latinoamericanas que están enviando misioneros, no solamente a otros países latinos, sino también a África, Asia, Norteamérica y Europa. COMIBAM está trabajando para concientizar a las iglesias evangélicas de América Latina para la tarea misionera mundial, y a la vez está reclutando latinoamericanos para servir como misioneros transnacionales y trans-culturales. Ya existen en San José, Costa Rica, y Lima, Perú instituciones para el entrenamiento de misioneros evangélicos latinoamericanos.

---

12 Por suscripciones dirigirse a: Fraternidad Teológica Latinoamericana, Plutarco Elías Calles 1962, Colonia Prado Ermita, Delegación Ixtapalapa 09480, México, D.F.

13 Por suscripciones dirigirse a: Misión: Revista Internacional, Orientación Cristiana, José Mármol 1734, 1602 Florida, Buenos Aires, Argentina.

11

El pentecostalismo en América Latina

La tercera "ola" o corriente del protestantismo latinoamericano es el movimiento que se conoce como pentecostalismo. En gran parte de los países iberoamericanos, la mayoría de los cristianos protestantes pertenecen al movimiento pentecostal. En varios de estos países hay más personas que asisten regularmente a cultos pentecostales que a misas de la Iglesia Católica Romana. Muchas prácticas, y algo de la teología del pentecostalismo, han penetrado en las iglesias protestantes históricas, y aún en la Iglesia Católica Romana a través del así llamado "movimiento carismático." Es casi imposible trabajar en América Latina hoy sin tener contacto con el movimiento pentecostal.

Existen dos peligros en cualquier intento de analizar al pentecostalismo y al movimiento carismático. El primer peligro es que, sin hacer un estudio concienzudo, se llegue a la conclusión de que cualquier movimiento que haya crecido tanto como ha crecido el pentecostalismo, debe llevar el sello de la completa aprobación de Dios, y por lo tanto, debe merecer nuestra emulación. Pero el crecimiento en sí, no es necesariamente una señal de la bendición divina. El pentecostalismo no es el único movimiento que ha logrado un gran crecimiento numérico: los mormones, los umbandistas, y la secta Bahai también están creciendo asombrosamente en América Latina. Debemos recordar que la cizaña que sembró el enemigo en la parábola de Mateo capítulo 13 también creció en gran manera. Al mencionar esto, no se trata de identificar a los pentecostales con la cizaña, sino solamente subrayar que no todo crecimiento es completamente sano. Todo crecimiento sano en el cuerpo de Cristo es un crecimiento que busca la gloria de Dios y la realización de su reino. Cualquier crecimiento que llega a ser un fin en sí mismo tiene por nombre cáncer.

El segundo peligro al analizar el pentecostalismo y su crecimiento, es condenar al pentecostalismo como herejía, y concluir que no hay nada bueno que pueda enseñar. Dios tiene muchas cosas que puede enseñar mediante el pentecostalismo, así como también hay muchas cosas que Dios quiere enseñar al pentecostalismo por medio de las iglesias históricas como la iglesia católica, luterana, presbiteriana, y otras. Puesto que el enfoque de esta obra está, tanto en la teología como en la misiología, se pretende analizar al pentecostalismo, no solamente como una denominación con cierta orientación doctrinal, sino también como un movimiento misionero con su propia teología de misiones.

Pentecostés y misiones

Es significativo que el movimiento pentecostal moderno comenzó como un movimiento misionero. El derramamiento de dones espirituales que afirman haber recibido los primeros integrantes del movimiento pentecostal fue entendido, antes que nada, como una capacitación para el servicio misionero. Acompañado por la firme convicción de que se aproximaba el fin del mundo, "el bautismo en el Espíritu Santo" fue entendido como un estímulo para ayudar a los cristianos renacidos a salvar a tantas almas como fuera posible, antes de que fuera demasiado tarde. Varios teólogos pentecostales llegaron a creer que, en la historia de la salvación, Dios había programado dos grandes derramamientos del Espíritu Santo, uno al principio del Nuevo Testamento, y el otro poco antes del fin del mundo. Estos dos derramamientos del Espíritu deben corresponder a las lluvias primaverales y otoñales de la tierra de Palestina, la lluvia temprana y la lluvia tardía. Los pentecostales basan esta enseñanza en Oseas 6.1-3 y en Joel 2.23-32. Recordamos que Joel, capítulo 2, contiene una profecía del derramamiento del Espíritu Santo sobre toda carne. San Pedro citó la profecía de Joel en su predicación el día de Pentecostés, declarando que, en los acontecimientos del día de Pentecostés, Dios estaba cumpliendo aquella profecía. En algunos versículos antes de la profecía del derramamiento del Espíritu Santo, Joel también escribió:

"Vosotros también, hijos de Sión, alegraos y gozaos en Jehová vuestro Dios; porque os ha dado la primera lluvia a su tiempo, y hará descender sobre vosotros lluvia temprana y tardía como al principio." Jl 2.23

Según los teólogos pentecostales, la lluvia temprana en Joel 2.23 es el primer derramamiento del Espíritu en Hechos capítulo 2. La lluvia tardía en Joel 2.23 se refiere a otro derramamiento del Espíritu al final de los tiempos. El derramamiento de los dones espirituales experimentado por el movimiento pentecostal, que comenzó con el avivamiento de la calle Azusa en Los Angeles, ha sido interpretado por los pentecostales como ese último gran derramamiento del Espíritu Santo antes del fin del mundo. El hecho de que las iglesias pentecostales y carismáticas estén experimentado un avivamiento acompañado de glosolalia, sanidades, profecías, visiones y exorcismos, constituye, para los pentecostales, una señal de que estamos en vísperas de la segunda venida de Cristo. Valga decir que los no-pentecostales creen que Joel 2.23 es una profecía que tenía que ver con el fin de la sequía que estaba azotando a Judea después de la plaga de las langostas mencionadas en Joel capítulo 1, y que no tiene ninguna relación con la profecía del derramamiento del Espíritu Santo.

Como hemos visto en el caso de los misioneros franciscanos y en los escritos de Zinzendorf y Justianus von Weltz, el fuego misionero con frecuencia está relacionado con un fuerte deseo de compartir la Palabra porque el fin está cercano. Hay que recordar que el mismo Martín Lutero daba poca importancia al establecimiento de un gobierno eclesiástico para las iglesias luteranas en Alemania porque creyó que el mundo muy pronto llegaría a su fin, haciendo así innecesaria una preocupación por los asuntos de administración.

Los historiadores atribuyen el surgimiento del movimiento pentecostal moderno a un avivamiento que tuvo lugar en la Calle Azuza de la ciudad de Los Angeles, California en el año 1906. Un grupo de hermanos de color estaban reunidos en oración bajo la dirección del pastor W.J. Seymour, pidiendo un avivamiento del Espíritu Santo. El pastor Seymour había llevado a Los Angeles la enseñanza pentecostal que había aprendido en un instituto bíblico de Topeka, Kansas, donde Charles Parham y sus estudiantes habían comenzado a estudiar las Escrituras, buscando iluminación sobre lo que enseñan las Escrituras acerca del Espíritu Santo y su dones.

Parham y sus estudiantes llegaron a la conclusión de que tales dones del Espíritu como la glosolalia, la profecía y las sanidades no se acabaron con la muerte de los apóstoles, sino que son para todos los cristianos de todos los tiempos. Por la historia de las religiones sabemos que ha habido brotes y experiencias de glosolalia, profecías y sanidades en diferentes épocas y en diferentes países. Entre algunos ejemplos podemos mencionar a los montanistas, los cuáqueros, los primeros metodistas, los primeros mormones, y aún mahometanos, hindúes y otras religiones tribales pre-colombinas. Mientras que oraban, Seymour y sus seguidores comenzaron a hablar en lenguas desconocidas, a gritar, cantar y caer bajo la influencia de una fuerte experiencia espiritual. El incidente fue divulgado por los periódicos de la ciudad, y una gran cantidad de personas acudió al avivamiento donde muchos también se contagiaron. Lo que pasó en la calle Azusa de Los Angeles es para los pentecostales similar a la "Experiencia de Aldersgate" en el movimiento metodista, o como la publicación de las 95 tesis para el luteranismo. Es decir, es la chispa que provocó un magno acontecimiento dentro de la historia del cristianismo.

Convencidos que con este derramamiento del Espíritu Santo, Dios les había dado una señal del pronto retorno de Cristo y de la necesidad de proclamar la palabra de salvación a todo el mundo antes de que llegara el fin, los que habían experimentado el fuego pentecostal se sintieron llamados a compartir su experiencia del Espíritu con otros creyentes, no solamente en los Estados Unidos, sino en todo el mundo. Una misión había comenzado.

Los primeros misioneros pentecostales no eran personas que hubieran estudiado en un seminario o escuela de misiones, para ser enviados después por una organización misionera a abrir un nuevo campo misionero. Los primeros misioneros eran individuos que por medio de visiones, sueños, o profecías, se sintieron llamados directamente por Dios a ir a cierta parte del mundo a anunciar el mensaje de salvación en Jesucristo. Algunos de los primeros misioneros pentecostales relatan haber visto en un sueño el mapa de un país desconocido. Al despertar y buscar el mapa en un atlas, se dieron cuenta del lugar al cual el Espíritu les estaba llamando. Un misionero carismático luterano relató una vez que Dios le había hablado por medio de una visión para buscar la salvación de los indígenas de Venezuela. Desde que tuvo aquella visión, el misionero buscó cumplir con el llamamiento que le había dado el Espíritu. Anunció a los miembros de su congregación en los Estados Unidos que Dios le había llamado, a través de una visión, a ser misionero. Consiguió fondos de los miembros de su congregación y zarpó para Venezuela para cumplir con su llamamiento. Otros misioneros pentecostales relatan haber recibido el don de hablar en un idioma desconocido. Al enterarse que tal idioma era un dialecto del hindú, se dieron cuenta de que Dios les estaba llamando a ser misioneros en la India.

La iglesia Las Asambleas de Dios en Brasil, la denominación protestante más grande en América Latina, comenzó cuando dos hermanos pentecostales suecos se sintieron llamados directamente por el Espíritu para ir a Brasil a predicar el evangelio. En 1910 llegaron a la ciudad de Belén por la boca del gran río Amazonas donde establecieron la iglesia madre de Las Asambleas de Dios en el Brasil. Rápidamente misioneros de la iglesia en Belén llevaron el mensaje a otras ciudades por la costa y la iglesia pentecostal llegó a extenderse. Con el tiempo sobrepasó a las otras denominaciones, tanto en congregaciones como en miembros.

Es interesante comparar la estrategia misionera de los primeros pentecostales con la de los presbiterianos, pues nos muestra la importancia de conocer algo de los movimientos migratorios de la gente cuando elaboraron sus estrategias misioneras. Mientras que los misioneros presbiterianos buscaron penetrar en el interior del Brasil para establecer congregaciones en los lugares más apartados, los pentecostales dieron prioridad a las grandes ciudades de la costa. De esta manera tocaron a muchos de entre los millones de campesinos que estaban en el proceso de migrar del interior a las ciudades de la costa. Durante la evangelización en la frontera de los Estados Unidos de América, los presbiterianos se quedaron en las ciudades del este, mientras que millones de personas migraron hacia el oeste. Al permanecer en el este y no evangelizar a las personas que se dirigieron hacia la frontera, los presbiterianos se estancaron, mientras que los metodistas y bautistas se convirtieron en las dos grandes iglesias protestantes en los Estados Unidos por su labor evangelística en la frontera. No queriendo repetir la equivocación que hicieron en los Estados Unidos, los presbiterianos en Brasil dieron prioridad a la evangelización de la frontera. Sin embargo, en Brasil el patrón de migración no era de la costa hacia el interior, sino del interior hacia la costa.

Otra gran iglesia pentecostal en Brasil comenzó cuando un ítaloamericano, llamado Luis Francescon, recibió una experiencia pentecostal en la ciudad de Chicago, sintiéndose llamado a compartir su experiencia con los colonos italianos residentes en Brasil. Con un compañero, Francescon salió para América del Sur en 1909, donde llegó a fundar la Congregação Cristã, que es, hoy en día, una de las denominaciones protestantes más grandes en Brasil.

Los italianos entre los cuales predicaba Francescon, a diferencia de los italianos en Argentina, no habían logrado encontrar un hogar espiritual en la Iglesia Católica Romana en Brasil. Los italianos se quejaban de que la iglesia brasileña era decadente, y se oponía a los intentos de los inmigrantes italianos de efectuar algunas reformas. Un principio sociológico emerge cuando potenciales reformadores se sienten frustrados en su intento de reformar una institución estancada. El principio sociológico afirma que los individuos maniatados buscarán utilizar sus capacidades y energías en otras instituciones o movimientos. Si una iglesia (sea católica, reformada, pentecostal o luterana) niega a sus miembros la oportunidad de efectuar una renovación o avivamiento, los miembros buscarán la renovación deseada fuera de la organización eclesiástica. Un aspecto interesante de la Congregação Cristã es el hecho de que no tiene ministros profesionales. Todos los miembros tienen el derecho y la obligación de dirigir cultos, predicar y efectuar la obra misionera. Los mensajes con frecuencia carecen de buen contenido doctrinal, y de un bosquejo elaborado según las normas de la homilética, pero todos los miembros de la congregación se sienten importantes y no marginados, como suele suceder en muchas otras denominaciones. El movimiento, por lo tanto, sin seminarios, sin escuelas bíblicas, y sin una junta de misiones, continúa creciendo y expandiéndose.

Una de las características del pentecostalismo de la primera década de este siglo, es que fue un movimientos sin grandes líderes. Los luteranos suelen hablar de Martín Lutero como el fundador humano del movimiento luterano, mientras que los metodistas apuntan a Juan Wesley y los reformados a Juan Calvino. Pero no hay un líder dinámico, una estrella de primera magnitud, a quien se señale como el fundador del pentecostalismo moderno. Existe en cambio, una larga lista de figuras menores que ayudaron, de una u otra manera, al desarrollo del movimiento pentecostal. Muchos autores pentecostales, por lo tanto, han afirmado que el Espíritu Santo, actuando en muchos individuos anónimos, es el verdadero fundador de la iglesia pentecostal.

Durante los primeros años del movimiento pentecostal, la mayoría de las congregaciones que habían experimentado el avivamiento pentecostal, permanecieron independientes las unas de las otras. Fue la necesidad de coordinar la obra misionera que estaban efectuando, lo que llevó a estas congregaciones independientes a reunirse y organizarse como Las Asambleas de Dios. Algunos misioneros pentecostales, con más entusiasmo que ciencia, habían salido al exterior casi sin fondos, sin preparación y sin conceptos adecuados para trabajar como comunicadores transculturales del Evangelio. En algunas ocasiones estos misioneros se quedaron varados, enfermos, sin dinero, y sin los recursos para volver a sus países. Algunos de estos misioneros realmente no tenían el don de ser comunicadores transculturales del Evangelio, y por lo tanto, constituyeron un problema para el naciente movimiento pentecostal. Con el establecimiento de Las Asambleas de Dios se pudieron establecer algunas normas y principios para el envío de misioneros pentecostales, y evitar así que saliesen al extranjero personas no aptas para el trabajo misionero. Así las primeras denominaciones pentecostales llegaron a organizarse como medios para ayudar a los hermanos en cumplir con la gran comisión.

Al enfatizar la conexión entre el pentecostalismo y las misiones, los escritores pentecostales modernos han declarado que Dios ha derramado su bendición sobre el movimiento pentecostal porque los pentecostales siempre han dado prioridad a dos cosas: 1) Al cumplimiento con el mandato misionero en Mateo 28.18-20; 2) A un ministerio dirigido especialmente a los más pobres de la tierra. Un autor pentecostal ha afirmado que en el momento que los pentecostales se olviden de dar prioridad a las misiones y a los pobres, comenzarán a estancarse como las iglesias tradicionales, y perderán la bendición del Señor. El Señor tendrá que levantar entonces a otra iglesia como instrumento para efectuar su voluntad.

Aunque en el firmamento del pentecostalismo no encontremos líderes que puedan ser clasificados como estrellas de primera magnitud como Lutero, Calvino o Wesley, hay bastantes estrellas de segunda o tercera magnitud. Una de ellas es el Dr. Willis Hoover, quien ha sido señalado como la persona clave en el establecimiento del gran movimiento pentecostal en la República de Chile. Revisaremos brevemente la historia del Dr. Hoover y del nacimiento de la Iglesia Metodista Pentecostal, la denominación protestante más grande y más dinámica en la República de Chile.

Los comienzos del protestantismo en Chile

En los capítulos anteriores mencionamos la llegada a Chile de los primeros pioneros protestantes, entre ellos Diego Thompson de las Sociedades Bíblicas, el capitán Allan Gardiner y la Misión Anglicana a los indios de la Patagonia. Después llegó el norteamericano David Trumbull para iniciar una obra entre los marineros extranjeros en la ciudad de Valparaíso. Trumbull se hizo famoso por sus debates con monseñor Casanova sobre el culto a San Isidro. Por medio de los esfuerzos de Trumbull, quien obtuvo la ciudadanía chilena, las primeras congregaciones protestantes se establecieron en Valparaíso. El gobierno chileno llegó entonces a permitir la entrada de sociedades misioneras protestantes. Los metodistas llegaron a Chile en 1877 para establecer una serie de escuelas que querían utilizar como bases de evangelización de la sociedad en general. Los obispos católicos denunciaron a las escuelas protestantes como el caballo de Troya por medio de las cuales entraban al país misioneros disfrazados de educadores.[1] A pesar de sus escuelas, las iglesias protestantes crecieron muy poco. Según los observadores, las formas que utilizaron los protestantes para comunicar su mensaje y para expresar su fe no cuadraron con la religiosidad de las masas. Es decir, a los chilenos, la adoración y el mensaje de los protestantes les pareció demasiado intelectual e individualista.

Los primeros misioneros metodistas que llegaron a Chile eran en su mayoría miembros de las clases sociales más bajas, y mostraban una tendencia hacia los avivamientos y expresiones más populares del cristianismo. La segunda generación de misioneros provino de la clase media, y despreciaban las tendencias entusiastas de misioneros como el Dr. Willis Hoover. El Dr. Hoover, quien llegó a ser el director de la misión metodista en Chile en 1902, era una persona muy preocupada por la vida espiritual de su congregación. Deseaba para sus miembros, y para sí mismo, una renovación espiritual. Hoover se enteró del avivamiento pentecostal en otras partes del mundo por medio de correspondencia. Juntamente con los miembros de su congregación, Hoover comenzó a pasar largas horas en vigilia y oración, buscando una repetición del milagro del día de Pentecostés en la Iglesia Metodista de Chile. Comenzaron a hacerse públicos eventos muy raros que estaban sucediendo en la congregación metodista de Valparaíso. Se hablaba de personas riéndose, llorando, gritando, cantando y hablando en idiomas extranjeros. Habían visiones, revelaciones personales, sueños y éxtasis. A partir de 1909, los miembros de la congregación empezaron a salir a las plazas públicas a dar testimonio de su fe y a gritar aleluya. La prensa chilena comenzó a denunciar a los protestantes por lo que estaba pasando, llamando a lo sucedido la obra de un loco.

Las autoridades civiles comenzaron a preocuparse por los hechos escandalosos que se venían realizando entre los protestantes. Además, los líderes de la Iglesia Metodista en Chile, comenzaron a preocuparse por el buen nombre de su organización. Se quejaron de las gesticulaciones grotescas y del fanatismo de los que habían sido "tocados por el fuego." Pero a pesar de las críticas, el movimiento comenzó a crecer. El editor del periódico de la Iglesia Metodista en Chile rehusó publicar artículos escritos por el Dr. Hoover. En septiembre de 1909, una joven mujer chilena de origen inglés, llamada Nellie Laidlaw, se convirtió al pentecostalismo.

---

[1] Lalive d'Epinay, *Op. Cit.*, p. 6.

Nellie, quien también llegó a ser conocida como la hermana Elena, después de ser "bautizada en el Espíritu", fue a Santiago a profetizar y a predicar en las iglesias metodistas de la capital. Los pastores metodistas de Santiago, en desacuerdo con la hermana Elena, llamaron a la policía con el fin de detener a la intrusa. La hermana Elena fue sacada del templo y arrestada. Al reaccionar contra la mano dura de las autoridades eclesiásticas, los laicos de la iglesia metodista se rebelaron contra sus pastores y dieron su apoyo a Elena celebrando cultos, al estilo pentecostal, en casas privadas. Así el movimiento pentecostal siguió creciendo.

En su conferencia anual en Valparaíso en 1910, los líderes de la Iglesia Metodista acusaron al Dr. Hoover de enseñar doctrinas contrarias a la Iglesia Metodista. Se decidió enviar al Dr. Hoover de regreso a los Estados Unidos. Al conocer esta decisión los metodistas que estaban a favor de Hoover se desligaron de la Iglesia Metodista Episcopal y fundaron una nueva denominación: la Iglesia Metodista Pentecostal. Los dirigentes de la nueva iglesia le pidieron al Dr. Hoover permanecer en Chile para convertirse en el superintendente del nuevo movimiento. Hoover aceptó la invitación. El nuevo grupo, que había cortado su relación con la misión metodista, llegó a ser la primera iglesia protestante autóctona en América Latina, es decir, la primera iglesia evangélica en declarar su independencia de las sociedades misioneras de los Estados Unidos y Europa. En su forma de gobierno eclesiástico, la nueva Iglesia Metodista Pentecostal preservó la tradición metodista reteniendo la forma episcopal de gobierno eclesiástico. También continuó la tradición de bautizar a los infantes como en la Iglesia Metodista. Todavía hoy, a diferencia a la mayoría de las iglesias pentecostales en otras partes de América Latina, los pentecostales chilenos siguen bautizando a los niños.

A través de los años han ocurrido muchas divisiones en la Iglesia Metodista Pentecostal de Chile. Las divisiones, en lugar de frenar el crecimiento del movimiento pentecostal, solamente sirvieron para aumentar el número de pentecostales, pues los nuevos grupos que llegaron a formarse después de las divisiones han mostrado una tasa de crecimiento aún más alta que la que tenía el grupo original previo a la división. Muchas de las primeras divisiones giraron alrededor del liderazgo. Los primeros líderes en la Iglesia Metodista Pentecostal de Chile fueron pastores que se habían preparado en la Iglesia Metodista, y que gozaban de una preparación académica y de la ordenación. Pronto surgieron nuevos líderes que nunca habían realizados estudios teológicos, pero que afirmaban haber sido llamados y preparados directamente por Dios el Espíritu Santo. En algunos casos los nuevos líderes, al querer independizarse de la dirección de los antiguos líderes, establecieron nuevas denominaciones independientes.

No debe extrañarnos que el movimiento pentecostal saliera de la Iglesia Metodista de Chile y de otras partes. Teólogos y fenomenólogos de la religión han señalado al metodismo como el semillero en el cual se desarrollaron muchas de las ideas distintivas del pentecostalismo. Recordamos que fue Juan Wesley, el fundador del metodismo, quien enfatizó la idea o doctrina de la "segunda bendición." Según Wesley, cuando el pecador cree en Jesucristo como su Salvador del pecado, recibe instantáneamente, por gracia divina, el don de la justificación. Esta justificación es la "primera bendición." Pero, según Wesley, el creyente no debe contentarse con la primera bendición de justificación, sino que debe orar, ayunar y luchar para recibir la "segunda bendición", la santificación. La santificación, para muchos de los primeros metodistas, no fue entendida como algo que se logra poco a poco por medio de la oración, la disciplina cristiana, los sacramentos y el uso de la Palabra de Dios, sino como un don divino derramado sobre el creyente que le da, instantáneamente, una voluntad santificada y el poder de vivir una vida santa. Algunos grupos de pentecostales llegaron a creer y a decir que "el bautismo del Espíritu Santo" debe identificarse con la "segunda bendición de la santificación" de la cual hablaba Wesley a sus seguidores. Otros pentecostales llegaron a hablar de tres bendiciones: 1) la justificación; 2) la santificación, y 3) el bautismo en el Espíritu Santo.

Se debe subrayar que la teología luterana no está de acuerdo en identificar la glosolalia o el éxtasis con el bautismo en el Espíritu Santo. Puesto que nadie puede llamar a Jesús Señor, sino por el Espíritu Santo (I Corintios 12.3), cualquier persona que haya llegado a confesar a Cristo con la boca y creer en él con el corazón (Romanos 10.9) ha sido bautizado por el Espíritu. El verdadero bautismo en el Espíritu Santo ocurre cuando el Espíritu Santo deshace la dureza de nuestros corazones y obra en nosotros el milagro de la fe salvadora, así como lo hizo con las 3000 personas que se arrepintieron al escuchar la predicación de San Pedro en Hechos capítulo 2. Según Romanos 12 y I Corintios 12-14, la glosolalia es uno de los dones que puede recibir un cristiano como consecuencia de haber recibido el nuevo nacimiento que es el bautismo en el Espíritu Santo. Pero según la enseñanza paulina, el Espíritu Santo reparte sus dones como quiere. Puesto que Dios no reparte los mismos dones a todos los cristianos, sería un error insistir que todos los cristianos deben poseer los mismos dones. No es la voluntad de Dios que todos los cristianos tengan el don de glosolalia, así como tampoco es su voluntad que todos tengan el don del celibato. En la Iglesia Romana se ha hecho mucho daño a las almas al insistir que todos los sacerdotes deben vivir célibes sin tener el don. De igual manera, se ha hecho mucho daño a las almas en insistir que todos los verdaderos cristianos deben poseer el don de lenguas cuando no ha sido la voluntad de Dios de dar dicho don a todos sus hijos.

La preparación ministerial y la educación teológica

Al discutir los factores que han ayudado a producir el crecimiento de las misiones de fe y de las iglesias pentecostales en el capítulo anterior, no entramos en un análisis de la preparación ministerial, ni la relación que existe entre el crecimiento de la iglesia y la educación teológica. Los que han estudiado este asunto más detenidamente han llegado a postular varias tesis sumamente interesantes. Una tesis afirma que la iglesia que opera un solo sistema para la preparación de líderes es una iglesia que está perjudicando su propia misión y su viabilidad como movimiento misionero. Es decir, en muchas iglesias históricas la única manera de preparar líderes es por medio de un seminario tradicional de residencia. El modelo de un seminario de residencia es un modelo importado desde Europa y los Estados Unidos que ha funcionado bien en iglesias donde la gran mayoría de los miembros pertenecen a la clase alta o a la clase media. El modelo de seminario por residencia ha sido el modelo favorecido por las iglesias protestantes históricas, mientras que las misiones de fe han dado preferencia al modelo del instituto bíblico. La diferencia entre un seminario y un instituto bíblico es que un seminario tiene requisitos académicos de admisión más altos que un instituto bíblico. En los Estados Unidos se requiere que los estudiantes regulares hayan terminado cuatro años de estudios universitarios antes de ingresar en el seminario. La mayoría de los miembros del personal docente de un seminario deben poseer un título académico como Doctor en Filosofía o Doctor en Teología. Además, en los seminarios los estudiantes deben tomar considerable número de cursos en filosofía y ciencias sociales. Los institutos bíblicos ofrecen principalmente cursos sobre la Biblia y su aplicación a la vida de los creyentes. Hay pocos cursos sobre filosofía o ciencias sociales. Los requisitos académicos de admisión no son tan altos, y la mayoría de los profesores no ostentan títulos académicos.

A pesar de su prestigio académico, los seminarios generalmente son instituciones muy costosas, especialmente en el tercer mundo, donde la mayoría de las personas, entre ellos los cristianos, provienen de las clases bajas. Muchas iglesias del tercer mundo carecen de los recursos para preparar a todos sus líderes siguiendo el modelo de un seminario de residencia. Se ha observado que en muchas oportunidades el establecimiento de un seminario ha sido el factor clave en el estancamiento de una iglesia creciente en el tercer mundo, pues el mantenimiento del seminario le quita a la iglesia nacional la mayor parte de sus recursos económicos y humanos. A la vez, se ha observado que las iglesias que proveen a sus miembros de varios modelos de preparación ministerial han sido más dinámicas y han registrado tasas de crecimiento más altas. Por lo tanto, es muy instructivo analizar los sistemas de preparación ministerial que han desarrollado las iglesias pentecostales autóctonas.

La premisa principal que ha estado en operación en iglesias como Las Asambleas de Dios en Brasil, o la Iglesia Metodista Pentecostal en Chile es que los requisitos para el ministerio son espirituales antes que académicos. La persona que muestra capacidad como líder espiritual es seleccionada para el ministerio. "Por tanto, cualquier miembro de la iglesia es un ministro en potencia."[2] El sistema pentecostal es uno que produce pastores de entre los laicos. Al escribir sobre Las Asambleas de Dios en Brasil, Lalive d'Epinay ha descrito la forma en que opera el sistema pentecostal para la preparación ministerial. El sistema tiene su fundamento en el concepto de aprendices.

Según el sistema pentecostal de aprendizaje, el nuevo miembro, inmediatamente después de su bautismo recibe la oportunidad de testificar públicamente sobre su fe. La persona que desarrolla la habilidad para expresarse, que disfruta del respeto de los demás miembros, y que demuestra su valor en cualquier prueba a que se le someta, alcanza el puesto de un laico ayudante reconocido en la congregación. Por medio del positivo cumplimiento de crecientes responsabilidades, el laico puede llegar al punto en que está listo para asumir la dirección de un campo de predicación bajo la tutela de otro laico. En cada etapa, él es responsable ante los líderes de la iglesia.

Si la persona comprueba su habilidad, se le pide que comience una nueva congregación. Todavía no tiene ningún interés económico en el trabajo que está desempeñando en la iglesia. Aún los gastos de transporte

---

2 Read, William, Victor Monterroso, Harmon Johnson, *Latin American Church Growth* (Grand Rapids, William B. Eerdmanns Publishing Company, 1969), p. 295.

y equipo están bajo su propia responsabilidad. Si puede establecer una congregación, ha demostrado su capacidad para ser ministro. Sólo después de haber establecido una nueva iglesia se le aceptará como ministro, pero aún no será ordenado. La iglesia, entonces, lo envía a un nuevo campo donde debe probar sus dones ministeriales nuevamente. Finalmente será ordenado al ministerio. De este modo, todos los ministros son iniciadores de iglesias. El ser un fundador de iglesias incluye el ser un exitoso pastor de ovejas.[3]

El proceso para convertirse en pastor no es rápido. Cada etapa de desarrollo usualmente lleva varios años. Para el tiempo en que el hombre es reconocido como pastor con todos los derechos, es un líder maduro y experimentado. A los novicios se les concede el tipo de oportunidad que les hace sentir que pertenecen al grupo, pero no se les concede autoridad sobre la obra.

Los pastores que surgen gracias al sistema de aprendices son hombres del pueblo. No están separados de la gente, a quienes ministran, por ninguna distancia social ni barreras culturales. Además, como nunca han vivido aislados de la gente, tiene menos posibilidades de probar lo imposible, de continuar haciendo lo que no tiene importancia, o de dar énfasis a lo que no tiene pertinencia. Su sistema produce pastores que son la expresión genuina de la congregación, pues no difieren de ella ni social ni culturalmente.

Según el sistema pentecostal de aprendices, en lugar de enviar a un joven a que compita con los líderes de una generación más vieja, el sistema lo envía como precursor en un nuevo territorio o campo blanco donde se le utiliza en un papel adecuado a su edad y temperamento. Como evangelista o misionero puede expresar su rebelión juvenil y entusiasmo al atacar el statu quo. Como precursor en nuevas regiones puede expresarse en una manera creativa. Pero cuando llega al punto en su ministerio, en que es una parte de la estructura dominante, ya no es tan joven como al principio. La experiencia ha ampliado su criterio, lo ha hecho tener más en cuenta a otros y lo ha equipado para cumplir la función pastoral.

Los propios pentecostales reconocen que el sistema necesita ser complementado con otros modelos de preparación ministerial. Por lo tanto, muchos grupos ahora están comenzando a fundar institutos bíblicos y

---

[3] *Ibíd.*, p. 310.

enviando a sus más destacados líderes a los seminarios de iglesias protestantes históricas. Comentando sobre esto, Read declara: "Esperamos que ninguno de los dos grupos (Las Asambleas de Dios del Brasil y la Iglesia Metodista Pentecostal de Chile) pierda de vista los valores positivos de sus sistemas actuales. Existe un peligro muy real en que los institutos bíblicos que actualmente están funcionando en Brasil adopten la mentalidad de la clase profesional, que ha impedido la efectividad de las iglesias tradicionales."[4]

Se ha observado que se requieren tres condiciones para que el sistema de aprendices usado por los pentecostales sea efectivo. Estas tres condiciones son: 1) Los voluntarios deben tener algo que comunicar aparte del conocimiento intelectual. 2) El sistema de aprendices es posible sólo donde cada iglesia está subdividida en células, de modo que el aprendiz adquiera la experiencia en un grupo pequeño antes de dirigir a toda una congregación. 3) El obrero sin experiencia debe recibir autoridad de acuerdo con su responsabilidad. Según este sistema, los líderes surgen de entre los convertidos por medio de un adiestramiento a nivel de la congregación local. Allí son probados y se desarrollan sus dones pastorales y espirituales. El llamamiento al ministerio es verificado por el éxito en la comunicación de la fe y en la multiplicación de iglesias. Finalmente, los ministros son aprobados o reprobados por los miembros de la iglesia.

El sistema pentecostal de aprendizaje sirve para incluir a todos los miembros de la congregación en los diversos aspectos del trabajo conforme a un sistema de testimonio y evangelismo. Por medio de cultos al aire libre en las esquinas de las calles y en lugares públicos, cultos en hogares y una miríada de campos de predicación y congregaciones, los pentecostales se aproximan a un nivel casi total de participación laica.

En el aspecto administrativo los pentecostales adoptan y adaptan libremente sistemas de gobierno eclesiástico, prácticas y procedimientos en la vida de la iglesia, que reflejen su origen cultural y su herencia. En este sentido, son más autóctonas que las iglesias protestantes históricas. Las estructuras son modificadas para que encajen con patrones latinoamericanos. Sea que se gobiernen por un sistema oficialmente congregacional, presbiteriano o episcopal, la estructura parece siempre evolucionar hacia un patrón de fuerte dirección personal, que, por cierto, es el patrón que más ha prendido en América Latina. El dominio autoritario es todavía aceptable

---

[4] *Ibid.*, p. 310.

para la mayoría de los latinoamericanos. Los pentecostales tratan de gobernar y apoyar a sus miembros, líderes y programas por medio de una estructura eclesiástica ligera y flexible que se encarga de la disciplina, delega autoridad en cuestiones de fe y práctica, y fija la responsabilidad espiritual para la supervisión pastoral de todas las actividades de la iglesia. Este sistema de organización está al nivel económico de la gente y exhibe su eficacia funcional al enlistar el apoyo leal de todos los miembros por medio de un sistema obligatorio de diezmos y ofrendas.[5]

El camino hacia el pastorado en la Iglesia Pentecostal Unida de Colombia, una de las denominaciones más grandes en ese país, también da prioridad al sistema de aprendizaje. Hay cuatro pasos en el sistema de esta iglesia, a saber: 1) Aceptar la doctrina de la iglesia y ser bautizado en el nombre de Jesús, pero además ser "bautizado en el Espíritu Santo." 2) Comprobar al pastor de la iglesia y a los ancianos que ha sido llamado al ministerio. El llamamiento al ministerio puede ocurrir por medio de un sueño, una visión o el cumplimiento de una promesa. Una vez que se comprueba el llamamiento, el candidato tiene que servir como un asistente fiel al pastor por más que un año. Después de cumplir con este paso, el asistente recibe una licencia local autorizándole a ejercer el ministerio bajo supervisión local. Para evitar divisiones, los pastores asistentes son cambiados con frecuencia. 3) Después de cumplir tres años como ministro local predicando cada domingo, el candidato es examinado por un comité y al ser aprobado por los miembros del comité, recibe su licencia nacional. 4) Después de servir activamente por tres años como pastor o evangelista con la licencia nacional, el candidato es examinado otra vez por la junta nacional. Si es aprobado, entonces recibe la ordenación.

Hasta ahora los méritos del individuo en el ejercicio de sus dones espirituales han sido un factor mucho más importante, en el movimiento pentecostal en general, que los estudios académicos logrados por el mismo. Los apologistas pentecostales con frecuencia afirman que las otras iglesias protestantes dan su respaldo a la doctrina del sacerdocio real de todos los creyentes en teoría, pero que son los pentecostales quienes ponen la doctrina en práctica. Cornelia Butler Flora, en su estudio del pentecostalismo en Colombia, afirma que los pobres, los analfabetos, y las mujeres, son liberados de su complejo de inferioridad por la manera en que se les permite participar en la adoración y en el trabajo de la iglesia, pues la doctrina del

---

[5] *Ibid.*, p. 297.

sacerdocio real de todos los creyentes les da, no solamente la oportunidad, sino también la responsabilidad de evangelizar. En la Iglesia Católica Romana de Colombia, el 5 por ciento de los hombres y el 3 por ciento de las mujeres tienen un oficio dentro de la estructura de la iglesia. En la Iglesia Pentecostal Unida, 38 por ciento de los hombres y 31 por ciento de las mujeres tienen un oficio dentro de la iglesia.

Aunque las diferentes iglesias pentecostales difieren en cuanto al papel de la mujer en el ministerio total de la iglesia, todos concuerdan que el movimiento pentecostal ofrece a las mujeres de América Latina más oportunidades en el ministerio que la Iglesia Romana y la mayoría de las otras iglesias protestantes.

En Colombia hay dos veces más monjas que sacerdotes en la Iglesia Romana. Pero las monjas colombianas no son empleadas en el trabajo creativo o en la obra misionera, sino que, son marginadas dentro de las estructuras de poder de la Iglesia Romana de Colombia. En cambio, dentro de la Iglesia Pentecostal Unida de Colombia las mujeres han logrado ser incorporadas a la jerarquía menor de la denominación. Existen muchas organizaciones especiales para mujeres que ofrecen a sus integrantes mucha libertad de acción y muchas oportunidades de utilizar su dones espirituales. En la iglesia pentecostal las mujeres encuentran a la mayoría de sus amigas, y a otras personas a quienes pueden recurrir con sus problemas. En momentos de crisis las mujeres católicas recurren a sus parientes, pero las mujeres pentecostales a los hermanos de la familia de la fe. En una sociedad machista como la colombiana, la mujer pentecostal tiene en su iglesia un lugar donde puede relacionarse socialmente en un ambiente de aceptación y aprecio. Cuando la mujer pentecostal comienza a hablar en lenguas, al igual que un hombre, se siente afirmada en su persona, debido a que el Espíritu Santo no la ha discriminado por ser mujer, sino que le ha dado el mismo poder que le ha dado al hombre.[6] Así, es el mismo Espíritu Santo quien afirma la igualdad espiritual de la mujer y el hombre. Sin duda, la importancia que el pentecostalismo ha dado a la mujer, es uno de los factores sociológicos que nos ayudan a entender su enorme crecimiento en el contexto latinoamericano. En el catolicismo la mujer solamente puede aspirar a ser una monja, pero en el pentecostalismo una mujer puede aspirar a posiciones de liderazgo como evangelista, sanadora y pastora. Un factor

---

[6] Flora, Cornelia Butler, *Pentecostalism in Colombia* (Cranbury, New Jersey, Associated University Presses Inc., 1979), p. 197.

en el crecimiento del pentecostalismo es la importancia que ha dado a la mujer. El pentecostalismo entró en México por medio de una mujer que estableció docenas de iglesias en Sonora.[7]

El pentecostalismo y la contextualización

En nuestro estudio del pentecostalismo en América Latina vale la pena mencionar la tesis de varios investigadores que afirman que una de las razones por las cuales el pentecostalismo ha tenido más éxito en América Latina (especialmente en zonas rurales) que el protestantismo histórico, es el hecho de que la cosmovisión del pentecostalismo es mucho más parecida a la cosmovisión mágica de la religiosidad popular que en las otras formas del protestantismo. El antropólogo Elmer S. Miller, quien hizo un estudio de los indios Tobas en Argentina, llegó a la conclusión de que "aquellos indígenas han aceptado el pentecostalismo como una cosmovisión que renueva sus prácticas religiosas y proporciona una nueva comprensión armónica de su mundo constantemente amenazado por la penetración económica, cultural e ideológica de la ciudad. Frente a la impotencia de los curanderos o chamanes católicos para dar una respuesta coherente a los problemas vividos por los Tobas, éstos han encontrado en el pentecostalismo una religión eficaz para reestructurar su mundo."[8] En otras palabras, para personas que siempre han creído en la existencia y en el poder de hechiceros, brujos, espíritus malos, demonios, exorcismos, posesiones, trances, y visiones, las enseñanzas pentecostales no parecen ser extrañas, sino que ofrecen una explicación de la realidad que concuerda con la cosmovisión de la religiosidad popular.

En nuestro estudio de la religiosidad popular en capítulos anteriores, señalamos la manera en que difieren las expresiones religiosas del pueblo con las del catolicismo oficial y de las iglesias protestantes históricas. En muchas maneras los pentecostales han logrado incorporar dentro de su sistema elementos de la religiosidad popular que han sido rechazados, descuidados u olvidados por las otras denominaciones cristianas, incluyendo a los católicos. Por ejemplo, notamos la gran popularidad de las fiestas en América Latina, no solamente como una

---

7 Martin, *Op. Cit.*, p. 166.

8 Bastian, *Op. Cit.*, p. 236.

diversión, sino como un escape emocional de las presiones y tensiones inherentes en una sociedad machista. No debemos sorprendernos cuando los sociólogos nos dicen que el culto pentecostal no es otra cosa que una fiesta latinoamericana que ha sido incorporada dentro del sistema religioso del pentecostalismo. El éxtasis, los fuertes gritos, la participación de todos en el culto, la glosolalia, la música y los instrumentos tradicionales, y la eliminación de distinciones sociales son elementos típicos de la fiesta. El ser humano, quien dentro de lo convencional de su vida social se siente restringido, encerrado en sí mismo, y atrapado detrás de las máscaras que le impone el laberinto de la soledad, se siente liberado al participar en el entusiasmo y el caos del mitin pentecostal, donde se disuelven las barreras sociales y las formas asfixiantes que oprimen al individuo.

Al igual que la religiosidad popular, el pentecostalismo es un movimiento preocupado por la vida, que busca conseguir bendiciones concretas en la vida diaria. Los estudios muestran que la mayoría de las personas convertidas al pentecostalismo en Colombia fueron al templo por primera vez en búsqueda de sanidad. El énfasis dado al trance y a la posesión del Espíritu es algo que se asemeja más a las tradiciones pre-colombinas que a la práctica de la Iglesia Católica Romana, o las iglesias protestantes históricas. El sistema de padrinos y madrinas, tan predominante en la religiosidad popular, ha sido transformado por el pentecostalismo en un nuevo sistema de compadrazgo, donde el creyente puede considerar a todos los miembros de la congregación como "hermanos y hermanas." El pentecostalismo también ha incorporado dentro de su praxis el caudillismo, las relaciones patronales y patriarcales, la solidaridad de clase, y la participación laical, que caracteriza a la religiosidad popular. David Martin ha llegado a la conclusión de que lo que le faltó a las iglesias evangélicas tradicionales fue su capacidad o voluntad de "hacerse indígena". Esto es lo que ha logrado el pentecostalismo (para bien o para mal). Éste es otro de los factores sociales que ayuda a explicar el éxito que han tenido.[9] Bastian es de la misma opinión:

> Las iglesias pentecostales latinoamericanas empezaron a crecer con gran rapidez durante este período (a partir de 1950). Si el movimiento "evangélico" se caracterizaba por su norteamericanización, el pentecostalismo, al contrario, se expandió como un movimiento de avivamiento puramente latinoamericano. Con su exuberancia,

---

[9] Martin, *Op. Cit.*, p. 282.

> su llamado a la espontaneidad del Espíritu y a la glosolalia, el canto alegre, los gritos sagrados, las oraciones unidas, el culto pentecostal era una expresión auténtica de la religiosidad popular de las masas del continente. Todo pentecostal era un misionero potencial llamado a "predicar al aire libre, a la esquina de una calle." Ahí se podía verificar si había sido "llamado al ministerio." Pues el pastor lograba su función no en base a una formación bíblica o académica, sino más bien en su capacidad de comunicar la fe y multiplicar iglesias. El crecimiento de dichas iglesias estuvo entonces ligado a la fuerte personalidad de dirigentes que reproducían, como muestra Lalive, el "modelo de la Hacienda." El pastor es el patrón, el lugarteniente de Dios, pero discontinuando también con el modelo de la Hacienda, "cualquiera puede ser pastor si tiene el don." Esta evangelización alcanzaría sectores marginados del continente también con grandes campañas cuyo eje era la "sanidad" y "santificación divinas." . . . . el pentecostalismo es una ruptura con "los cultos en los cuales el pueblo no participa" . . . Uno de los secretos del pentecostalismo es la participación del pueblo.[10]

Los pentecostales y la política

David Martin después de un análisis de muchas evidencias recogidas a través de toda América Latina llegó a la conclusión de que los protestantes en general, y los pentecostales en particular, tienden a ser apolíticos, no tanto porque están comprometidos con el capitalismo o con los sistemas de opresión, sino porque sospechan tanto de la maquinaria como de los procesos de la política. En ciertas ocasiones, como en Chile, los pentecostales han apoyado el estado de seguridad nacional a cambio de un reconocimiento oficial. Pero en el mismo país otros grupos pentecostales dieron su apoyo a los objetivos políticos del ex-presidente marxista Salvador Allende. La iglesia "Brasil para Cristo", un gran movimiento pentecostal con base en Sao Paulo, ha atacado públicamente la política conservadora del gobierno brasileño.

Descartando las posiciones más extremas se puede decir que los protestantes en general, y los pentecostales en particular, han interpretado muy literalmente las palabras de la exhortación de San Pablo en Romanos

---

10 Bastian, *Op. Cit.*, p. 205.

13 en cuanto a someterse a las autoridades superiores. En general, se puede decir que los pentecostales se han sometido a las autoridades superiores no solamente en el Chile pinochetista, sino también en Cuba y en la Nicaragua sandinista. En numerosas ocasiones, iglesias evangélicas de América Latina han apoyado a candidatos de la izquierda porque estos candidatos han prometido limitar el poder y la influencia de la Iglesia Católica Romana. En las elecciones de 1968 muchos evangélicos en Venezuela apoyaron la candidatura del ateo y marxista Luis Prieto Figueroa, porque había prometido anular el Concordato que existe entre el Vaticano y el estado venezolano. Hablando en términos muy generales, David Martin observa que casi todos los grupos protestantes en América Latina se caracterizan por su anhelo de un sistema político más democrático e igualitario. En cambio, la mayoría de los latinoamericanos todavía considera a la Iglesia Católica Romana como una institución demasiado autoritaria, jerárquica y hegemónica.

El protestantismo con su énfasis en la justificación por la fe, acción moral individual, reforma del individuo, y la necesidad de tomar decisiones personales, ha tenido un concepto más individualista del individuo y de la sociedad. Este individualismo del protestantismo ha sido un elemento que ha jugado un papel importante en la democratización de la sociedad, pero a la vez, ha perjudicado al protestantismo en su entendimiento de la sociedad como una comunidad integrada. Tal vez una de las funciones más importantes que han tenido, no solamente los pentecostales, sino todas las iglesias protestantes en América Latina, es la de servir como modelos alternos de la sociedad o como anticipaciones del futuro. La existencia de modelos que contrastan con el modelo oficial son en sí mismo una forma de protesta en contra el sistema vigente. En otras palabras, el pentecostalismo funciona sociológicamente como una contra-cultura.

Martin observa que el pentecostalismo, al funcionar como contra-cultura en América Latina, juega un papel semejante al desempeñado por el metodismo en el siglo XVIII en Inglaterra. Historiadores y sociólogos han señalado que el metodismo en Inglaterra no fue solamente un movimiento religioso que rompió con la Iglesia Anglicana, es decir, con la iglesia estatal oficial, sino que representaba también una revolución social de las clases bajas en contra de la aristocracia y de las clases altas que controlaban la Iglesia Anglicana, y que no permitieron que los miembros de las clases populares tuvieran voz en el gobierno de la iglesia, o en la determinación de las formas litúrgicas empleadas en los cultos. El metodismo funcionó como una contra-cultura en las islas británicas. Pudo sobrevivir y crecer como un movimiento vital porque mantenía una organización autoritaria pero con un estilo netamente participativo. Fue una de las movilizaciones de masas más exitosas en la historia del mundo. En el metodismo, los miembros de las clases marginadas aprendieron las técnicas de organización, la responsabilidad popular, y a hablar en público. También aprendieron a ayudarse mutuamente al organizar escuelas dominicales, bibliotecas comunales, sociedades corales, etc. Crecieron más en sociedades más igualitarias, como las de Escocia y Gales. De sus filas salieron los grandes líderes políticos y sindicales en Gran Bretaña, quienes hablaban con un estilo de oratoria muy similar al que era empleado en las capillas metodistas. Los metodistas ayudaron a promover las tradiciones culturales, y aún la lengua indígena de Gales. Es decir, los metodistas ayudaron a rescatar las tradiciones culturales de las minorías que estaban en peligro de ser asimiladas por la cultura de la mayoría dominante. Las minorías étnicas de Gran Bretaña vieron en el metodismo un vehículo por medio del cual podían revitalizarse. Ciertos sociólogos creen que el pentecostalismo está comenzando a funcionar de una manera similar en la América Latina entre grupos minoritarios cuyas culturas se ven amenazadas por la cultura mayoritaria. Este sería el caso de los mayas en Yucatán (México) y en Guatemala.

La contra-cultura evangélica de Gales, Escocia y Ulster tuvo un papel grande en la formación de la cultura evangélica de los Estados Unidos, de tal manera que culturalmente hay más semejanza entre la cultura de los Estados Unidos y la cultura de Gales y Escocia que las semejanzas existentes entre Estados Unidos e Inglaterra. Los metodistas y los bautistas crecieron y llegaron a ser las iglesias más grandes de los Estados Unidos porque con sus métodos para la preparación de líderes no crearon una separación entre las masas y los líderes, ni tuvieron una educación teológica para un ministerio futuro sino para los que ya estaban en el ministerio. Lo mismo pasa con los pentecostales en América Latina hoy en día. El metodismo, como el pentecostalismo, ayudó a fomentar entre sus seguidores una auto-disciplina que sería importante, no solamente en la esfera religiosa, sino también en las esferas de la economía y la política.

El pentecostalismo y la teología de liberación

El catolicismo tradicional en América Latina ha lamentado y denunciado la proliferación de "las sectas pentecostales" entre los miembros de la clase obrera, los pobres, y entre grupos indígenas. El crecimiento de la "tercera ola" del protestantismo ha sido caracterizado como una gran amenaza para la iglesia de Roma que pretende ser la iglesia del pueblo. Al principio los teólogos identificados con el movimiento conocido como "la teología de la liberación" también lanzaron duras críticas a los pentecostales, calificándolos como el ala espiritual de la penetración capitalista norteamericana en América Latina. La teología de la liberación está preocupada por la transformación política, económica y espiritual de la sociedad, y no solamente del individuo. Por lo tanto, los teólogos de la liberación criticaron la tendencia de los pentecostales por ocuparse tanto en "las cosas espirituales" y de retirarse de "las cosas de este mundo." Se acusaba a los pentecostales de apoyar a los gobiernos anti-democráticos y a los dictadores militares, porque al no asumir una postura de protesta activa en contra de las fuerzas deshumanizantes, los pentecostales (y otros protestantes) estaban, en efecto, dando su apoyo a los sistemas de opresión. Al dedicarse tanto a salvar las almas para el futuro reino de Cristo, los pentecostales estaban haciendo muy poco por la realización del Reino de Dios en el mundo presente. El hecho de que algunos líderes de la Iglesia Metodista Pentecostal en Chile dieron su apoyo al gobierno del General Augusto Pinochet fue visto por muchos liberacionistas como una infamia similar a la traición de Judas Iscariote.

Recientemente los teólogos de la liberación han hecho una revaluación del movimiento pentecostal que es más perspicaz y sofisticada. José Comblin, uno de los teólogos de la liberación de más jerarquía, asevera que el movimiento carismático es una de las señales de nuestro tiempo que comprueba que Dios no se ha distanciado de la historia, sino que está activo en el mundo, y especialmente entre los pobres. Comblin, reconoce que la actividad carismática puede estimular una huida de las tareas temporales y los problemas sociales, pero afirma que los movimientos carismáticos, y la experiencia del Espíritu, llevan a los pentecostales a ser más dinámicos en su ejercicio de la vida cristiana, y en obras de amor a favor del prójimo.[11]

---

[11] Comblin, José, *The Holy Spirit and Liberation* (Maryknoll, New York, Orbis Books, 1989), p. 8.

Las iglesias pentecostales que funcionan en el nivel popular han sido denigradas, en una reacción que refleja más los prejuicios de clase que una evaluación de carácter religioso. Sin embargo, podemos encontrar en las experiencias pentecostales elementos de gran valor espiritual. Las iglesias pentecostales son iglesias populares, y por lo tanto no deben ser menospreciadas. Han sido acusadas de estar enajenadas, apartadas del mundo, y de ser demasiado conservadoras. Pero una evaluación más simpatizadora nos mostraría que estas acusaciones son exageradas, y aún sin base. Lo que ha pasado en América Latina es que las iglesias pentecostales que muestran todas las características de una cultura de los pobres, son juzgadas imprudentemente desde el punto de vista de las personas que comparten la cultura occidental moderna de las clases dominantes.[12]

A su manera el pentecostalismo ofrece a los pobres y oprimidos del tercer mundo mecanismos para ayudarles a contender con las fuerzas deshumanizantes. En muchas partes de América Latina, donde las estructuras tradicionales están en proceso de desintegración, el pentecostalismo ofrece una vida estructurada, a veces jerárquica, pero necesaria. Al igual que muchas religiones indígenas, los pentecostales han enfatizado los trances, el hablar en lenguas, y la posesión espiritual. Los sicólogos aseveran que cuando los individuos sufren bajo grandes presiones sociales y económicas, las danzas en el espíritu les ofrecen la oportunidad de descargar las tensiones que sienten. Allí donde las tensiones son más intensas (Colombia, África del Sur), también se intensifican las danzas en el espíritu.[13]

Después de su análisis del pentecostalismo, Bastian llega a la siguiente conclusión: "Como toda religión subalterna, estos protestantismos son una fuerza con una comprensión fragmentada de la realidad social. Su función social se formaliza en prácticas sociales de conformismo pasivo ante la sociedad dominante, a través de la huelga social de protesta milenarista."[14] En otras palabras, el pentecostalismo cumple con una importante labor social cuando le ofrece al oprimido un mecanismo para expresar su solidaridad y su valor como ser humano. Sin embargo, el pentecostalismo, por su falta de realidad política y su forma de pensamiento

---

12 *Ibid.*, pp. 8-9.

13 Martin, *Op. Cit.*, p. 175.

14 Bastian, *Op. Cit.*, p. 238.

mágico, es incapaz de efectuar la clase de transformación social y política que las teologías de la liberación ven como parte de la misión de la iglesia en el mundo.

12

La teología de la liberación

En diciembre de 1990 el sacerdote salesiano Jean-Bertrand Arístide fue electo como nuevo presidente de la empobrecida República de Haití con una mayoría abrumadora de más del 70 por ciento del voto popular. Después de años de mal gobierno, corrupción y opresión de parte de la familia Duvalier y los Tontons Macoutes, el pueblo haitiano escogió, en forma democrática, a un líder que se identifica con la así llamada teología de la liberación. La elección del padre Arístide ha causado gran consternación entre la jerarquía de la Iglesia Católica de Haití, la cual lo ha calificado como un sacerdote izquierdista y marxista. Por su identificación con la teología de la liberación, la iglesia oficial ha negado al padre Arístide el derecho de celebrar la Eucaristía y de hablar en público en nombre de la iglesia. Sin embargo, el pueblo haitiano ha respaldado al padre Arístide en su carrera política a pesar de las críticas de sus detractores. Cuando varios ex-oficiales del gobierno de los Duvalier intentaron impedir la inauguración de Arístide como presidente, el pueblo reaccionó con violentas protestas callejeras, incendiando el palacio del arzobispo y la antigua catedral de Puerto Príncipe. ¿Por qué ha provocado la elección de Arístide una reacción tan fuerte entre sus seguidores y entre los opositores dentro de la propia Iglesia Católica Romana? ¿En qué consiste la teología de la liberación? Es bien sabido que la teología de la liberación ha causado debates, contiendas y divisiones, no solamente entre los miembros de la Iglesia Romana, sino también entre los feligreses de otras denominaciones cristianas, incluyendo la Iglesia Luterana. El debate en torno a la teología de la liberación exige un estudio cuidadoso y una evaluación justa basada en las Escrituras, las Confesiones Luteranas, y en la realidad latinoamericana. Por lo tanto, en la parte final de este libro se dedicará nuestra atención a la teología de la liberación.

Las fuentes de la teología de la liberación

Todos reconocen que la teología de la liberación tuvo sus inicios en la década de 1960 cuando surgieron muchos movimientos de protesta alrededor del mundo. A través de los años, todos estos movimientos han menguado o se han desintegrado, con la excepción de la teología de la liberación. No hay un acuerdo, sin embargo, en cuanto al momento preciso en que nació la teología de la liberación. Algunos opinan que el movimiento tuvo su génesis con el establecimiento de la primera comunidad eclesial de base en Brasil en 1956. Otros opinan que el movimiento tuvo su origen cuando el Segundo Concilio Vaticano desafió a la Iglesia Católica latinoamericana a salir de su aislamiento a fin de dirigirse a los graves problemas sociales que amenazaban con desarraigar la cultura hispana de los países del hemisferio. Otros piensan que la teología de la liberación nació con la publicación, en Noviembre de 1962, del ensayo *El Futuro de la Cristiandad en América Latina* escrito por el teólogo uruguayo Juan Luis Segundo. Un buen número de observadores católicos afirman que el hecho que marcó el nacimiento del movimiento de la teología de la liberación fue una charla dada por Gustavo Gutiérrez a un grupo de teólogos reunidos en Chimbote, Perú, en 1968. El título de la charla fue: *Hacia una Teología de la Liberación*. Los observadores protestantes, en cambio, son de la opinión que la teología de la liberación tuvo sus inicios en las reuniones de ISAL (Iglesia y Sociedad en América Latina). Otros consideran que Bartolomé de las Casas fue el primer teólogo de la liberación. Es nuestra opinión que todos los hechos y escritos que hemos mencionado aquí han sido las fuentes cuyas aguas se han juntado para formar el río que, hoy en día, es la teología de la liberación.

No hay acuerdo en cuanto al momento preciso en que nació la teología de la liberación; en cambio, existe un consenso en cuanto a la situación social, económica y política que ha ayudado a forjar el movimiento. Según Mortimer Arias, obispo de la Iglesia Metodista de Bolivia, lo que ha provocado el movimiento que conocemos como la teología de la liberación, es el clamor del pueblo oprimido de Dios que alza su plegaria a Dios y pide liberación de sus opresores. Según Arias, el Dios que oyó el clamor del pueblo oprimido de Israel en Egipto unos 1500 años antes de Cristo, ha oído el clamor del pueblo de Dios en América Latina, pueblo que ha sido oprimido y crucificado por gobiernos corruptos, terratenientes implacables, capitalistas voraces, compañías transnacionales, y por el estado de seguridad nacional. El contexto de la América Latina donde surge la teología de la liberación es, en términos generales, el siguiente: cinco por ciento de la población es dueña del 80 por ciento del capital, y dos terceras partes de la tierra laborable está en manos de los ricos y de las compañías transnacionales.

Un autor ha subrayado que la contradicción que existe entre los ricos y los pobres constituye la base fundamental para la teología de la liberación. Es decir, la gran mayoría de los latinoamericanos viven en un estado de opresión y dependencia injusta que constituye un terrible pecado en contra de la humanidad. Los pobres de América Latina, como los israelitas en Egipto, están en dura servidumbre, y en su estado de opresión levantan su clamor a Dios. Al escuchar este clamor, el cristiano puede declararse en solidaridad con los pobres y unirse a ellos en su lucha por una vida digna, o puede desentenderse del clamor de los pobres, y declararse en solidaridad con el faraón y sus capataces. Para los teólogos de la liberación, la opresión de los pobres por los ricos es la clave hermenéutica que ayuda, no sólo a entender las Escrituras, sino también la existencia humana y la actividad de Dios en el mundo.

El mundo llegó a saber de la existencia de la teología de la liberación a partir de la Segunda Conferencia Episcopal Latinoamericana (CELAM) celebrada en Medellín, Colombia, en 1968, durante la cual los teólogos de la liberación y sus simpatizantes lograron dominar las sesiones y escribir los documentos conciliares.

El programa de la teología de la liberación provocó una fuerte reacción entre los teólogos tradicionales de la iglesia porque, en lugar de hablar sobre las leyes canónicas, los sacramentos y la oración, los teólogos nuevos proclamaban proyectos anti-espirituales como la creación de una nueva sociedad revolucionaria sin clases, el ejercicio del poder de parte de las clases populares, la socialización de los medios de producción, la identificación de la iglesia con el proletariado, y el uso de las congregaciones locales como bases para intensificar la lucha de clases y para desestabilizar las estructuras eclesiásticas tradicionales. Tales declaraciones fueron muy provocantes, y produjeron reacciones fuertes de parte de las autoridades eclesiásticas y civiles.

El líder de los teólogos de la liberación durante los años formativos fue el sacerdote peruano Gustavo Gutiérrez. El papel que ha tenido Gutiérrez en el desarrollo de la teología de la liberación, y el rol profético que ha desempeñado dentro del movimiento, merecen que dediquemos parte de este capítulo para conocerlo mejor.

Gustavo Gutiérrez, un profeta de la liberación

De raza amerindia, Gutiérrez nació en un barrio pobre de la ciudad de Lima en 1928. Como joven universitario Gutiérrez se inscribió en la Escuela de Medicina de la Universidad de San Marcos con el fin de graduarse como siquiatra. Más tarde se sintió llamado al sacerdocio y comenzó a estudiar teología. Sus estudios teológicos lo llevaron a Europa para estudiar en la Universidad de Lovaina en Bélgica. Allí uno de sus compañeros de estudio fue el sacerdote colombiano Camilo Torres, quien más tarde logró cierta fama en la historia de su país cuando se convirtió en el famoso sacerdote-guerrillero que murió en un enfrentamiento armado contra el ejército colombiano. En Lovaina, Gutiérrez estudió sociología religiosa bajo el padre Emile Houtart. En Lyon (Francia), Gutiérrez estudió la relación entre el cristianismo y el marxismo bajo el padre Henri de Lubac, S.J. Después de estudios adicionales en Roma, Gutiérrez regresó al Perú para enseñar en el Departamento de Teología y Ciencias Sociales en la Universidad Católica Pontifical de Lima.

Al ver de nuevo la terrible pobreza y opresión en las que viven las masas de las barriadas de Lima y de otras partes de su país, Gutiérrez comenzó a cuestionar la pertinencia del catolicismo burgués para América Latina. Tal había sido el menú principal de la enseñanza impartida en las facultades de teología latinoamericanas. La realidad latinoamericana llevó a Gutiérrez, y a otros clérigos con inquietudes, a buscar la manera de transformar al catolicismo para que se dirija a los ardientes problemas sociales, económicos y políticos de la región. En 1964, Gutiérrez estuvo presente en una reunión de teólogos en Petrópolis, Brasil, donde se comenzaron a discutir asuntos relacionados con la liberación. Gutiérrez convocó otra reunión en Lima para 1968 durante la cual el movimiento llegó a tomar conciencia de sí mismo. Ese mismo año se celebró CELAM II en Medellín, Colombia. Entre los años 1968 y 1970 Gutiérrez escribió la primera edición de su libro *Una Teología de Liberación* que llegó a ser la Biblia del movimiento. Desde la publicación de su libro Gutiérrez ha seguido escribiendo, enseñando y dictando conferencias. Durante todo este tiempo Gutiérrez ha vivido y trabajado entre los pobres de la barriada de Rimac, una de las muchas barriadas de deshumanizante pobreza en la ciudad de Lima. De su identificación total con los pobres, con sus luchas a favor de los marginados, Gutiérrez ha desarrollado una gran parte de su teología. Una tesis fundamental para Gutiérrez y la teología de la liberación es que la verdadera interpretación bíblica tiene que surgir de la praxis, es decir, desde una vida comprometida con la liberación de los pobres. Según los teólogos de la liberación, la Biblia fue escrita en el contexto de una lucha para liberar a un pueblo oprimido. Es solamente cuando el intérprete se compromete con los pobres en una lucha semejante, que puede comprender el mensaje de Jesús y los profetas.

Las tres dimensiones de liberación en la teología de Gutiérrez

Muchos de los críticos de la teología de la liberación han atacado al movimiento alegando que es solamente un movimiento político de izquierda que busca apoderarse del poder al igual que los restantes partidos políticos. Según Gutiérrez, tal aseveración no corresponde a la realidad, puesto que la teología de la liberación busca, no solamente una transformación política, sino una liberación multidimensional. Gutiérrez prefiere hablar de tres diferentes niveles de liberación que corresponden a tres diferentes niveles de la realidad.[1]

El primer nivel de liberación mencionado por Gutiérrez es la liberación de los pobres de las situaciones de opresión y marginación. Tal liberación se logra, no a través de una lucha de parte de los cristianos y sus aliados a favor de los oprimidos, sino por medio de una concientización de los pobres a fin de que los marginados se conviertan en agentes activos de su propia liberación. Para lograr este fin, los pobres tienen que darse cuenta que Dios está de su lado y que es su voluntad que sean llamados y alentados a realizar su propia liberación. Es la opinión de Gutiérrez que los pobres tienen una capacidad divina para vivir como seres libres, pero esta capacidad ha sido corroída por una teología de fatalismo y desesperación, teología que ha sido propagada por las élites dominantes. Estas élites han deseado que los pobres aceptaran su pobreza como la voluntad de Dios para ellos. Según Gutiérrez, las élites dominantes han enseñado que la pobreza de los oprimidos se debe a los pecados, a la pereza de los mismos pobres, y al establecimiento de las diferentes clases sociales por el Creador. (Dios ha determinado que algunos sean ricos y otros pobres, por lo tanto uno debe aceptar su posición en la sociedad sin quejas, porque esto sería cuestionar la sabiduría del omnipotente Dios). La teología de la liberación, en cambio, afirma que la razón principal de la marginación y la opresión de los pobres es la avaricia, la injusticia, y la teología equivocada de los ricos. Para

---

[1] Gutiérrez, Gustavo, *A Theology of Liberation: History Politics and Salvation* (Maryknoll, New York, Orbis Books, 1988), pp. 13-34

ayudar a concientizar a los pobres en cuanto a las verdaderas razones de su opresión, la teología de la liberación ha levantado una denuncia profética en contra de las estructuras que han funcionado para producir y preservar la marginación y la opresión de los pobres. El propósito de esta actividad profética es ayudar a los pobres a llegar a la concientización de que no son simplemente individuos oprimidos, sino una clase social capaz de organizarse y emprender la lucha para su propia liberación, así como sucedió con los israelitas en la tierra de Egipto. La teología de la liberación busca que la capacidad revolucionaria de las masas sea organizada y cultivada con el fin de construir una nueva sociedad justa e igualitaria.[2]

El segundo nivel de liberación en la taxonomía de Gutiérrez es la liberación personal, o la transformación que ocurre cuando los pobres se dan cuenta de que no están solos en su sufrimiento porque el Dios cristiano es un dios que ha demostrado su amor preferencial hacia los pobres y oprimidos. Cuando los pobres se dan cuenta de la presencia de Dios entre ellos en sus luchas, llegan a experimentar libertad interna en medio de los conflictos, y esperanza en la realización del Reino de Dios. Al entender que Dios está totalmente comprometido con la liberación de toda la humanidad, los pobres se liberan de su fatalismo y se capacitan para ser los agentes de su propia liberación.

Para algunos teólogos de la liberación, como el brasileño Hugo Assmann y el argentino Severino Croatto, el libro del Éxodo sirve como el paradigma supremo de la acción libertadora de Dios. En otras palabras, el Éxodo sirve como un modelo para la liberación de los oprimidos en nuestros días. Otros teólogos, como el brasileño Leonardo Boff y el vasco Jon Sobrino, prefieren usar la praxis libertadora del Jesús histórico como el modelo supremo de liberación. Según Gutiérrez, la praxis libertadora tiene un enfoque doble: el éxodo y la encarnación.

En el esquema de Gutiérrez, la liberación del pecado es lo que constituye el tercer nivel de liberación. Durante años los teólogos han estado en desacuerdo sobre la relación que existe entre el pecado y las estructuras pecaminosas. Algunos teólogos afirman que las estructuras injustas producen personas pecaminosas, mientras que otros aseveran que personas pecaminosas producen estructuras injustas. Los opositores a la teología de la liberación han mantenido que es inútil intentar una transfor-

---

2 Gutiérrez, Gustavo, *We Drink from Our Own Wells* (Maryknoll, New York, Orbis Books, 1984), p. 97.

mación de las estructuras pecaminosas sin primero cambiar el corazón humano. Respondiendo a esta crítica, Gutiérrez afirma que una de las maneras de cambiar el corazón humano es cambiar las estructuras sociales y culturales.[3] En la mayoría de sus escritos Gutiérrez prefiere hablar de una dependencia mutua que existe entre el corazón humano y el medio ambiente social, cada uno ayuda a alimentar al otro. Los corazones y las estructuras necesitan ser transformados al mismo tiempo.

Utopía como denuncia y como esperanza

Ya se ha dicho que el primer nivel de liberación mencionado por Gutiérrez es la liberación de los pobres de las situaciones de opresión y marginación. Para lograr esta liberación es necesario que la iglesia denuncie activamente las situaciones y las estructuras de opresión que existen en el mundo y especialmente en América Latina. Esta denuncia no consiste solamente en organizar marchas de protesta y lanzar ataques verbales en contra de las injusticias que existen en los países latinoamericanos, consiste también en la creación de utopías. Para muchas personas, la palabra utopía connota algo irreal e inalcanzable, algo distante, tanto en tiempo como en espacio. También para muchos, la palabra utopía provoca visiones de un estado inalcanzable que existe solamente en los sueños y visiones o en un futuro escatológico muy distante. Pero cuando los teólogos de la liberación hablan de la necesidad de construir utopías no están pensando en confeccionar un opio para las masas a fin de endulzar la vida amarga de los oprimidos. Para Gustavo Gutiérrez las utopías no son mecanismos de escape sino denuncias proféticas del orden social y político, son como llamados para construir un nuevo orden social y político radicalmente diferente a las estructuras presentes.

Las utopías funcionan en la sociedad para producir descontento y disgusto entre las estructuras políticas y sociales actuales. Sirven para crear un hambre para la transformación del statu quo, al comparar la situación actual de injusticia y opresión, con la visión de una nueva sociedad igualitaria y justa, que es proclamada como la voluntad de Dios para el mundo. Según Gutiérrez, la confección de utopías actúa como una denuncia profética de la injusticia. Las utopías que pintan los teólogos de la liberación en sus escritos y en sus sermones son juicios contra las

---

3 *Ibíd.*, p. 47.

estructuras, leyes, y políticas del orden social presente. Gutiérrez asevera que hay un elemento revolucionario en todas las utopías y que estas utopías sirven para condenar y amenazar todas las estructuras políticas y sociales injustas. Según Gutiérrez, la esperanza es generada en los oprimidos cuando se les proclama que el reino utópico, o la revolución de Dios en la historia, es algo que se puede alcanzar dentro del marco de la historia actual, no es simplemente un sueño inalcanzable. Los teólogos de la liberación consideran que el mensaje central en la predicación debe ser que el Reino o revolución de Dios ya está presente en la historia, y que es la fuerza motriz que está impulsando la historia hacia la meta establecida por Dios: la creación de una sociedad justa, igualitaria, y verdaderamente humana. Cuando se proclama este elemento revolucionario en la historia, los pobres, según Gutiérrez, son librados de su fatalismo porque llegan a darse cuenta de que son ellos quienes determinan la historia. Los pobres son los instrumentos escogidos por Dios para la transformación del mundo. Los oprimidos experimentan la liberación cuando se dan cuenta de que no es la voluntad de Dios que ellos sean determinados por la historia, sino que la historia debe ser determina por los pobres. "El reino predicado por Jesús quiere decir el fin de la dominación que ejerce una persona sobre otra persona; es la búsqueda de una nueva humanidad, una sociedad cualitativamente diferente. El Reino está en contra de toda injusticia, todo privilegio, toda opresión y todo nacionalismo mezquino."[4]

Gutiérrez, como muchos teólogos de la liberación, habla del anhelo por la esperanza o la utopía como una especie de principio espiritual que Dios ha implantado dentro de la subconciencia humana. Esta esperanza latente puede ser suprimida, pero también puede ser despertada. Esta esperanza está latente en los corazones de los pobres de América Latina que, según Gutiérrez, es el poder de los pobres en la historia. "A fin de cuentas, no hay nada más revolucionario, nada tan lleno de esperanza utópica que la profunda opresión sufrida durante siglos por los pobres de América Latina."[5]

En la perspectiva de la teología de la liberación, está latente dentro de todos los oprimidos una fe capaz de realizar la liberación. Pero en la mayoría de los casos, esta fe no ha producido los frutos de la liberación

---

4 Gutiérrez, 1988, *Op. Cit.*, p. 135.

5 Gutiérrez, 1984, *Op. Cit.*, p. 81.

debido al fatalismo que ha sido inculcado en los pobres por las élites dominantes y por nuestra sociedad capitalista y deshumanizante durante siglos. Es la tarea de la teología de la liberación despertar esa fe y desarrollar su potencial libertador.[6]

Para Gutiérrez, las utopías son necesarias a fin de movilizar la acción humana en la historia, y para cambiar, del pasado hacia el futuro, la orientación tradicional de los latinoamericanos. Las utopías son necesarias para estimular a los pobres a transformar la historia.[7] Como tal, las utopías son como heliografías para la transformación de las estructuras injustas que deshumanizan a los pobres. El papel tan importante dado por los teólogos de la liberación a las utopías ayuda a explicar el porqué las predicaciones acerca del Reino de Dios y las secciones apocalípticas de la Biblia desempeñan un rol tan predominante en la teología de la liberación. Tenemos que recordar que cuando los teólogos de la liberación hablan del Reino de Dios, no están tratando acerca de una sociedad ideal en el sentido platónico, afuera del tiempo y del espacio, sino que están hablando de una realidad material, histórica y revolucionaria que está invadiendo el orden actual con el fin de transformarlo.

¿Cómo será el estado utópico proclamado por la teología de la liberación? Los teólogos de la liberación no entran en muchos detalles porque aseveran que no es su papel construir el mundo nuevo. Su papel es más bien concientizar a los oprimidos y marginados a fin de que los mismos pobres sean los arquitectos de la nueva humanidad. Es una de las doctrinas fundamentales de la teología de la liberación que los pobres son el pueblo escogido por Dios para transformar la humanidad y para inaugurar su Reino. Los pobres llegan a ocupar el puesto ocupado por el pueblo de Israel en el Antiguo Testamento. Sin embargo, al leer los libros de Gutiérrez, podemos notar que él está pensando en el establecimiento de un estado fuerte, al estilo socialista, con la autoridad y la capacidad de crear estructuras y promulgar leyes que aseguren la creación y preservación de una sociedad auténticamente humana e igualitaria. En sus escritos Gutiérrez recurre a modelos sacados del Antiguo Testamento para darnos algunos ejemplos de la clase de legislación que sería necesaria en la nueva sociedad liberacionista. Entre otras cosas, Gutiérrez menciona leyes para impedir la

---

6 *Ibíd.*, p. 98.

7 Gutiérrez, 1988, *Op. Cit.*, pp. 123-124.

acumulación de capital y la explotación consecuente que traería tal acumulación. Menciona la necesidad de tener leyes semejantes a las leyes sobre espigueos y sobre el Año de Jubileo para asegurar una distribución justa de la producción sobrante. Tales leyes tendrán que asumir nuevas formas y ser contextualizadas a un ambiente moderno e industrial. El estado utópico, como el antiguo pueblo de Israel, tendría que crear mecanismos para impedir que cualquier persona tuviera que padecer la clase de servidumbre como la que pasó el pueblo de Israel en Egipto.[8]

Según Gutiérrez, las utopías y las visiones apocalípticas se convierten en opios para las masas solamente cuando son espiritualizadas por las élites dominantes y por los teólogos que están al servicio de dichas élites. Gutiérrez afirma que las promesas bíblicas de una tierra transformada han sido interpretadas literalmente por los judíos y espiritualmente por los cristianos. Se queja Gutiérrez que por siglos la hermenéutica cristiana ha sido dominada por un dualismo occidental anti-bíblico. Debido a este dualismo los intérpretes de la Biblia se han pasado el tiempo buscando un significado escondido y espiritual detrás del sentido literal del texto. Esto es para Gutiérrez una distorsión de las Escrituras. Afirma Gutiérrez: "El reino venidero y la parusía se refieren a realidades históricas, terrenales y sociales. La paz y la justicia, el amor y la libertad acerca de los cuales predicaba el Jesús histórico, no son solamente realidades privadas o actitudes internas, sino realidades sociales que implican una liberación histórica."[9]

La teoría de la dependencia

¿Por qué son pobres los pobres? Una de las realidades más apremiantes en los países de América Latina hoy es la espantosa pobreza en que viven la mayoría de sus habitantes. Frente a esta torva realidad, el observador pregunta: "¿Cuál es la causa de la pobreza en América Latina?" Ésta es la principal pregunta con la que han luchado los teólogos de la liberación. Para responderla, los teólogos de la liberación se han apoyado en el análisis social marxista. Usando el análisis dialéctico, pensadores tales como André Gunder Franck, Antonio Gramsci, y muchos teólogos de

---

8 *Ibíd.*, p. 168.

9 *Ibíd.*, p. 97.

la liberación, han desarrollado una filosofía económica conocida como "la teoría de la dependencia." Según esta teoría, los pobres son pobres no a causa de su propia pecaminosidad o su pereza, sino que son pobres porque los ricos son ricos. La tesis principal de la teoría de la dependencia sostiene que el subdesarrollo del tercer mundo es el resultado directo del desarrollo del primer mundo. En otras palabras, el capitalismo es la raíz de casi todos los problemas sociales y económicos que se encuentran en América Latina. Aunque hacen un uso muy amplio del análisis social marxista, los teólogos de la liberación afirman que no son marxistas porque no aceptan las soluciones marxistas para los problemas del continente. Para la teología de la liberación, el marxismo es un instrumento útil para desenmascarar al capitalismo.

En su intento por comprobar la veracidad de la teoría de la dependencia, los teólogos de la liberación aducen los siguientes argumentos:

1. Los millones de dólares invertidos en América Latina como parte de la Alianza Para el Progreso hicieron muy poco para ayudar a los pobres y oprimidos; ayudaron más bien a los capitalistas que ya gozaban de un alto nivel de prosperidad. El ejemplo más citado es el de Brasil, donde entre los años 1960 y 1970 las personas que figuraban entre el 5 por ciento de ricos vieron subir sus entradas del 27 por ciento al 36 por ciento de los ingresos totales del país. Durante el mismo período, los que figuraban entre el 40 por ciento con los ingresos más bajos, vieron bajar su porcentaje de los ingresos nacionales del 22 por ciento al 9 por ciento (a $90 per cápita). En 1960 el obrero brasileño necesitaba trabajar 5.7 horas para poder conseguir una dieta de subsistencia para su familia. Para 1965 necesitaba 7 horas de trabajo para lograr la misma dieta. En 1970 las horas de trabajo necesarias para comprar la misma ración de comida subieron a 8.5. En el Brasil el 20 por ciento de los más pobres reciben 2 por ciento de los ingresos nacionales mientras que el 10 por ciento de los más ricos reciben el 50 por ciento de los ingresos. En México el 20 por ciento de los más pobres recibieron 7.8 por ciento de los ingresos nacionales en 1950 y solamente el 1.9 por ciento en 1975. En 1979, 1 por ciento de los propietarios en El Salvador tenían en su poder 57 por ciento de la tierra cultivable.

En otras palabras, los fondos de la Alianza para el Progreso fueron utilizados para ayudar a los capitalistas a modernizar sus equipos y para eliminar de la nómina de trabajadores a muchos de los pobres que apenas ganaban lo suficiente para sobrevivir. Los fondos de la Alianza fueron usados por los ricos terratenientes para comprar los terrenos de los campesinos pobres con el fin de ampliar sus posesiones y modernizar sus maquinarias. Se registraron incrementos en la producción agrícola, pero el incremento fue vendido al mercado internacional, donde los productores pudieron lograr una ganancia mayor. Aunque los países de América Latina están produciendo más comida y más proteína, los pobres no han podido aprovechar la bonanza. Los bancos internacionales dan sus préstamos a los que ya tienen capital, porque son los que tienen más posibilidades para devolver los préstamos. Los pobres que realmente necesitan la ayuda de los inversionistas no reciben nada de ayuda. La Alianza Para el Progreso ayudó a los ricos a hacerse más ricos y a los pobres a hacerse más pobres. Al fin de cuentas, el desarrollo capitalista genera el subdesarrollo de los países latinos.

2. Las inversiones de las compañías transnacionales han tenido más ganancias que la porción justa que les tocaba. En efecto, las compañías transnacionales han robado de los países de América Latina el valor sobrante de la producción que necesitan los países tercermundistas para su desarrollo. Los recursos necesarios para implementar el desarrollo de los países latinoamericanos ha sido sacado por las empresas extranjeras. De tal forma se ha fomentado el subdesarrollo. Los teólogos de la liberación afirman que se han sacado de América Latina tres dólares en ganancias por cada dólar invertido.

   El presidente marxista de Chile, Salvador Allende, afirmaba que durante 60 años las compañías norteamericanas de cobre sacaron de su país más de diez mil millones de dólares en ganancias. La compañía de cobre Kennecott registró un margen de ganancias del 52.8 por ciento durante los años 1955 a 1970, mientras que el margen de sus ganancias en los otros países donde tenía acciones fue solamente del 3.6 por ciento. En lugar de reinvertir sus ganancias en la economía de Chile, la compañía Kennecott usó sus ganancias para comprar acciones y conseguir concesiones fuera de Chile.

Al controlar los recursos principales de otros países, las compañías transnacionales han comprometido la soberanía de las naciones latinoamericanas. Así, según los teólogos de la liberación, el destino de los países latinoamericanos ya no está en las manos de sus líderes, sino en las manos de las compañías extranjeras que fijan los precios de los artículos de comercio en el mercado internacional. Así ha sido la manera en que las compañías norteamericanas han controlado los precios del azúcar que se produce en Cuba, las bananas producidas en Guatemala, el cobre producido en Chile y el petróleo que se refina en Venezuela. Los norteamericanos se sienten resentidos al leer que las empresas japonesas están comprando en los Estados Unidos muchas cadenas de comida, estudios cinematográficos, canchas de golf, e industrias básicas. Al quejarse, los norteamericanos que ya no son los dueños de su propio país y de su propio destino, están llegando a sentir en carne propia lo que los latinoamericanos han sentido por muchos años ante el control que las empresas transnacionales han ejercido sobre sus economías.

3. Los teólogos de la liberación afirman que las grandes empresas agrícolas internacionales se han aliado con los ricos terratenientes, quienes durante cientos de años han explotado a los pobres de América Latina. Empresas norteamericanas como la "United Fruit Company" (Standard Brands) han pagado enormes sobornos a oficiales gubernamentales en América Latina para impedir y frustrar programas de reforma agraria. En América Latina, los beneficios obtenidos por los ricos casi nunca llegan a beneficiar a los pobres.

4. Debido a que la distribución de ingresos en América Latina es tan desigual, la parte más pobre de la sociedad nunca percibe los beneficios del crecimiento económico del cual goza la parte más rica de la sociedad. La dependencia, en efecto, sirve para impedir el crecimiento económico real.

5. La gran parte del capital que ha sido sacado de América Latina ha sido reinvertido en el primer mundo y no en las economías latinoamericanas. Las clases dominantes de América Latina han gastado una buena parte del capital que han recibido de los bancos del primer mundo no en fortalecer las economías de sus países respectivos, sino en reinvertir los fondos en el primer mundo

comprando propiedades, acciones, condominios y negocios en los países desarrollados. Se ha estimado que la tercera parte del capital que se ha prestado a América Latina ha servido para financiar la fuga de capital privado. Desde 1973, 100 mil millones de dólares en haberes disponibles han sido sacados de Argentina, Brasil, México, y Venezuela.

No todos comparten el análisis hecho por los teólogos de la liberación en cuanto al estado de la economía latinoamericana. Uno de los críticos más acérrimos de la teoría de la dependencia ha sido el teólogo católico y analista político, Michael Novak. Novak ha postulado los siguientes argumentos en contra de la teoría de la dependencia:

1. El fracaso de América Latina para lograr un desarrollo a la par del desarrollo registrado por otros países en otras partes del mundo, no es culpa del capitalismo, porque el capitalismo nunca ha sido puesto en práctica en los países iberoamericanos. Los patrones de tenencia de la tierra y de la propiedad que han predominado en los países latinoamericanos no corresponden al sistema capitalista sino al sistema feudal heredado de la época colonial.

2. La rígida estratificación social que impera en una buena parte de los países latinos es también una herencia de la colonia, y no un resultado de las compañías transnacionales y el capitalismo.

3. Desde los tiempos coloniales la economía de América Latina ha dependido de los mercados externos. Esto no es culpa de las transnacionales ni del capitalismo.

4. Los conquistadores y los colonos españoles fueron a América Latina en busca de oro y otros metales en las minas, con el fin de enriquecerse. Tenían aversión a trabajar la tierra y dedicarse al trabajo manual. Pasaron esta aversión hacia el trabajo manual a sus descendientes. Con esto, Novak quiere decir que los latinoamericanos son en gran parte responsables de su propio subdesarrollo y pobreza. Vale la pena aclarar que, tanto los argumentos aducidos por Novak, como los de los teólogos de liberación, son más complejos que el breve resumen que hemos dado aquí. La verdad probablemente queda entre las posiciones de los teólogos de liberación y Novak. Sin duda, hay algo de exageración en los argumentos de los teólogos de liberación, sin embargo, hay suficiente verdad en sus postulados que merecen nuestro estudio.

No sería prudente catalogar y descartar todos los argumentos aducidos por los teólogos de la liberación como pura ideología marxista.

La hermenéutica de la teología de la liberación

Una de las características de la teología de la liberación es la nueva hermenéutica que han desarrollado sus teólogos para interpretar las Escrituras y la percepción de la realidad. En esta hermenéutica se da un papel principal a la práctica o praxis. Este énfasis en la práctica se deriva del marxismo. Carlos Marx había criticado a la filosofía occidental por ser demasiado teórica y por producir muchas teorías complicadas sin la creación de mecanismos para poner sus teorías en práctica. Según Gutiérrez y los teólogos de la liberación, las teologías y las filosofías tradicionales han llegado a ser siervos funcionales del statu quo porque han separado las teorías de la práctica. Afirma Gutiérrez que una teoría que no es puesta en práctica se convierte en una ideología, es decir, en una justificación que usa las instituciones y los sistemas para defender su derecho de ser y actuar.[10]

Los teólogos de la liberación afirman que la teología tiene que comenzar con la praxis. La praxis es el primer paso para hacer teología. Las Escrituras hablan de un Dios que está comprometido con la liberación de los oprimidos. Únicamente aquéllos que se han comprometido con la tarea de librar a los oprimidos pueden entender a Dios y su voluntad. Una vez que uno está metido en la lucha para librar a otros, se puede comenzar a leer y meditar sobre el significado de las Escrituras.

En la teología de la liberación el concepto de la praxis va acompañado de un concepto optimista sobre la naturaleza humana. Es decir, se cree que los seres humanos son capaces de transformar al mundo e iniciar el Reino de Dios. La mayoría de los teólogos de la liberación afirman que solamente Dios puede establecer el Reino de Dios en su plenitud aquí en el mundo. Sin embargo, creen que nosotros somos capaces de realizar el Reino de Dios en parte. Esta fe en la capacidad de los seres humanos para realizar en parte el Reino de Dios presupone un concepto optimista de la naturaleza humana que contradice lo que dice la Biblia, que afirma que el pecado y el mal se encuentran profundamente arraigados en la infraestructu-

---

[10] Braaten, Carl E., *The Apostolic Imperative* (Minneapolis, Augsburg Publishing House, 1985), p. 97.

ra de cada ser humano. Según la Palabra de Dios, el ser humano por naturaleza está más interesado en buscar su propio bien a expensas de otros, que en servir al prójimo y buscar el bien de todos.[11] Los teólogos de la liberación evitan hablar de un pecado hereditario que no puede ser remediado por la praxis humana. El teólogo luterano Carl Braaten, de la Escuela de Teología Luterana de Chicago, opina que el concepto de la naturaleza en la teología de la liberación no es bíblica sino estoica.[12] Esto no quiere decir que los luteranos deben ser quietistas o partidarios de un statu quo injusto. Quiere decir que la praxis no es el primer paso en la hermenéutica luterana. La praxis debe comenzar después de que hayamos escuchado la ley de Dios y llegado a conocer el poder transformador del evangelio de Jesucristo.

Gutiérrez y muchos otros teólogos de la liberación creen que los seres humanos, en base a la inherente gracia de Dios, tienen la capacidad para producir el amor del cual Jesús habla en el gran mandamiento. Esto implica que los teólogos de liberación son optimistas en cuanto a la capacidad que tienen los seres humanos para vencer el mal. Mientras que Gutiérrez no niega la pecaminosidad humana, no la considera tan profunda, perversa o perniciosa como en la teología de Agustín, Lutero o Calvino. Por esta razón es más fácil para la teología de la liberación atribuir una porción más grande de culpabilidad a las estructuras políticas, sociales y económicas. Para la teología de la liberación, el mal es visto como un producto de las estructuras, especialmente las que son parte del sistema capitalista. El mal es un problema político que se puede resolver por medio de soluciones políticas, de la organización de las masas, y de un programa de concientización. El teólogo alemán Gottfried Brakemeir cree que la teología de la liberación no ha entendido con suficiente seriedad el hecho de que el mal sea un poder maligno dentro del ser humano que puede ser vencido sólo por medio del Espíritu Santo de Dios.[13] El poder del pecado es subestimado y la capacidad del ser humano para vencer el pecado es exagerada. Las soluciones políticas y económicas propuestas por la teología de la liberación son esencialmente una forma de la ley. Según San

---

11 *Ibid.*, p. 112.

12 *Ibid.*, p. 111.

13 Brakemeier, Gottfried, *Justification by Grace and Liberation Theology*, en *The Ecumenical Review. Vol. 40* (Ginebra, World Council of Churches, 1988), p. 219.

Pablo, la ley sirve para descubrir y hacer manifiesto el pecado. La ley puede reprimir hasta cierto punto al pecado y servir como un freno a los excesos de la maldad humana. Sin embargo, solamente el Espíritu Santo, por medio del evangelio, es capaz de transformar al corazón humano y vencer al mal.

Es nuestra opinión que la teología de la liberación ha errado, tanto en su evaluación de la perversidad del ser humano, como en encontrar la verdadera solución al problema de los males que existen en la sociedad.

Uno de los teólogos de la liberación que ha escrito ampliamente sobre la hermenéutica es el jesuita Juan Luis Segundo. Antes de analizar el famoso círculo hermenéutico de Segundo se apuntan algunos datos biográficos de este teólogo uruguayo.

Juan Luis Segundo y su contribución a la teología de la liberación

Por el volumen de sus escritos Juan Luis Segundo ha sido caracterizado como uno de los más fecundos y prolíficos de entre los teólogos de la liberación.[14] Segundo nació en Montevideo, en 1925. Comenzó sus estudios teológicos en Argentina, y luego, al igual que Gustavo Gutiérrez y Camilo Torres, estudió en la Universidad de Lovaina, en Europa, donde recibió su licenciatura en teología para el año 1956. En 1963 recibió un doctorado en letras de la Universidad de París. Al regresar a Uruguay, fundó el Centro Pedro Faber en Montevideo y comenzó a escribir artículos, libros y ensayos sobre temas relacionados con asuntos políticos, la ética, el marxismo y la liberación. El hecho de que Segundo comenzó su trabajo al principio de la década de 1960, varios años antes del Concilio Vaticano II, es una prueba de que la teología de la liberación tuvo su génesis antes del célebre concilio, y que no es simplemente un movimiento que nació como resultado del Vaticano II.

El círculo hermenéutico

Una de las contribuciones más conocidas de Juan Luis Segundo a la teología de la liberación consiste en su elaboración del llamado círculo

---

14 Sigmund, Paul E., *Liberation Theology at the Crossroads* (New York, Oxford University Press, 1990), p. 59.

hermenéutico. El círculo hermenéutico es un proceso continuo que lleva al intérprete por una serie de cuatro pasos que se repiten constantemente. El proceso comienza con las sospechas ideológicas que se suscitan por la experiencia de la realidad por la cual ha pasado el intérprete. Esta experiencia puede incluir el sufrimiento de los pobres en América Latina. Tal vez el intérprete, por su propia formación, creía que los pobres sufrían por culpa propia, o porque su status humilde fue ordenado por Dios, o por la operación en el universo de una ley como la del karma. Los cuestionamientos a las explicaciones tradicionales comenzarán a surgir una vez que el intérprete abandone su neutralidad académica y reflexione sobre la realidad del sufrimiento y de la pobreza desde una postura de identificación y compromiso con los pobres. La emergencia de estas sospechas ideológicas conducirá al intérprete al segundo paso.

El segundo paso del círculo hermenéutico consiste en analizar la superestructura ideológica total de la sociedad a la luz de las sospechas del intérprete. En el caso del sufrimiento de los pobres en América Latina, el intérprete tendrá que darse cuenta de cómo las clases dominantes justifican su estilo de vida materialista y su explotación de los pobres a base de una interpretación equivocada de la Biblia y de la ley natural. Esta comprensión llevará al intérprete al tercer paso del círculo hermenéutico. El tercer paso consiste en darse cuenta de que la interpretación tradicional de la Biblia y de la ley natural es incompleta, ilusa y equivocada. Al hacer este descubrimiento, el intérprete llega al cuarto paso del círculo hermenéutico. Este paso consiste en reinterpretar la Biblia a la luz de una nueva comprensión de la realidad. Esta nueva comprensión llevará al intérprete a comprometerse activamente en el proceso de la liberación.[15]

Desde la experiencia del vivir la fe según la nueva reinterpretación de las Escrituras brotarán nuevas inquietudes y preguntas. Basándose en estas preguntas la nueva reinterpretación de las Escrituras, formulada en el cuarto paso, estará sujeta a un nuevo escudriñamiento; de esta forma comenzará de nuevo el círculo hermenéutico. Lo que nos llama la atención en la hermenéutica de Segundo es el hecho de que el círculo hermenéutico no comienza con las Escrituras, aplicándolas a situaciones concretas, sino que comienza con la situación del intérprete en su praxis de liberación y la interpretación de las Escrituras en base a la situación. Así, la situación

---

15 Segundo, Juan Luis, *Liberation of Theology* (Maryknoll, New York, Orbis Books, 1975), p. 9.

histórica de opresión es la clave hermenéutica que debe orientarnos en la interpretación de las Escrituras. Lo que queda implícito en esta hermenéutica es la idea de que Dios, o un proceso que procede de Dios, está presente en la historia como fuente de revelación. La teología tradicional católica ha mantenido que hay dos fuentes de revelación: las Escrituras y la tradición. En la teología de la liberación también hay dos fuentes de revelación: las Escrituras y la historia.

Una creación incompleta

En Génesis 1:28 Dios dio su bendición a la humanidad creada a su imagen y dio el siguiente mandato: "Frutificad y multiplicaos; llenad la tierra y sojuzgadla, y señoread en los peces del mar, en las aves de los cielos, y en todas las bestias que se mueven sobre la tierra." Gutiérrez dice que este texto implícitamente nos ordena a construir una sociedad justa, libre, igualitaria y verdaderamente humana. Tal comunidad no existió cuando Dios dio el mandato, porque el mundo fue creado en forma imperfecta e incompleta. Según Gutiérrez, siempre fue la voluntad de Dios que, desde el principio, los seres humanos sirvieran con él como cocreadores. Esto quiere decir que la vieja creación incompleta no puede servirnos como un modelo, un ideal, o la base de una estructura social estática e inalterable. También quiere decir que los teólogos de la liberación no creen que el mundo fue creado perfecto y después cayó en pecado como enseña el libro del Génesis. Según Gutiérrez, el mundo fue creado imperfecto e incompleto. Si existe la maldad y la injusticia en el mundo no se debe a que nuestros primeros padres cayeron en pecado. La causa de la injusticia y de la opresión se debe a que los seres humanos todavía no han cumplido con su tarea de terminar la creación ni la construcción del reino de Dios completamente.

Otro corolario del concepto de la creación enseñado por Gutiérrez es que no se debe buscar a Dios dentro de la estructura de un cosmos perfecto como enseñan los sistemas de teología natural o ley natural. Dios debe ser buscado en la historia futura, en el naciente reino del futuro. Dios puede ser encontrado en el proceso histórico y en los actores que Dios ha escogido para ser sus instrumentos en llevar la historia hacia su fin. Estos actores son los pobres. Dios se revela en las señales del tiempo; la señal más significante es la irrupción de los pobres como actores en el proceso histórico. El hecho de que los pobres están llegando a ser los agentes activos de su propia liberación es la señal más clara de que Dios vive y está activo en el mundo.[16] Según la teología de la liberación, el único lugar donde Dios puede ser hallado es en el prójimo pobre y oprimido. La presencia de Dios entre los pobres es importante para la teología de la liberación porque es la base de la doctrina del prójimo como sacramento de salvación.

El prójimo como sacramento de salvación

La teología tradicional que ha enseñado la Iglesia Católica ha enfatizado el hecho de que no hay salvación afuera de la iglesia (extra ecclesia non salus). Gutiérrez, en cambio, ha reiterado que no hay salvación fuera del prójimo. Citando a Isaías 58.6-7, Gutiérrez ha declarado que Dios está con nosotros solamente en nuestro encuentro con otros.[17] Dios está con nosotros solamente cuando amamos al prójimo.[18] En otras palabras, el prójimo ha llegado a ser un sacramento de salvación para nosotros. Según Gutiérrez, el que ama al prójimo ya está en la esfera del cristianismo. Es por medio del amor al prójimo pobre y no por medio de los sacramentos y ritos de la iglesia que uno llega a ser miembro del Reino de Dios. El hecho de que el prójimo viva dentro de realidades sociales, políticas y económicas quiere decir que es imposible amar al prójimo en una manera abstracta. El amor no es simplemente un asunto del corazón. El amor requiere que el cristiano esté activo en la transformación de las estructuras de la sociedad que deshumanizan al prójimo. Según Gutiérrez, el amor al prójimo, en el cual experimentamos a Dios, es un amor que lucha para transformar las realidades sociales, raciales, económicas, políticas, y culturales que han deshumanizado al prójimo.

Uno de los textos usados por Gutiérrez para desarrollar el concepto del prójimo como sacramento de salvación es Mateo 25.31-46. El texto es conocido como "el juicio de las naciones" o también es llamado "la parábola de los cristianos anónimos" por los teólogos de la liberación. Según Gutiérrez, el término "todas las naciones" en Mateo 25.32 se refiere a todas las personas en el mundo, tanto cristianos como no-cristianos. El término "uno de estos mis hermanos más pequeños" se refiere a todos los

---

16 Gutiérrez, 1988, *Op. Cit.*, pp. 20-21

17 *Ibíd.*, pp. 6-7.

18 *Ibíd.*, pp. 111.

oprimidos y necesitados en el mundo, tanto cristianos como no-cristianos. Según esta interpretación, todos los seres humanos serán juzgados de acuerdo con su manera de actuar ante Cristo, quien está presente en el prójimo necesitado como sacramento de salvación.

Siguiendo esta interpretación, Gutiérrez llama a Mateo 25.31-46 "la esencia misma del mensaje evangélico"[19] Según Gutiérrez, esta parábola enseña que las personas se salvan cuando se abren hacia Dios y hacia los otros, aún cuando no estén conscientes de lo que están haciendo. Hasta los no-cristianos se salvan cuando renuncian a su egocentrismo y buscan el establecimiento de una hermandad auténtica entre los seres humanos.[20] Los no-cristianos se muestran como seguidores de Jesús cuando ayudan a los pobres, trabajan en pro de la liberación, y establecen una comunidad verdaderamente humana.

Comentando sobre esta interpretación de Mateo 25.31-46, el teólogo luterano Winston Persaud, asevera que "el evangelio se convierte en ley cuando el indicativo del evangelio está sujeto a la demanda de y por la liberación."[21] La buena nueva del evangelio consiste en el hecho de que Dios nos acepta a pesar de nuestros fracasos para crear comunidades auténticas. "Al considerar a Jesús principalmente como un paradigma para ser imitado, en vez del supremo sacramento de salvación, el mismo Cristo se convierte en ley."[22] Si las personas se salvan por obediencia a la ley del amor, entonces la salvación es por obras, una proposición que está en desacuerdo con Romanos capítulo 3 y Efesios capítulo 2.

Gutiérrez, sin embargo, asevera creer y enseñar la justificación por la fe sin las obras de la ley. Afirma que la base de nuestra salvación es la gracia y no las obras humanas. Gutiérrez dice que "Dios se compromete con los pobres, no a base de sus méritos, sino a base de su gracia. Ninguna obra humana, no importa cuán valiosa, merece la gracia porque entonces no sería gracia. La fe que salva es en sí misma una gracia que viene del Señor. La

---

19 *Ibíd.*, pp. 114-116.

20 *Ibíd.*, p. 85.

21 Persaud, Winston D., *The Article of Justification and the Theology of Liberation*, en *Currents in Theology and Mission, Vol 16. Number 5* (Chicago, 1989), p. 371.

22 *Ibíd.*, p. 369.

entrada al reino no es un derecho que se gana, ni es por justicia propia. Siempre es un don dado gratuitamente."[23]

En esta cita, Gutiérrez habla como si fuera uno de los reformadores luteranos. Se podrían dar más citas en las que Gutiérrez se expresa de la misma manera. "El encuentro con Dios, que es un resultado de la iniciativa divina, crea un impacto de gratitud que debe penetrar toda la vida cristiana."[24] "La fuente de las obras es el encuentro con un Dios de gracia. No hay nada más urgente que la gratitud porque es la prueba del amor genuino."[25] Aparentemente Gutiérrez se contradice. Habla del prójimo como sacramento de salvación que implica justificación por medio de las obras del amor, y a la vez habla de justificación por fe sin las obras de la ley.

Esta contradicción aparente en la teología de Gutiérrez se puede comprender una vez que se entiende que en la teología de la liberación existen dos caminos de salvación: uno para los pobres y otro para los que no son pobres. La salvación por fe y gracia es para los pobres. Gutiérrez habla de los pobres como pecadores, pero sus pecados no son como los pecados de los ricos, son de otra naturaleza. Los pecados del proletariado aparentemente no son tan serios y tan condenables como los pecados de los burgueses. Los pobres por causa de la opresión y la pobreza que sufren pueden caer en la desesperación y el fatalismo. Jesús no llama a los pobres al arrepentimiento como lo hace en el caso de los ricos. Lo que pide Jesús de los pobres es que tengan esperanza en el Reino de Dios. Los pobres son justificados por su fe en la utopía, en el Reino de Dios que todavía no se ha realizado, pero que está en proceso de realizarse.

Al referirse al tema de la salvación de los ricos Gutiérrez habla del prójimo como sacramento de salvación. Sin embargo, para Gutiérrez, aún la salvación por medio del prójimo como sacramento de salvación es una salvación por gracia, porque es la gracia divina que hace posible la fe y el amor de los seres humanos. Esta gracia divina es otorgada a todas las personas a base de la creación y a base de la redención obrada por Cristo en

---

[23] Gutiérrez, Gustavo, *On Job: God-Talk and the Suffering of the Innocent* (Maryknoll, New York, Orbis Books, 1987), p. 89.

[24] Gutiérrez, 1984, *Op. Cit.*, p. 107.

[25] *Ibid.*, p. 110.

la cruz, como se enseña en la teología tradicional, según Gutiérrez, cuando nacemos.[26] Por eso, la creación ya es salvación. Por el Espíritu Santo, recibido al nacer, todas las personas reciben la capacidad para amar, identificarse con el prójimo, y vivir una vida auténtica. Gutiérrez afirma que todas las personas reciben la salvación en la creación, pero esta salvación tiene que ser apropiada a través del amor que ha sido implantado en nosotros desde la creación. La salvación puede perderse si rehusamos apropiarla por medio de una praxis de amor. Podemos perderla si rehusamos aceptar el papel del buen samaritano y si damos la espalda al Dios que nos llama y busca un encuentro con nosotros en el clamor del prójimo necesitado.[27]

Cuando Gutiérrez habla de la justificación por la fe se contradice porque afirma que es el amor, y no la fe, el que se apropia de la salvación. Si la salvación se apropia por medio de la praxis del amor, entonces la salvación es a base de la ley y no a base del evangelio. Si el amor es realmente amor, entonces tiene que ser entendido como un fruto de la justificación, y no como una pre-condición o un medio para apropiarse la justificación.

Según la Biblia, el amor verdadero es producido por el evangelio y no por la ley. No somos capaces de producir voluntariamente un amor como el que tenía el buen samaritano en la parábola. No llegamos a ser buenos samaritanos tratando de obedecer una ley que nos dice que tenemos que ser como el buen samaritano. Podemos llegar a ser buenos samaritanos solamente al encontrar a Cristo como el buen samaritano que derrama sobre nosotros, sus enemigos, su amor inmerecido. Solamente recibimos el poder y la gracia de ser buenos samaritanos cuando encontramos, en el evangelio, el amor de Dios que nos acepta, nos perdona y nos salva a pesar de nuestra falta en amar al prójimo como a nosotros mismos. Carl Braaten dice que toda la praxis libertadora en la historia es incapaz de producir en nosotros el amor y la libertad de los cuales habla Jesús. La praxis libertadora no puede hacer nada para liberar a los seres humanos de la esclavitud del pecado. El único que es capaz de librarnos del poder del pecado y de la muerte es nuestro Señor Jesucristo, quien fue crucificado por nosotros y resucitó para darnos nueva vida. La liberación política, social y económica

---

26 Ibíd., p. 110.

27 Gutiérrez, 1987, *Op. Cit.*, p. 97.

es legítima y deseable, pero no encierra todo lo que quiere decir la Biblia cuando proclama la salvación en Jesucristo. Una teología de la liberación sin énfasis en la justificación por el sacrificio de Jesús en la cruz es incompleta porque le hace falta el evangelio.

13

Las comunidades de base

Toca ahora considerar un fenómeno que ha tenido un papel muy importante en casi todos los movimientos de renovación, reforma, y revitalización en la historia de la iglesia cristiana. Este fenómeno es el pequeño grupo o célula que funciona como una levadura o agente de transformación dentro o al margen de un grupo o una institución mayor. Cuando en la historia de la iglesia primitiva las congregaciones cristianas se volvieron demasiado mundanas y secularizadas nacieron dentro del seno de la iglesia las primeras comunidades monásticas. Ellas sirvieron para preservar ciertos aspectos de la tradición que estaban en peligro de perderse. Durante la Edad Media pequeños grupos de cristianos formaron grupos de estudio y meditación, como los Hermanos de la Vida en Común, que sirvieron como focos de renovación y reforma dentro de la iglesia. Reformadores tales como el gran Erasmo de Rotterdam recibieron notable inspiración de tales grupos. En el siglo XVII, el movimiento pietista y el movimiento moravo nacieron como movimientos de renovación y profundización de la vida cristiana dentro del luteranismo europeo, mientras que el metodismo nació como un movimiento de renovación dentro de la Iglesia Anglicana de Inglaterra. Todos estos movimientos funcionaron en pequeños grupos de estudio bíblico, oración, misión y disciplina mutua que, por lo menos al principio, existieron dentro de una iglesia territorial mayor.

La existencia de un pequeño grupo o una pequeña iglesia como agente de renovación dentro de una iglesia más grande ha recibido el nombre de *ecclesiola in ecclesia.* El primer escritor que desarrolló la teoría o concepto de ecclesiola in ecclesia fue Martín Lutero. En su prefacio a la Misa Alemana escribió, para aquéllos a quienes se les impidió adorar a Dios en la Iglesia Romana, lo siguiente: Un "orden verdaderamente evangélico" que debe usarse en privado y "no en un lugar público para toda clase de personas." "Los que quieren ser cristianos en verdad y que profesan el evangelio con la boca y el corazón deben firmar sus nombres y reunirse solos en una casa para orar, para leer, para bautizar, para recibir el Sacramento y para hacer otras obras cristianas."

Históricamente la *ecclesiola in ecclesia* casi siempre ha provocado algunas tensiones con la iglesia o institución más grande. En la mayoría de los casos estas tensiones han sido resueltas de tres modos diferentes:

1) La iglesia grande rechaza totalmente la presencia del grupo pequeño dentro de su seno; el grupo pequeño es expulsado del grupo grande, y llega a ser una iglesia nueva, una secta y, a veces, un movimiento herético. Los metodistas comenzaron como un movimiento de reforma en la Iglesia Anglicana, pero fueron expulsados, convirtiéndose posteriormente en una iglesia nueva. Los montanistas en el tiempo de Tertuliano fueron rechazados por la iglesia católica o universal. Poco después fueron considerados herejes.

2) La iglesia grande llega a establecer un acuerdo con la *ecclesiola in ecclesia* y le da un lugar o espacio dentro de su estructura donde puede funcionar como una organización auxiliar de la iglesia grande y tener su propio ministerio o misión especial. Esto es lo que ocurrió con el movimiento franciscano y otros movimientos de reforma dentro de la Iglesia Romana. Es lo que ocurrió también con el movimiento pietista dentro de la Iglesia Luterana.

3) La iglesia grande llega a dominar a los grupos pequeños de tal manera que pierden su dinamismo, su carácter especial y su capacidad de renovar al grupo grande.[1]

En este capítulo se verá una nueva forma de *ecclesiola in ecclesia* que ha surgido dentro de la Iglesia Católica en América Latina, y que ha llegado a identificarse con la teología de la liberación. El nombre dado a esta forma de *ecclesiola in ecclesia* es: comunidad eclesial de base.

Definición de las comunidades eclesiales de base

Sin duda el mayor logro de la teología de la liberación es el éxito obtenido por las comunidades eclesiales de base (CEB). Se puede definir una comunidad eclesial de base como un grupo de 15 ó 20 familias que se reúnen una o dos veces por semana para escuchar la Palabra de Dios, compartir sus problemas, y resolverlos bajo la inspiración del evangelio. Los miembros del grupo hacen los comentarios bíblicos, crean sus oraciones y deciden en conjunto, bajo la coordinación de un líder, las tareas

[1] Snyder, Howard A., *Signs of the Spirit* (Grand Rapids, Michigan, Zondervan Publishing House, 1989), p. 36 ss.

que deben realizar[2]. En la mayoría de los casos los líderes de las comunidades son laicos, y no sacerdotes ordenados. Los grupos se reúnen, no solamente en iglesias, sino también en escuelas, edificio públicos y al aire libre.

Desde el inicio del movimiento, las comunidades eclesiales de base han crecido dramáticamente. Se calcula que solamente en Brasil hay entre ochenta y cien mil comunidades, con aproximadamente tres millones de miembros. Cerca de la mitad de las comunidades de base se encuentran en Brasil.

Historia de las CEB

Las primeras comunidades eclesiales de base, según nuestra información, se formaron en el Estado de Paraíba, en el noreste de Brasil en el año 1956. En una conferencia de obispos en 1952 se enfatizó que la Iglesia Católica necesitaba movilizar a sus laicos para combatir el creciente número de grupos protestantes, espiritistas y marxistas entre los pobres. Se debe notar que el estado de Paraíba, ubicado al norte del Estado de Pernambuco, cuya capital es Recife, es uno de los más pobres y subdesarrollados del "coloso del sur"; está ubicado en una zona que tenía un índice de mortalidad infantil del 47 por ciento. Como en muchas partes rurales de América Latina, las iglesias del estado de Paraíba eran virtualmente desatendidas por la escasez de sacerdotes ordenados. Solamente durante la fiesta del santo patrón un sacerdote iba para celebrar la misa y bautizar a los niños que habían nacido durante el transcurso del año.

Las comunidades eclesiales de base no comenzaron como un ala del movimiento de la teología de liberación, sino como un movimiento misionero dedicado a la evangelización de las masas desatendidas, y para organizar "misas sin sacerdote." El énfasis en las primeras comunidades estuvo en la oración, el estudio de las Escrituras, y el entrenamiento vocacional. Leonardo Boff en su libro Eclesiogénesis nos relata las circunstancias que resultaron en la formación de las primeras comunidades:

> En 1956 Don Angelo Rossi inició el movimiento de evangelización con catequistas populares a fin de llegar hasta aquellas regiones no

---

[2] Boff, Leonardo, *Iglesia: Carisma y Poder* (Santander, España, Editorial Sal Terrae, 1982), p. 198.

alcanzadas por los párrocos. Todo comenzó por la narración testimonial de una viejecita: " En Natal las tres iglesias protestantes estaban iluminadas y concurridas. Escuchábamos sus cantos . . . y mientras tanto nuestra iglesia católica estaba cerrada, en tinieblas . . . porque no conseguíamos un sacerdote." Quedaba en el aire una cuestión: ¿Tiene que detenerse todo porque no haya sacerdotes? Don Angelo en Barra do Piraí formó coordinadores de comunidades que hacían todo cuanto un seglar puede hacer en la iglesia de Dios dentro de la disciplina eclesiástica actual. En su grado mínimo, el catequista reúne una vez por semana al pueblo y lee una lección catequética. Normalmente realiza junto con ellos las preces diarias. Los domingos y días festivos reúne al pueblo que reside lejos de la iglesia para celebrar el "domingo sin misa" o la "misa sin sacerdote" o el "culto católico" haciendo que el pueblo acompañe espiritualmente y colectivamente la misa que el párroco está celebrando en la lejana iglesia madre. Reza junto con el pueblo las oraciones de la mañana y de la noche, las novenas, letanías, meses de Mayo, Junio, etc. . . . En torno de la catequesis llegó a formarse una comunidad con un responsable de la vida religiosa; en lugar de capilla se construyeron salones de reunión que servían a su vez de escuela, lugar de catequesis, de enseñanza de corte y confección, y de encuentros en los que resolver problemas comunitarios o aún económicos.[3]

Con el fin de hacer frente a los graves problemas humanos como el analfabetismo, las enfermedades endémicas, etc ... se crearon escuelas radiofónicas y el MEB (Movimiento de Educación de Base) en Natal a cargo de la arquidiócesis. Con la ayuda de la radio se alfabetizaba, promovía y catequizaba. Los domingos la comunidad (sin sacerdote) se reunía en torno al aparato de radio para escuchar la misa celebrada por el obispo. En 1963 existían ya 1410 escuelas radiofónicas. El movimiento se propagó, a continuación, por todo el noroeste y centro-oeste del país.

El movimiento Por Un Mundo Mejor hizo surgir una atmósfera de renovación por todo el país. Un equipo de 5 personas recorrió la nación durante cinco años dando 1800 cursos y poniendo en actividad a todos los estamentos de la vida eclesial: sacerdotes, obispos, religiosos, seglares y

---

[3] Boff, Leonardo, Eclesiogénesis (Santander, España, Editorial Sal Terrae, 1986), pp. 13-14

movimientos. Como resultado de esta actividad surgieron el Plan de Emergencia de la CNBB, y el Primer Plan de Pastoral de Conjunto Nacional (1965-1970) en el que se decía: "Nuestras parroquias actuales están o deberían estar compuestas por varias comunidades locales y por comunidades de base, dada su extensión, densidad demográfica, y porcentaje de bautizados que pertenecen a ellas por derecho. Será por consiguiente de gran importancia el emprender la renovación parroquial partiendo de la creación o dinamización de estas comunidades de base. La matriz llegará poco a poco a convertirse en una de esas comunidades y el párroco presidirá todas las que se encuentren dentro de la porción del rebaño que le fue confiada." [4]

En la década de 1960, la iglesia, a través de las comunidades de base, comenzó a apoyar la formación de sindicatos rurales bajo la inspiración del Padre Melo. Durante este tiempo, las comunidades de base tuvieron mucha competencia de parte de grupos marxistas que también estaban activos en la organización de sindicatos entre los campesinos y obreros. En los primeros años del movimiento, los líderes de las comunidades fueron escogidos desde arriba, es decir por los obispos, sacerdotes y religiosos. Más tarde, los obispos permitieron que las mismas comunidades escogieran sus propios líderes. Con el tiempo, las comunidades comenzaron a abogar a favor de cambios sociales y a meterse en el campo político. Después del golpe militar de 1964, las comunidades llegaron a ser consideradas subversivas por las autoridades. Estas circunstancias obligaron a las comunidades a concentrarse más en el desarrollo de la comunidad, y a no dedicar tanta energía a protestas contra el sistema.

Como consecuencia de algunos cambios dentro del gobierno militar brasileño en 1967 (el golpe dentro del golpe), las autoridades tomaron una posición mucho más dura en cuanto a las "actividades subversivas" de las comunidades de base, posición que desembocó en la persecución de sus líderes. Muchas comunidades tuvieron que funcionar clandestinamente o limitar sus actividades a estudios bíblicos. Una gran parte de esta actividad subversiva se debió a la creciente influencia de las ideas pedagógicas de Paulo Freire dentro de las comunidades de base.

---

4 *Ibíd.*, pp. 13-14.

Paulo Freire, la concientización y las CEB

Freire, un conocido educador brasileño, había desarrollado un programa revolucionario para la educación de adultos analfabetos y semi-analfabetos en el tiempo antes del golpe militar contra el gobierno de Goulart. Freire había llegado a la conclusión de que toda educación oficial era alienante y obedecía al mantenimiento del control sobre la sociedad por parte de las élites dominantes. Para ayudar a los campesinos marginados y pobres a vencer el fatalismo, que era herencia de los moros y de la iglesia tradicional, Freire desarrolló el concepto de la concientización. La meta de la concientización era superar la mentalidad pasiva y el concepto místico del universo. Al vencer estos obstáculos, los pobres llegarían a ser los instrumentos de su propia liberación. Freire, en su libro *Pedagogía del Oprimido,* enfatizó la necesidad de respetar las clases populares, al igual que sus capacidades. Según el método de Freire, los educadores deben servir como facilitadores que buscan capacitar a los oprimidos a fin de que éstos desarrollen sus propias ideas y soluciones. El aprendizaje tiene que ser un proceso activo mediante el cual los pobres sean capacitados para tomar decisiones y controlar sus propias vidas.

Después del golpe militar en el Brasil, Freire se convirtió en una persona non grata en su país natal. Su vida corría peligro, de modo que se vio obligado a trasladarse a Chile, donde nuevamente buscó poner en práctica sus ideas bajo el nuevo gobierno socialista encabezado por el presidente Salvador Allende. Con la caída de Allende en 1973, Freire se trasladó nuevamente. Aún sin la presencia de Freire, las comunidades de base comenzaron a emplear más y más sus métodos, hasta que las comunidades de base llegaron a estar universalmente asociadas con el proceso de concientización.

Con su método, Freire demostró que a los adultos se les puede enseñar a leer y escribir en seis meses. A fin de que el nuevo lector no cayera nuevamente en un analfabetismo funcional después de terminar el programa, era necesario, para Freire y sus discípulos, buscar que el educando se involucrase en el mejoramiento de su comunidad. Al estar involucrado en una cooperativa, una asociación de padres y maestros, o en un grupo político, el educando se vería obligado a utilizar lo que aprendió para el servicio de la comunidad.

En el proceso de concientización, los pobres tienen que aprender a desligarse de los valores de las élites, valores que los pobres habían asimilado por la enseñanza y práctica de la iglesia tradicional. Freire habla de la necesidad que tiene el oprimido de librarse del opresor que lleva dentro. La concientización también busca librar a los oprimidos de su complejo de inferioridad, que ha sido un factor significativo en su sujeción. Durante siglos, las élites de la sociedad y la iglesia han enseñado a los marginados que la pobreza es un resultado de la flojedad, debilidad, negritud, e incapacidad de los mismos pobres. Trataron de convencer a los oprimidos de que su pobreza era el resultado de los pecados de los mismos pobres, y no de los pecados de los ricos. Como resultado de tales enseñanzas, los oprimidos llegaron a creer en las mentiras inventadas por las élites.

Por medio de la concientización, los oprimidos llegan a descubrir que la causa principal de la pobreza son las estructuras y mecanismos injustos empleados por la clase opresora para mantener "el sistema." Una vez que los oprimidos descubren estas realidades, comienzan a organizarse para efectuar cambios en la sociedad. Se toma por sentado que las élites no van a abandonar sus privilegios voluntariamente. Por lo tanto, los oprimidos tendrán que ser los agentes de su propia liberación.

Medellín y las CEB

En la Conferencia Episcopal Latinoamericana (CELAM) en Medellín, Colombia, en 1972, la concientización y los métodos de Freire recibieron la bendición de la mayoría de los obispos. Desde entonces se han utilizado los métodos de Freire, no solamente en la educación secular, sino también para enseñar la fe. Aunque todavía existen muchas comunidades de base que no están comprometidas con la teología de la liberación, podemos afirmar que las comunidades de base se han convertido en los lugares donde tal teología se pone en práctica. Usando la Biblia como texto principal, las comunidades han ayudado, no solamente a despertar la conciencia política popular de los grupos marginados, sino que también están sirviendo para dar a los fieles un nuevo modelo de lo que es la iglesia. Según Leonardo Boff, quien ha escrito extensamente sobre las comunidades de base, las CEB son una eclesiogénesis, un nuevo nacimiento de la iglesia. El auge de las comunidades de base significa que la iglesia está haciendo causa común con los oprimidos, que se está librando de la hegemonía de los poderosos, se está librando de la dominación del clero, y llegando a ser una iglesia de los pobres.

Según los teólogos de la liberación, a las comunidades eclesiales de base se las puede entender en base a las tres palabras claves que constituyen su nombre. Es decir, las CEB son eclesiales, son comunidades, y son de la base.

Las CEB son de la "Base"

Cuando decimos que las comunidades eclesiales de base son de la "base" nos referimos a la base de la sociedad y a la base de la iglesia. De acuerdo al análisis sociológico, la Iglesia Romana tradicional puede ser representada como un pirámide. El ápice de esa pirámide, donde está situado todo el poder y la autoridad de la iglesia, es el papado y el colegio de cardenales. Del ápice, la autoridad filtra lentamente hacia la base de la pirámide. La base representa a quienes se les ha negado el poder y la autoridad en el modelo tradicional de la sociedad y la iglesia. Son los laicos, los indígenas, los negros, las mujeres, los campesinos, y los habitantes de las "favelas".

Estos marginados son los que se encuentran en las comunidades eclesiales de base. Ahora se encuentran, no solamente como objetos y recipientes de las ministraciones eclesiásticas de otros, sino como actores y sujetos. Con las comunidades de base, la iglesia ha sido invertida. La base está arriba y el ápice se encuentra abajo. El poder y la autoridad se mueven de la base hacia el ápice y no viceversa. El poder y la autoridad espiritual fluyen desde la base hacia el ápice del triángulo. Las formas y prioridades de la iglesia no son determinadas por el ápice sino por la base.

En el pasado la iglesia estaba orientada hacia los intereses de las élites del primer mundo. Como para el siglo XXI, cuatro quintas partes de la población mundial vivirán en el tercer mundo, las comunidades eclesiales de base reconocen que la iglesia tendrá que echar raíces y plantarse firmemente en el tercer mundo. Para los teólogos de la liberación las realidades culturales, políticas, y económicas del tercer mundo tendrán que determinar las estructuras y las prioridades de la iglesia.

Las CEB son "Eclesiales"

La segunda palabra clave es eclesial. Esto quiere decir que para la teología de la liberación, las comunidades de base son verdaderas iglesias con sus propios ministerios, con el derecho de predicar la Palabra, y de celebrar los sacramentos. No son simplemente agencias auxiliares de la iglesia, dependientes y sujetas al viejo sistema diocesano. Tampoco las comunidades eclesiales de base son iglesias en competencia con la iglesia tradicional. Los teólogos de la liberación hablan de las comunidades eclesiales de base y la iglesia tradicional como dos modelos diferentes de la iglesia apostólica. Según Leonardo Boff, las comunidades eclesiales de base son el redescubrimiento de la forma original de la iglesia, una forma más próxima al modelo del Nuevo Testamento. Por lo tanto, Boff cree que las comunidades eclesiales de base pueden ser un mejor sacramento de salvación para todo el mundo que el modelo tradicional. El modelo tradicional está demasiado comprometido con el "sistema" y con las élites dominantes como para cumplir con su función libertadora.

La celebración de los sacramentos en las CEB

Leonardo Boff cree que el movimiento de las comunidades de base no solamente está ayudando a las comunidades cristianas a librarse del clericalismo, es decir, de una dependencia demasiado grande a los sacerdotes y a los sacramentos que solamente ellos pueden celebrar, sino que está también ayudando a librar a los sacerdotes de la sacramentalización. O sea, los sacerdotes tradicionales han pasado tanto tiempo celebrando los sacramentos y dirigiendo servicios religiosos que no han tenido tiempo para dedicarse a su función más importante. Boff asevera lo siguiente:

> El problema concreto del sacerdote es que está siendo aplastado bajo el peso de la sacramentalización; los sacramentos tienen que ver con el abastecimiento interno de la vida de la comunidad, que no puede quedar dependiente del clero. Sin esta vida interna la comunidad no podría hacer nada y nunca llegaría a una real autonomía. El clero se ha convertido en una clase y, como clase, ha monopolizado en sus manos la administración de los sacramentos. Se ha quedado con la llave del puesto de abastecimiento, sin ser el dueño de él, y ha creado en el pueblo una conciencia de dependencia total consciente en creer que sólo gracias al "padre"se puede subir hasta Dios. Pues bien, tendrá que eliminar al telefonista y habrá de crearse una línea directa hasta el pueblo. Esto significa: 1) que el pueblo pueda redescubrir el sentido sacramental (simbólico) de la vida; 2) que se elimine el clericalismo que rodea la administración a los sacramentos; 3) que el pueblo pueda llegar a ser dueño de los sacramentos y a disponer del control del puesto de abastecimiento.[5]

---

[5] *Ibid.*, pp. 75-76.

Vemos en la cita de arriba que Boff, y otros teólogos, creen que no es siempre necesaria la presencia de un sacerdote ordenado para celebrar los sacramentos. A través de América Latina existen miles y miles de comunidades donde no hay sacerdotes. Cada año la escasez de sacerdotes se está haciendo más aguda. ¿Deben quedar las comunidades de base privadas de los sacramentos porque no hay sacerdotes? En algunos países como Honduras, casi todos los sacerdotes han tenido que abandonar las zonas rurales del país debido a que los escuadrones de la muerte han asesinado, torturado, y perseguido a considerable número de sacerdotes y religiosos. En situaciones donde hay una comunidad de base sin sacerdote, los teólogos de la liberación creen que los líderes laicos de la comunidad poseen la autoridad para celebrar los sacramentos, puesto que la comunidad misma es el sacramento principal del cual manan todos los demás sacramentos.

Los argumentos con los que Boff justifica su hipótesis de que los laicos pueden celebrar la Eucaristía en ausencia de un sacerdote ordenado son los siguientes:

1. La comunidad cristiana, por la recta doctrina, está situada en la fe y en la sucesión apostólica. Esto quiere decir que una iglesia puede considerarse como apostólica, no en base a la imposición de manos que han recibido sus ministros de un obispo que ha recibido su ordenación de otro obispo, cuya ordenación proviene en línea directa de los doce apóstoles de Jesucristo, sino por tener la misma fe y práctica que tuvieron los apóstoles.

2. La comunidad toda, gracias a la fe y al bautismo, se constituye como comunidad sacerdotal. En ella Cristo está presente ejerciendo su función sacerdotal. Esto quiere decir que el privilegio y la responsabilidad de celebrar los sacramentos no fue dado exclusivamente a una élite clerical, sino a toda la comunidad cristiana.

3. La comunidad entera es sacramento universal de salvación por ser presencia local de la iglesia universal.

4. La comunidad, mediante sus coordinadores, está en comunión con las demás iglesias hermanas y con la iglesia universal.

5. La comunidad desea ardientemente el sacramento de la Eucaristía.

6. Se ve privada por largo tiempo en forma irremediable del ministerio ordenado.

7. No es culpable de ese hecho, ni expulsó de su seno al sacerdote.

8. La comunidad, entonces, en función de todo esto, tiene acceso a la gracia eucarística.

9. El celebrante no ordenado sería ministro extraordinario del Sacramento del Altar.

Si la función principal del sacerdote no es la celebración de los sacramentos, ¿cuál es su función principal? Si los laicos pueden celebrar los sacramentos como ministros extraordinarios, ¿cuál es la función o carisma específica a la cual el sacerdote ha sido llamado? Boff contesta estas preguntas de la siguiente forma:

> La especificidad del presbítero-sacerdote reside en este carisma de coordinar las diversas funciones dentro de la comunidad (carismas), ordenándolas a todas para el bien de la iglesia, promoviendo unas, animando otras, descubriendo carismas ya presentes pero no reconocidas por la comunidad, advirtiendo a otros que ponen en peligro la unidad de la comunidad. El sacerdote no acumula en sí todas las funciones, sino que debe integrar en la unidad de los servicios.
>
> El presbítero es, por lo tanto, el responsable principal de la unidad de la iglesia local, sea en la diaconía del amor concreto mediante la asistencia a los hermanos necesitados, o en el contexto de los servicios de la comunidad; sea en el servicio de anunciar, mediante la catequesis, homilética, y cursos de profundización; sea en el servicio cúltico y sacramental. En todo debe buscar la unidad y la armonía a fin de que la comunidad sea el cuerpo de Cristo.
>
> De acuerdo con esta interpretación, lo específico del sacerdote no es consagrar ni enseñar, sino ser unidad en el culto y en el anuncio del mensaje. En razón de ese carisma le compete, sin embargo, la presidencia en la celebración, y la autoridad en la predicación...
>
> La ordenación, mediante el sacramento del orden, consagra en la comunidad a la persona que presidirá, en la unidad y en la reconciliación, los diversos servicios... El sacramento no confiere algo exclusivo, únicamente alcanzable por el sacramento y sin lo cual eso sería imposible en la iglesia. Confiere una visibilidad más

profunda a una realidad que ha de ser procurada por todos en la comunidad: la unidad y el amor.[6]

Las notas de la iglesia y las CEB

La Iglesia Romana siempre ha dado mucha importancia a las cuatro notas o marcas de la iglesia que encontramos en el Credo Apostólico. A fin de distinguir la verdadera iglesia de entre las sectas, iglesias falsas, o iglesias incompletas, es necesaria la presencia de las cuatro notas de la iglesia. Las notas que identifican la iglesia verdadera son: unidad, apostolicidad, universalidad, y santidad. Todos los teólogos que han escrito sobre las comunidades de base han afirmado que ellas son verdaderas iglesias porque poseen sus cuatro marcas. Al hacer esto, los teólogos definen las cuatro notas de la iglesia a base de su propio concepto sobre el verdadero significado de estas marcas.

La catolicidad o universalidad de la iglesia se comprueba en base a la misión universal del pueblo de Dios. La verdadera iglesia es la que tiene como misión la evangelización y la liberación de todo el mundo y, especialmente, de los pobres y marginados. Una iglesia que se jacte de ser universal, pero que deja a los pobres y oprimidos de lado, no puede llamarse iglesia universal. Una iglesia que se preocupa solamente en atender a las necesidades materiales y espirituales de las clases pudientes no tiene derecho a llamarse iglesia católica.

La apostolicidad de la iglesia: Tradicionalmente, la Iglesia Romana ha definido la apostolicidad de la iglesia en términos de sus obispos, que recibieron su ordenación de las manos de otros obispos que pueden comprobar que sus ordenaciones derivan de los apóstoles originales de Cristo. Los teólogos de la liberación consideran que una iglesia es apostólica cuando cumple con la misión apostólica de llevar el evangelio a todo el mundo. Además, en las comunidades de base, la apostolicidad de la iglesia se considera como una característica de toda la iglesia, y no solamente de una clase compuesta por los obispos o sucesores de los apóstoles.

La unidad de la iglesia en la teología de la liberación no significa que todos deben estar unidos bajo una sola liturgia, una sola versión oficial

---

6 *Ibíd.*, pp. 132-133.

de la Biblia, una sola estructura eclesiástica y una sola ley canónica. La unidad por la cual se aboga en las comunidades de base es una unidad en diversidad. Sobrino escribe:

> (Pablo) aceptó la diversidad de culturas y la diversidad de configuraciones sociales, minoritarias y mayoritarias. Aceptó la necesaria diversidad de capacidades de "carismas", la diversidad de talentos y aportes de diversos individuos y grupos de individuos para la constitución del cuerpo social. Aceptó la necesaria diversidad de funciones de toda organización social, sin las cuales no puede subsistir. Aceptó la carencia y miseria histórica de muchos (la mayoría) de sus miembros y el deseo espontáneo y correlativo de redención y liberación; y aceptó la urgencia sentida en otros de sus miembros a dedicarse más activamente a esa tarea.[7]

La santidad de la iglesia no es solamente la santidad de los que son santos en el sistema. Tradicionalmente los sacerdotes, obispos y religiosos han sido santos, pero pocos santos han sido laicos. Se ha definido la santidad de los cristianos más en términos de obediencia, humildad, sumisión. Los profetas y reformadores en vez de ser considerados como santos, fueron objetos de toda clase de violencia, calumnia, y excomunión.

La Biblia en las CEB

Una de las actividades principales de las comunidades eclesiales de base ha sido el estudio de la Biblia. Guiados por uno de sus líderes, los miembros de la comunidad se reúnen alrededor de la Palabra para discutir entre ellos el significado para sus vidas, y su experiencia como pueblo de Dios en una situación específica. Estas discusiones son muy animadas y cuentan con la participación de todos.[8] En estas discusiones sobre el significado del texto bíblico se da suma importancia al papel de los pobres como intérpretes de la Biblia. Los que han dedicado más tiempo al trabajo con las comunidades de base afirman que los teólogos académicos del primer mundo, con sus comentarios y sus investigaciones científicas de la

---

7 Sobrino, Jon, *Resurrección de la Verdadera Iglesia* (Santander, España, Editorial Sal Terrae, 1984), p. 150.

8 Para un ejemplo del contenido de estas discusiones el lector puede leer los escritos de Ernesto Cardenal que llevan el título: *El Evangelio en Solentiname*.

Biblia, con frecuencia distorsionan el significado del texto, porque escriben desde la perspectiva de las clases dominantes que han tratado de utilizar las Escrituras como un instrumento para justificar el sistema del cual ellos son una parte. En la cita siguiente, el teólogo chileno Pablo Richard explica porqué los teólogos de la liberación creen que los pobres y oprimidos con frecuencia son los mejores intérpretes bíblicos:

> Los pobres son los intérpretes privilegiados del texto bíblico, pues ese texto pertenece a la memoria histórica de los pobres. Los pobres son el autor humano de los textos bíblicos. Toda la Biblia ha sido producida por los pobres o desde la perspectiva de los pobres, lo que permite a ellos, solamente a ellos, encontrar la clase de su interpretación.[9]

Richard cree que la Biblia es diferente a casi todos los libros que se han escrito en la antigüedad porque todos los demás han sido producidos por las clases dominantes o desde la perspectiva de las élites. Muchos intérpretes de las clases dominantes han tratado de falsificar o de suavizar el mensaje libertador de la Biblia por medio de enmiendas en el texto, referencias al pie del texto, títulos interpretativos insertados en el texto, etc. Con todas estas deformaciones, se ha tratado de robar a los pobres sus libros. Para redescubrir el mensaje original de los documentos bíblicos es necesario permitir que los pobres lean, comenten, y apliquen la Biblia desde su perspectiva.

Adoración y liturgia en las CEB

Se hace el esfuerzo en las comunidades eclesiales de base para crear nuevas liturgias que incorporen los valores y las prioridades de los oprimidos. Estas liturgias incluyen muchos elementos de la religiosidad popular, pero no como un escape de la realidad, sino como una afirmación de la identidad de los pobres como pueblo predilecto y privilegiado de Dios.

---

[9] Richard, Pablo, *La Fuerza Espiritual de la Iglesia de los Pobres* (San José, Costa Rica, Editorial DEI, 1988), pp. 119-120.

Las CEB son "Comunidades"

En contraste a las otras formas tomadas por la iglesia a través de su historia en América Latina, las CEB hacen hincapié en la participación activa de todos los miembros del grupo. Tradicionalmente los fieles han ido a escuchar la misa. Eran observadores pasivos de las acciones del clero. Las CEB buscan crear una comunidad, una verdadera koinonía, en donde todos los miembros estén en contacto con los demás, y donde todos trabajen y sirvan juntos en proyectos para el bien de la sociedad. Al articular una justificación teológica de las CEB, Leonardo Boff, Pablo Richard, y otros han enunciado algunas ideas consideradas como muy revolucionarias dentro de la Iglesia Católica Romana. Estas ideas han provocado la censura de los teólogos más tradicionales como el Cardenal Ratzinger y otros. Son las siguientes:

A. La comunidad es anterior a la iglesia institucional y su clero. Según Boff, el poder de atar y desatar, conferido a Pedro, le es igualmente atribuido a toda la comunidad. La explicación de Pedro como piedra angular de la iglesia en Mateo 16.18-19 es, según Boff, una explicación etiológica hecha por la comunidad postpascual.[10] No fue la intención de Jesús formar una iglesia con un clero jerárquico, sino una comunidad que esperaba el reino. Después de la resurrección, esta comunidad llegó a ser iglesia debido a la demora de la segunda venida. En otras palabras, la iglesia es sustituto del reino. La iglesia llegó a establecerse, no por mandato divino, sino por la decisión de los apóstoles de intentar una realización imperfecta del futuro reino en el presente.[11]

B. El sacerdocio real de todos los creyentes, en el cual los dones espirituales son ejercitados, son la base de los oficios en la iglesia. Según Boff, la iglesia primitiva, dentro de su apostolicidad esencial, creó funciones de acuerdo con las necesidades, o se adaptó a un estilo previamente existente, como el sinagogal. El episcopado y el presbiterio son, por lo tanto, respuestas funcionales a las necesidades de la comunidad, y no instituciones divinas. Pueden seguir funcionando en la medida que atienden a las necesidades de las comunidades.

---

10 Boff, 1986, p. 88.

11 *Ibid.*, p. 93.

C. Los pobres como teólogos son capaces de crear su propia teología.

Las CEB en Centroamérica

Nicaragua

En Brasil el movimiento de las comunidades eclesiales de base ha contado con el apoyo de la mayoría de los obispos de la Iglesia Romana. Tal no ha sido la experiencia de las comunidades eclesiales de base en Nicaragua, donde la jerarquía ha considerado a las comunidades como focos marxistas y revolucionarios, íntimamente ligados con la revolución sandinista. En 1966, el Padre José de la Jara creó una comunidad de base en la parroquia de San Pablo, en Managua, que llegó a ser "la iglesia madre" y modelo para muchas otras comunidades. Animados por el apoyo dado por la Conferencia Episcopal en Medellín en 1972, grupos de sacerdotes jóvenes comenzaron a crear más comunidades de base en Managua, por la costa del Atlántico, en zonas rurales y en la Isla de Solentiname, en el gran lago de Nicaragua. "Delegados de la Palabra" (ministros laicos) fueron preparados para servir en la ausencia de sacerdotes ordenados, y para proveer servicios de salud. También enseñaron a los analfabetos y dieron entrenamiento vocacional a los pobres.

La más famosa de las comunidades eclesiales de base en Nicaragua fue la comunidad establecida por el conocido poeta Ernesto Cardenal en la Isla de Solentiname. Los diálogos entre los miembros de la comunidad sobre la interpretación de los textos bíblicos estudiados fueron grabados por Cardenal y después publicados en una serie de libros que llevan el título: *El Evangelio en Solentiname*. Estos diálogos son un buen ejemplo de la clase de reflexión bíblica que ocurre en las comunidades eclesiales de base. La comunidad de Solentiname llegó a estar altamente politizada, declarando su apoyo al movimiento Sandinista. En 1977, los miembros de esta comunidad participaron en un ataque contra un puesto de la Guardia Nacional Nicaragüense cerca de la frontera con Costa Rica. En represalia, la Guardia Nacional atacó a Solentiname y la quemó.

Después de la victoria Sandinista y el nombramiento de varios sacerdotes como Miguel d'Escoto, Fernando Cardenal y Ernesto Cardenal al gabinete del nuevo gobierno, el cardenal Miguel Obando y Bravo y otros obispos de jerarquía nicaragüense, comenzaron a criticar duramente a las comunidades de base por el apoyo entusiasta que daban al sandinismo. Se hablaba de una división dentro de la Iglesia Católica tradicional, por un lado, y la iglesia popular o la iglesia del pueblo, por otro lado. Se acusaba a las comunidades de base de no apoyar al papa durante su visita a Nicaragua durante 1983, y de representar un modelo herético de iglesia. Un buen número de libros escritos por autores como Sobrino, Richard, y Boff han defendido la tesis de que las comunidades eclesiales de base son una forma legítima de la iglesia, y representan la resurrección de la verdadera iglesia.

El Salvador

En el convulsionado país de El Salvador, donde miles de campesinos fueron masacrados en 1932 en un fracasado levantamiento por conseguir una reforma agraria, las comunidades de base han encontrado mucha oposición de parte de las élites militares y las 14 familias que han dominado al país. En la década de 1970, el Padre Rutilio Grande, con un equipo de religiosos, comenzó a organizar comunidades de base entre el pueblo campesino. Pero el 12 de marzo de 1977, el padre Rutilio Grande fue asesinado por las fuerzas de seguridad del gobierno salvadoreño. Después de la muerte del padre Grande, las fuerzas de seguridad comenzaron con una campaña de terror a fin de eliminar las comunidades de base. Centenares de personas fueron asesinadas, incluyendo docenas de catequistas laicos. En 1980, el arzobispo Romero fue asesinado mientras celebraba misa en la ciudad capital, San Salvador. El 21 de noviembre de 1984, el pastor luterano David Fernández fue secuestrado, torturado y asesinado debido a sus esfuerzos por organizar a los trabajadores de su comunidad para reclamar sus derechos. En 1982, el ejército asesinó 40 personas en la aldea de Candelaria, incluyendo a muchos miembros de la iglesia luterana local. A pesar de tanta oposición y persecución, las comunidades de base han podido sobrevivir para dar ánimo y consuelo a los oprimidos ciudadanos de esta república centroamericana.[12]

Honduras

En la década de 1970, varios sacerdotes en Honduras comenzaron a trabajar para mejorar la situación económica de los campesinos que trabajaban en las plantaciones bananeras de los terratenientes y las compañías United Fruit y Standard Fruit. En esta república centroamericana, que depende casi exclusivamente de la producción de bananas, 23 mil

---

[12] Gómez, Medardo Ernesto, *Fuego contra Fuego, Una Pastoral Evangélica, 2a. Edición* (San Salvador, Iglesia Luterana Salvadoreña, 1990), pp. 80-81.

personas morían anualmente de enfermedades relacionadas con el hambre. La mayoría de los campesinos no tienen terrenos propios. Los terrenos están en manos de los terratenientes y las compañías extranjeras. United Fruit (ahora United Brands), con 3.3 millones de hectáreas es el terrateniente más grande. Estas compañías, y los terratenientes, han empleado toda clase de artimañas ilegales para mantener los sueldos de los trabajadores lo más bajo posible para así lograr grandes ganancias para sus accionistas. Las investigaciones sobre los sobornos pagados a oficiales del gobierno hondureño resultaron en el suicidio de uno de los presidentes de la United Fruit.

Cabe mencionar que antes de llegar a ser director de la CIA de los Estados Unidos, Allen Dulles era uno de los abogados principales de la compañía United Fruit. Recordamos que la CIA, bajo la dirección de Dulles, fue responsable por el derrocamiento del gobierno democrático de Jacobo Arbenz en Guatemala en 1954. Como resultado de este derrocamiento, la reforma agraria de Arbenz en Guatemala fue anulada. Se recuerda también que el General Walter Bedell Smith, quien también sirvió como director de la CIA, llegó a ser el director de la compañía United Fruit después de retirarse de la administración gubernamental.

Dentro de esta situación de explotación y opresión, la Iglesia Católica lanzó un programa de escuelas radiales rurales y centros para el entrenamiento de campesinos. Algunos trabajadores agrícolas se organizaron en sindicatos rurales y organizaciones campesinas para trabajar en pro de la reforma agraria. Resulta que la mayoría de los terratenientes ocupan ilegalmente terrenos comunales y estatales donde se han hecho ricos a expensas del pueblo. Informados de sus derechos por los sindicatos rurales, los campesinos comenzaron a levantarse en huelga demandando sueldos justos y mejores condiciones de trabajo. Como resultado, se desató una campaña de terror y persecución en contra de las organizaciones campesinas. Campesinos, líderes sindicales, y sacerdotes fueron capturados, torturados y asesinados. Debido a esta terrible persecución, la gran mayoría de los sacerdotes católicos que trabajaban en los sectores rurales tuvieron que huir del país. En ausencia de los representantes oficiales de la Iglesia Romana, los ministros laicos (agentes de la Palabra) preparados en las comunidades de base, han tenido que asumir el liderazgo de los católicos en las provincias hondureñas. Si no fuera por estos ministros campesinos, la iglesia hubiera dejado de existir como una comunidad que se reúne para escuchar la Palabra y celebrar los sacramentos.

Teólogo clave: Leonardo Boff

El teólogo brasileño, Leonardo Boff, con la excepción de Gustavo Gutiérrez, es probablemente el más conocido de los teólogos de la liberación. Como miembro de la orden franciscana, Boff ha influido mucho en el desarrollo de las comunidades eclesiales de base en Brasil. En nuestro estudio de la teología de la liberación nos conviene conocerlo más a fondo.

Boff comenzó sus estudios teológicos en la ciudad de Petrópolis en su patria natal, Brasil. Los continuó en Munich bajo el ahora desaparecido Karl Rahner. Su tesis doctoral, de 552 páginas, fue publicada en alemán en el año 1972. La tesis giró sobre el tema: La iglesia como sacramento desde el punto de vista de la experiencia secular. Después de retornar a su patria natal, Boff llegó a ser el director de la *Revista Ecclesiastica Brasileira*. Su producción literaria incluye obras técnicas y populares sobre las comunidades eclesiales de base, la teoría de la dependencia, los pobres, la cristología, la Santa Trinidad, y la espiritualidad de la liberación.[13–14]

Las bibliografías en los libros de Boff muestran una gran erudición, no solamente en teología, sino también en campos como filosofía, economía y política. En sus escritos teológicos, Boff se mantiene en diálogo continuo con una gran variedad de autores, especialmente con pensadores de la Europa continental. Su familiaridad con los teólogos ingleses y norteamericanos no es tan grande. Conoce mejor las obras de los teólogos alemanes, franceses, holandeses y latinoamericanos. Ciertos escritores han influido mucho en la teología de Boff, a saber: Teilhard de Chardin, C. G. Jung, San Francisco de Asís, Duns Escoto, y Ernest Bloch con su "principio de la esperanza."

Los escritos de Boff sobre la iglesia le han ocasionado dificultades con el Vaticano y con su antiguo mentor, el cardenal Joseph Ratzinger. En obras tales como *Eclesiogénesis*, e *Iglesia: Carisma y Poder*, Boff sugiere que la jerarquía de la iglesia llegó a ser establecida por la comunidad cristiana (desde abajo) y no como una estructura establecida por Dios (desde arriba). Además, Boff ha abogado a favor de ideas tan

---

13 Sigmund, *Op. Cit.*, pp. 79-84

14 Ferm, Deane William, *Third World Liberation Theologies* (Maryknoll, New York, Orbis Books, 1986), pp. 30-31.

anti-tradicionales como: la ordenación de mujeres, y la celebración del sacramento por parte de los laicos en ausencia de un sacerdote ordenado. Insiste Boff en que la jerarquía existe dentro de la iglesia para promover la unidad y para coordinar los dones espirituales que Dios ha dado a toda la comunidad. En la perspectiva de Boff, la autoridad en la iglesia fluye desde abajo hacia arriba y no desde arriba (el papa, el colegio de cardenales y la jerarquía) hacia abajo. Tales ideas, además de la acusación de que Boff apoyaba al marxismo, provocaron un decreto eclesiástico donde se le ordenó guardar silencio; también se le prohibió enseñar, predicar o escribir en calidad de maestro de la iglesia. El decreto quedó en efecto desde mayo de 1985 hasta marzo de 1986, cuando Boff pudo resolver sus diferencias con el Vaticano.[15]

Observaciones finales

Uno de los peligros que siempre existen con los movimientos eclesiásticos, después de la segunda y tercera generación, es el de la institucionalización, el estancamiento y la pérdida de visión. Las instituciones fácilmente llegan a ser fines en sí mismas, en lugar de continuar siendo los instrumentos y vehículos del Reino de Dios. Llegan a ser burocráticas, y con frecuencia buscan ser servidas en vez de servir. Llegan a aliarse con las élites dominantes, y tienden a convertirse en organizaciones que justifican al sistema en vez de trabajar en pro de una transformación de la sociedad. La teología de la liberación y el movimiento de las comunidades de base han visto este peligro y, en reacción, han formado nuevas estructuras de renovación. Las estructuras de renovación, aunque necesarias, también tienen su fallas. Tienen la tendencia a ser cismáticas y separatistas. Fácilmente pueden caer en el legalismo y en el fariseísmo, como fue el caso con los primeros fariseos, que también comenzaron como un movimiento de renovación dentro del judaísmo. Los movimientos de renovación pueden perder todo contacto con la tradición, y corren el peligro de convertirse en heréticos. En otros casos, los grupos de renovación que andan tras la búsqueda de la perfección pueden retirarse tanto del mundo que pueden llegar a formar un gueto eclesiástico divorciado completamente del mundo. Las instituciones y los grupos de renovación, definitivamente, se necesitan

---

[15] McGovern, Arthur F., *Liberation Theology and its Critics* (Maryknoll, New York, Orbis Books, 1989), pp. 221-222.

mutuamente. Tiene que existir algún intercambio entre ellos para que ambas estructuras se beneficien mutuamente.

En su libro sobre la renovación eclesiástica dentro de la iglesia, Howard Snyder, misionero en Brasil y profesor de teología de la Iglesia Metodista, especificó diez marcas o pautas que deben caracterizar a los movimientos de renovación si en verdad desean ser una bendición para la iglesia universal, y no simplemente otra secta más. Estas diez pautas elaboradas por Snyder, estudiadas en conexión con la experiencia que ha tenido la iglesia Católica y otras denominaciones con comunidades eclesiales de base, nos ayudarán a comprender y evaluar la *ecclesiola in ecclesia* como modelo de renovación en nuestros propios ambientes.

1. El movimiento de renovación usualmente comienza cuando una persona o un grupo de personas redescubren algo en la Palabra de Dios y en el evangelio que ha sido olvidado o suprimido por la iglesia en general o por la denominación de los renovadores. La célula original en la cual comienza un movimiento nuevo se compone de aquéllos que han recibido una nueva percepción de la fe, o una experiencia que les ayuda a entender la fe y la vida cristiana desde otra perspectiva o punto de vista.

2. Los movimientos de renovación comienzan como una *ecclesiola in ecclesia.*

3. Los movimientos de renovación necesitan el funcionamiento de pequeños grupos que se reúnen dentro del seno de la congregación. Estos grupos usualmente se componen, por lo general, de una docena de personas que se reúnen por lo menos una vez en la semana.

4. El movimiento de renovación, para ser efectivo, debe mantener un nexo estructural con la iglesia institucional. Esta conexión entre la ecclesia y la ecclesiola podría ser el reconocimiento de la ecclesiola de parte de la ecclesia, como por ejemplo una orden religiosa, como ha sucedido en la Iglesia Romana. Otro ejemplo puede ser la ordenación de los líderes de la ecclesiola por la ecclesia (como la ordenación eclesiástica del conde von Zinzendorf por la Iglesia Luterana en Alemania). Puede ser una conexión como el reconocimiento oficial que ha dado la Iglesia Católica Romana al movimiento carismático entre sus filas.

Snyder reconoce que en muchas oportunidades los grupos interesados en la renovación se han vuelto heréticos y sectarios, como fue el caso de los cátaros y montanistas. Además, reconoce que pueden existir tensiones entre el grupo grande y los grupos de renovación. La tendencia hacia el extremismo se hace más grande cuando los grupos de renovación pierden su contacto con el grupo mayoritario debido a que este último funciona para ayudar al grupo pequeño a mantenerse en contacto con la tradición y la disciplina de la iglesia universal. A la vez, la iglesia mayor necesita el dinamismo, el entusiasmo y el sentido de misión que se presentan en los movimientos de renovación. ¿Qué hubiera pasado con la Iglesia Católica en la Edad Media si no hubiera sido por los nuevos movimientos monásticos que dieron nueva vida a la iglesia madre? En la opinión de Snyder y autores como Ralph Winter, la ecclesiola siempre necesita la ecclesia y la ecclesia siempre necesita la ecclesiola. Ambas estructuras se empobrecen cuando no existen en tensión dinámica la una con la otra.

5. Las estructuras de los grupos de renovación necesitan comprometerse a la unidad, vitalidad, y salud de la iglesia universal, y no solamente a los intereses del grupo pequeño.

6. El movimiento de renovación tiene que estar orientado hacia la misión.

7. Los miembros de los movimientos de renovación deben estar conscientes de que son una comunidad en la cual los miembros se comprometen mutuamente, y donde todos son responsables los unos por los otros. En otras palabras, tiene que ser una verdadera koinonía, una comunidad en la cual existe disciplina, interdependencia y mutualidad.

8. Los movimientos de renovación necesitan proveer un contexto para el surgimiento, entrenamiento, y ejercicio de nuevas formas de ministerio y liderazgo. Los movimientos de renovación generalmente han preparado o reconocido a líderes que no han pasado por los canales tradicionales para la preparación de ministros que existen en la iglesia institucionalizada. Con frecuencia, los movimientos de renovación han provisto una buena parte de los líderes, no solamente para sí mismos, sino también para la iglesia en general. Muchos de los papas que trabajaron para renovar la iglesia institucional surgieron de las órdenes monásticas.

9. Los miembros de los movimientos de renovación necesitan mantenerse en contacto con la sociedad y especialmente con los pobres.

10. Las estructuras de renovación necesitan mantener un énfasis tanto en el Espíritu como en la Palabra. Las instituciones tienden a poner la Palabra por encima del Espíritu, y los movimientos de renovación tienden a poner el Espíritu por encima de la Palabra y los sacramentos. Las instituciones necesitan estar abiertas a la acción del Espíritu, mientras que los movimientos de renovación necesitan estar abiertos a la corrección, la disciplina y la universalidad que proveen la Palabra y los sacramentos.[16]

Bibliografía:

Boff, Leonardo, *Iglesia: Carisma y Poder* (Santander, España, Editorial Sal Terrae, 1982).

Eclesiogénesis (Santander, España, Editorial Sal Terrae,1986).

Gómez, Ernesto Medardo, *Fire Against Fire* (Minneapolis, Augsburg Fortress 1990).

McGovern, Arthur F., *Liberation Theology and Its Critics* (Maryknoll, New York, Orbis Books 1989).

Mesters, Carlos, *The Use of the Bible in Christian Communities of the Common People*, in Liberation Theology: A Documentary History. (Alfred T. Hennelly ed. pp.14-28. Maryknoll, New York, Orbis Books 1990).

Richards, Pablo, *La Fuerza Espiritual de la Iglesia de los Pobres* (San José, Costa Rica, Editorial DEI 1989).

Synder, Howard A., Signs of the Spirit (Grand Rapids, Michigan, Zondervan Publishing House 1989).

Sobrino, Jon, *Resurrección de la Verdadera Iglesia* (Santander, España, Editorial Sal Terrae, 1984).

---

16 Snyder, *Op. Cit.*, pp. 276-281

14

La opción preferencial por los pobres

Bienaventurado el Hombre

Bienaventurado el hombre que no sigue las consignas del partido
ni asiste a sus mitines
ni se sienta en la mesa con los gángsters
ni con los generales en el consejo de guerra
Bienaventurado el hombre que no espía a su hermano
ni delata a su compañero de colegio
Bienaventurado el hombre que no lee los anuncios comerciales
ni escucha sus radios
ni cree en sus slogans
Será como un árbol plantado junto a una fuente...

El Salmo 1 por Ernesto Cardenal

La lucha entre la teología de la liberación y el estado de seguridad nacional

La película "Romero" trata de la vida y martirio del famoso arzobispo salvadoreño, asesinado mientras celebraba misa ante una congregación de religiosas en San Salvador. El Arzobispo Romero había sido escogido por las élites eclesiásticas para ser arzobispo de El Salvador porque parecía ser un hombre tranquilo, manejable y sin tendencias revolucionarias. Era conocido como un estudioso, un amante de los libros, y no un reformador social. Las 14 familias de ricos terratenientes que habían dominado a El Salvador por generaciones, creían que Romero sería un aliado en su lucha contra aquéllos que abogaban por una reforma agraria, elecciones libres, y una sociedad mas igualitaria. Poco a poco Romero comenzó a tomar conciencia de las realidades sociales, políticas y económicas de su país. Aunque Romero nunca se identificó públicamente con la teología de la liberación, ha llegado a ser considerado como uno de los grandes mártires del movimiento.

A través de los medios de comunicación masiva, casi todo el mundo sabe que monseñor Romero, el padre Rutilio Grande, cuatro monjas norteamericanas, y seis padres jesuitas perdieron sus vidas a consecuencia de la actividad de los escuadrones de la muerte en la convulsionada república de El Salvador. Algunos saben también del secuestro, tortura y asesinato del pastor luterano David Fernández en la misma república en 1984. Muchos han leído los intentos para destruir el templo de la congregación luterana en San Salvador y de las constantes amenazas contra la Iglesia Luterana en San Salvador y contra su obispo, Medardo E. Gómez. Sin embargo, la mayoría desconoce la represión a gran escala contra la iglesia a lo largo de América Latina. Igualmente, se desconoce que miles de sacerdotes, pastores, monjas, y obreros laicos han sido secuestrados, torturados o asesinados, especialmente en países como Brasil, Uruguay, Argentina, Chile, Honduras, Guatemala, El Salvador, Ecuador y Bolivia.

Los que justifican la represión contra la iglesia y contra aquéllos que se identifican con la teología de la liberación insisten en afirmar que los teólogos de la liberación son marxistas y revolucionarios disfrazados como clérigos y obreros laicos. Se asegura que son una amenaza contra la seguridad del estado y la democracia. Los teólogos de la liberación responden a estas críticas negando que son marxistas, y aseguran que su participación en la política corresponde más a criterios basados en el mensaje de los profetas del Antiguo Testamento y en la proclamación del Reino de Dios por Jesucristo. Los teólogos de la liberación, en efecto, denuncian y atacan al sistema capitalista, las compañías transnacionales y el así llamado “estado de seguridad nacional”. José Comblin es el teólogo que más se ha empeñado en analizar el estado de seguridad nacional.

Teólogo clave: José Comblin

José Comblin es uno de los personajes más originales, fecundos, y profundos entre los teólogos de la liberación. Nació en Bélgica, estudió en la Universidad de Lovaina, donde también estudiaron Gustavo Gutiérrez, Otto Maduro, Camilo Torres y muchos otros teólogos de la liberación. Respondiendo al llamado del papa Pío XII, José Comblin se enlistó en el cuerpo de misioneros para servir en América Latina en un intento por detener el avance del marxismo y del protestantismo. Con más de treinta años de servicio en América Latina, Comblin se distinguió como teólogo, exégeta del Nuevo Testamento, y crítico social. Pasó sus primeros once años en Brasil, enseñando en el Instituto Teológico de Recife hasta que fue expulsado del país por el gobierno militar después del derrocamiento de Goulart. Durante sus años en Recife, Comblin llegó a ser discípulo de Dom

Helder Cámara, el obispo pacifista, que tanto luchó para defender los intereses de los pobres campesinos en el nordeste de Brasil. En Recife, Comblin llegó a ser uno de los peritos o expertos teológicos de Helder Cámara. Después de ser expulsado de Brasil, Comblin llegó a Chile, donde fue profesor en la Universidad Católica de Chile. Expulsado de Chile después de la caída de Allende, Comblin ha servido como profesor de teología en la Escuela de Divinidades en la Universidad de Harvard y en la Universidad de Lovaina. También ha enseñado en varios diferentes países latinoamericanos.[1] Comblin ha sido el autor de más de cuarenta libros. En ellos ha tratado, no solamente la teología de la liberación, sino también la teología bíblica y la espiritualidad.[2–3]

En sus libros, Comblin ha atacado el marxismo tan duramente como ha atacado el capitalismo. Más que ningún otro teólogo de la liberación, Comblin teme la manera en que los estados marxistas han utilizado la ley para dominar y restringir las libertades de los que viven bajo el control de los estados socialistas. Según Comblin, los estados marxistas han buscado más el poder que la libertad de los seres humanos.[4] Cree, además, que la misión de Jesús consistía en la búsqueda de la libertad y de librar a los seres humanos de toda clase de dominación. A diferencia de su mentor, Dom Helder Cámara, Comblin defiende el uso de la violencia en una revolución del pueblo basada en la tradición de la "guerra justa", la cual tiene una larga historia en el cristianismo occidental. Según Comblin, una revolución puede ser exitosa mientras no sea una revolución marxista.[5]

Comblin y el estado de seguridad nacional

El libro más conocido y más citado de los escritos de Comblin es *The Church and the National Security State* (La Iglesia y el Estado de

---

1 Comblin, José, *The Church and the National Security State* (Maryknoll, New York, Orbis Books, 1979), pp. 11-12.

2 McGovern, *Op. Cit.*, p. 236.

3 Sigmund, *Op. Cit.*, p. 70.

4 Ferm, *Op. Cit.*, p. 45.

5 Sigmund, *Op. Cit.*, p. 72.

Seguridad Nacional). En este estudio el autor investiga la filosofía política que guió a las dictaduras militares de ultraderecha en América Latina durante las décadas de 1970 y 1980. Durante su estancia en Brasil y Chile, Comblin conoció personalmente la represión inhumana ejercida por los regímenes militares. Además, conoció las medidas deshumanizantes que utilizaron las dictaduras a fin de mantenerse en el poder. Sin duda, fueron las experiencias personales que tuvo Comblin con los gobiernos de ultra derecha las que lo llevaron a escribir su libro.

El sicólogo Abraham Maslow es conocido por haber efectuado extensas investigaciones sobre las siete necesidades básicas de los seres humanos. Según su jerarquía de necesidades humanas, las más importantes son las sicológicas. En segundo lugar viene la seguridad. Los seres humanos necesitan vivir en un ambiente seguro, libre de peligros, amenazas e incertidumbres.[6] Según José Comblin, es la búsqueda de seguridad la que sirve para impulsar a grupos de seres humanos (incluyendo a las iglesias) a entregarse a las élites poderosas que les prometen la seguridad anhelada. En América Latina los que han aprovechado esta situación son las élites militares. Éstas han logrado el establecimiento de un poder casi absoluto en muchos países. Como resultado, se estableció lo que se ha llamado el estado de seguridad nacional en la mayoría de las repúblicas sudamericanas durante las décadas de 1960 y de 1970.

Los estados de seguridad nacional, apoyados por las élites latinoamericanas, son, según el sociólogo venezolano Otto Maduro, organizaciones que manifiestan la dinámica de la dominación de clases. La dominación de los pobres por las élites es un fenómeno que afecta también a la iglesia porque las clases dominantes, por regla general, tienen "el interés y los medios materiales para poner la religión al servicio de la ampliación, profundización, y consolidación del dominio ejercido por esas mismas clases." Es decir, la dinámica de las élites tiende hacia el logro de la aceptación general de la hegemonía de las élites por parte de todos los individuos y grupos de la sociedad respectiva. Las élites buscan usar las religiones para influir sobre la sociedad y favorecer la instauración de la supremacía de los poderosos.[7]

---

6 Hersey, Paul, & Blanchard, Kenneth H., *Mangement of Organizational Behavior, Fifth Edition* (Englewood Cliffs, New Jersey, Prentice Hall, 1988), pp. 32-33.

7 Maduro, Otto, *Religion and Social Conflicts* (Maryknoll, New York, Orbis Books, 1982), pp. 122-123.

Una de las estrategias de las élites para conseguir su hegemonía es el intento de limitar y orientar las actividades religiosas de los dominados a fin de sacralizar el hecho de su dominación. Al efectuar este fin, las clases dominantes buscarán establecer nexos con los clérigos más importantes y otorgarles privilegios y propiedades. Buscarán crear un sentimiento de obligación de parte de los religiosos hacia las élites. Éstas buscarán que los religiosos de alto rango se identifiquen con el estilo de vida de las clases dominantes. Ello producirá un clero dominado, quienes buscarán instruir a las masas de acuerdo con los intereses de las clases dominantes. Se desarrollará una catequesis que evite hablar de las divisiones de clase. Los religiosos enseñarán a las masas que el statu quo y el status de los dominados es el resultado de la providencia divina o del castigo divino. Las luchas de los dominados por lograr la liberación serán condenadas por la iglesia como una rebeldía contra el mismo Dios y el orden que él ha establecido en el mundo.

En su libro, *The Church and the National Security State* Comblin ofrece a sus lectores una explicación de la historia y la filosofía de la geopolítica. La geopolítica es la ideología del estado de seguridad nacional. Según Comblin, esta ideología fue enseñada por los Estados Unidos a miles de militares latinoamericanos como parte de la guerra ideológica en contra del comunismo, especialmente después de la caída de Vietnam. La Agencia de Inteligencia Central (CIA) y el Pentágono impartieron esta ideología a los militares latinoamericanos en cursos especiales dictados en la Zona del Canal de Panamá y en otros sitios en América Latina. Los oficiales de las fuerzas armadas latinoamericanas y de las agencias de policía recibieron becas para viajar a los Estados Unidos a fin de obtener entrenamiento en cursos anti-marxistas dictados en Washington. Para entonces, el gobierno de los Estados Unidos ya había organizado un Consejo de Seguridad Nacional. Con la ayuda de los Estados Unidos, diferentes Consejos de Seguridad Nacional se establecieron, siguiendo la línea norteamericana, en países como Argentina, Chile, Bolivia y Uruguay. También se establecieron en estos países agencias semejantes a la CIA a fin de combatir toda clase de actividad subversiva. El personal de las organizaciones de seguridad nacional recibieron instrucción norteamericana sobre métodos de espionaje, tortura y uso de propaganda política para desacreditar a personalidades y organizaciones consideradas como peligrosas para las élites dominantes. Comblin enfatiza en su libro que en América Latina no existen instrumentos para limitar o controlar el poder de tales organizaciones como en los Estados Unidos. Una vez establecidas, estas organizaciones se convirtieron en el verdadero poder en esos países. Es conocido que en El Salvador, las agencias de seguridad nacional controlan el país en lugar del presidente y el congreso.[8]

La geopolítica y la opresión

Según José Comblin, la filosofía de la geopolítica fue ideada por el pensador sueco Rudolf Kjellén, quien vivió en la primera parte del siglo XX. Kjellén comparaba los estados como una especie de super-personas, cada una con su propia vida. Siguiendo la filosofía de Hobbes, Kjellén estaba convencido de las debilidades y limitaciones de los seres humanos. Según Kjellén, los seres humanos eran incapaces de crear las condiciones necesarias para vivir una vida tranquila y ordenada. Por lo tanto, era necesario que el estado asumiera el control sobre las personas, y se responsabilizara en la creación de la seguridad y el orden. La creencia fundamental de Kjellén es que en un mundo peligroso gobernado por la competencia y la ley de la sobrevivencia del más capaz, los estados pueden sobrevivir únicamente practicando la geopolítica, que es la política de poder.[9] Basándose en este dogma, Kjellén desarrolló dos conceptos importantes que complementaron al primero.

El primer corolario de Kjellén es que todos los estados necesitan expandir sus fronteras más y más. Es decir, para que sobreviva un estado moderno, éste necesita extenderse, buscar Lebensraum.* La sobrevivencia nacional, según Kjellén, depende del impulso del estado de extender su propio espacio a costa de otros estados. Esto requiere la adquisición y el uso del poder. Esta filosofía de la geopolítica estimula la fundación del poder absoluto.[10] En la perspectiva de Comblin, fue esta filosofía de la geopolítica la que guió al fascismo alemán en la consolidación del poder en los años previos a la Segunda Guerra Mundial. Este mismo demonio fascista está ahora activo en el estado de seguridad nacional. Comblin lamenta que los países de occidente sean tan ciegos e ingenuos y se olviden

---

8 Comblin, *Op. Cit.*, p. 65.

9 *Ibid.*, pp. 68-69.

* Lebensraum: Término alemán utilizado por los nazis después de la Primera Guerra Mundial en referencia a la necesidad de extensión de su espacio territorial. (N. del editor).

10 *Ibid.*, pp. 69-70.

de las lecciones de la historia. En la perspectiva de Comblin, el estado que se convierte en un poder absoluto ha llegado a ser la bestia del Apocalipsis. Comblin cree que el tercer mundo está cayendo en las garras de nuevos poderes monstruosos. El estado como poder absoluto está en manos de los militares, y han fallado todos los controles que en el pasado han servido para limitar el poder de la bestia.[11]

Un segundo corolario que depende de la doctrina fundamental de la geopolítica es que el concepto de paz queda abolido. La paz es simplemente la continuación de la guerra por otros medios. En esta guerra no existe más una distinción entre militares y civiles. Tanto las personas como las cosas contribuyen o a la preservación, o al debilitamiento del estado. Un estado de seguridad nacional, por lo tanto, se opondrá a todos los individuos, instituciones, y mecanismos porque son percibidos como factores en el debilitamiento del estado o en el rompimiento de la armonía social. Se fomentará el consumismo, porque en la perspectiva del estado de seguridad nacional, el consumismo es un factor en la creación de armonía social. El consumismo es un bien porque ayuda a producir la seguridad interior.[12]

Según los dogmas de la geopolítica, se cree que los agentes de la seguridad nacional son las élites. La sobrevivencia nacional, por lo tanto, requiere la concentración del poder absoluto en las manos de una élite que garantizará la seguridad del pueblo. Es deber de las élites enunciar los objetivos permanentes de la nación y educar al pueblo teniendo como base dichos objetivos. Comblin ha subrayado el hecho de que en América Latina las élites son los militares. Al buscar la realización del estado de seguridad nacional, las élites militares y sus aliados identificarán el pueblo con la nación, la nación con el estado, y el estado con el poder.[13]

Poder es la capacidad del estado para convertir su voluntad en realidad. La clase de geopolítica que los oficiales militares latinoamericanos asimilaron en los Estados Unidos, enfatizó el hecho de que el comunismo era la amenaza más grande a la seguridad del continente y su desarrollo económico. Por lo tanto, Estados Unidos se comprometió a proteger las élites de América Latina y su economía capitalista de la amenaza externa

---

[11] *Ibíd.*, p. 96.

[12] *Ibíd.*, p. 73.

[13] *Ibíd.*, p. 74.

del comunismo, siempre que los militares latinoamericanos se esforzaran en consolidar su poder para proteger a sus países de todas las amenazas internas al sistema.

La geopolítica en América Latina

Comblin en su libro demuestra el modo en que la filosofía de la seguridad nacional ha conducido a la creación de un régimen dictatorial después de otro. Primeramente Brasil, después Chile, Uruguay, Argentina, Bolivia y Ecuador. Por medio de la represión, tortura, y la suspensión de las libertades, el estado de seguridad nacional ha aplastado todas las amenazas que han surgido en contra del sistema social, económico, y político que ha predominado en América Latina. Al establecer su hegemonía, los estados de seguridad nacional en América Latina siempre han tratado de llegar a un acuerdo con la iglesia oficial. Esto se debe a que en la filosofía geopolítica existen tres bases para la civilización occidental, a saber: 1) la ciencia; 2) la democracia; y 3) la cristiandad. La jerarquía de la iglesia ha sido tentada a llegar a un acuerdo con el estado de seguridad nacional y a convertirse en uno de sus instrumentos. Si la iglesia se entregara a esa tentación, habrá abandonado al Dios vivo para servir a un ídolo de muerte, porque en la geopolítica la nación ha llegado a convertirse en un dios.

Comblin cree que muchos cristianos se han dejado engañar con la filosofía de seguridad nacional. Una organización que ha tragado el anzuelo tirado por la geopolítica es el movimiento católicorromano elitista de ultra-derecha llamado Tradición, Familia y Propiedad (TFP). Este movimiento, con sede en Brasil, ha endosado los objetivos del estado de seguridad nacional. Muchos de los miembros de TFP han ayudado en forma directa a las agencias secretas de seguridad de los gobiernos militares represivos. Los miembros más tradicionales de la jerarquía católicorromana han sido tentados para contemplar la posibilidad de establecer un nuevo patronazgo.[14] Todos estos factores han llevado a José Comblin a la siguiente conclusión: la seguridad y el futuro de la iglesia no se encuentran en la formación de una alianza con el estado o con la clase media o con los movimientos revolucionarios marxistas. La seguridad que fervientemente anhela la iglesia se encuentra solamente en los pobres y en aquél que se

---

[14] *Ibid.*, p. 83.

identifica con los pobres y obedece hasta la muerte. Solamente de esta manera estará libre la iglesia para guiar la humanidad hacia la libertad y la comunión los unos con los otros. Según Comblin, Dios creó a los seres humanos para la libertad y para la comunión mutua. La humanidad, según Comblin, tiene latente en sí una potencialidad para el amor y la libertad, que han sido creados por Dios. Esta potencialidad o libertad innata tiene que ser despertada por un acto de evangelización en el cual el ser humano experimentará el amor transformador de Dios. Este amor librará al actor humano de la esclavitud del pecado.

A diferencia de otros teólogos de la liberación, Comblin no menosprecia la depravación humana. Para Comblin la injusticia y la opresión son productos, no solamente de sistemas económicos y políticos, sino también de algo perverso en el alma del ser humano. Comblin cree que los sistemas de opresión surgen tanto del deseo de los opresores por dominar como del deseo de los dominados a ser dominados.

Los seres humanos prefieren la servidumbre porque les brinda refugio, seguridad, y una mente tranquila. Nada es más ilusorio que la idea de que los seres humanos lamenten su servidumbre y anhelen la libertad. La libertad auténtica y la responsabilidad para la vida de uno, es lo que menos desean los seres humanos.[15]

Las estructuras socioeconómicas, en última instancia, no tienen su origen en estructuras económicas de dominación y explotación, en formas externas que podríamos reemplazar o reformar; tampoco están arraigadas en los pensamientos perversos de un grupo humano en particular. Éstas están arraigadas en todos los seres humanos porque todos tenemos la tendencia a crear nuevas estructuras de dominación y opresión, las cuales son expresiones concretas de nuestro anhelo de gozar privilegios especiales. Estas estructuras se mantienen gracias a la colaboración y cobardía de innumerables seres humanos. La maldad se halla en el abuso de la voluntad humana mediante la cual algunos se aprovechan de las oportunidades para dominar a otros, y de la cobardía de aquéllos que prefieren soportar toda clase de injusticia.[16]

---

15 Comblin, José, *The Meaning of Mision* (Maryknoll, New York, Orbis Books, 1977), p. 31.

16 *Ibíd.*, p. 54.

En la cita que acabamos de dar, Comblin subraya el hecho de que todos, ricos y pobres por igual, se han enredado en el pecado. Según Comblin, el problema primordial de la humanidad no es el ateísmo, sino la idolatría dentro de nosotros, es decir, la presencia de dioses falsos dentro del individuo, la familia, y la sociedad. El ídolo supremo es la determinación de dominar a otros y el temor que lleva a los seres humanos a sujetarse a la dominación de otros. Este ídolo, según Comblin, es un concepto de Dios como el "todopoderoso", el temible, transcendente figura de autoridad que llevamos dentro de nuestra sicología. Este ídolo es nuestro super-ego que siempre está oprimiendo al individuo. Es este ídolo, según Comblin, que sirve como la justificación de toda clase de autoritarismo, sea el autoritarismo del padre en la familia, del profesor en el colegio, del patrón en la empresa, del general en el ejército y del estado en la sociedad. Las dictaduras opresoras se basan en la imagen de un dios transcendente responsable solamente de sí mismo e interesado únicamente en su engrandecimiento. Comblin dice que el nombre del ídolo de opresión está escrito en el corazón de cada ser humano. Se manifiesta la presencia de este ídolo en la búsqueda de seguridad y en la facilidad con que las personas se entregan a la dominación. Se declara la presencia del ídolo en el temor y el sentimiento de culpa que reinan prominentemente en los corazones de los seres humanos. El énfasis en la ley, el dominio, el orden, y el uso de la fuerza son un índice permanente de la presencia del dios falso a quien han seguido las multitudes.[17]

Lo que podemos notar en nuestro análisis de la teología de Comblin es la forma en que sus experiencias con el estado de seguridad nacional han influido en su teología. Las formas en que los gobernantes latinoamericanos han usado la ley, no como un instrumento de la justicia, sino como un medio para dominar, amenazar y justificar la injusticia, han llevado a Comblin a tomar una postura sumamente negativa con respeto a la ley. En la historia de América Latina la ley ha sido utilizada más como un instrumento de dominación que como un instrumento de liberación. Esto ha llevado a Comblin a hacer una distinción entre el poderoso Dios transcendente del Antiguo Testamento y el pobre, débil, sufriente Jesús del Nuevo Testamento. En un sentido, Comblin ha rechazado el Dios de la Ley en el nombre del Jesús del evangelio. Un autor, al leer el libro de Comblin sobre el estado de seguridad nacional, llegó a la conclusión de que Comblin

---

[17] Comblin, 1979, *Op. Cit.*, p. 26.

es un anarquista, es decir una persona que rechaza categóricamente toda clase de gobierno y toda clase de ley.[18]

Jesús y la ley en las obras de Comblin

Al analizar lo que Comblin ha escrito sobre la vida de Jesús, uno descubre que el teólogo belga da más autenticidad a los textos que identifican a Jesús con los pobres que a los textos que identifican a Dios con la ley (Mateo 19.16-22, Mateo 25.31-46, Marcos 2.23-28, Lucas 6.20-23). En vez de aceptar toda la Escritura como la Palabra de Dios, Comblin opera basándose en una hermenéutica que juzga los textos bíblicos de acuerdo con su función libertadora. En otras palabras, son más auténticos aquellos textos que pueden ser utilizados para producir la liberación de toda clase de dominio. Los textos bíblicos que sirven para libertar a los seres humanos del dominio de otras personas, del dominio del super-ego, y del dominio de teologías esclavizantes deben ser considerados como una expresión auténtica del amor divino, mientras que los textos que hablan del poder, la transcendencia, el dominio y la majestad de Dios deben ser considerados como el producto de una teología producida por las élites con el fin de servir como una ideología para justificar el dominio que ejercen los poderosos sobre los pobres. Según Comblin, Jesús se opuso a los fariseos y a los escribas porque eran teólogos que empleaban la teología para justificar un sistema injusto y deshumanizante.

En la perspectiva de Comblin, Jesús adoptó una postura negativa en cuanto a la ley porque la ley había llegado a ser un instrumento de opresión. Jesús se percató de la manera en que las falsas élites habían manipulado la ley para legitimizar sus privilegios y para oprimir a los pobres y débiles. Los fariseos usaron la ley para justificar un sistema de clases sociales en el cual los marginados eran relegados al status de ciudadanos de segunda clase. Pero Jesús vino precisamente para unir a los rechazados y marginados de la sociedad, las ovejas perdidas de la casa de Israel, y convertirlos en ciudadanos de primera clase en el Reino de Dios. A diferencia de los zelotes, Jesús vino para ofrecer libertad, no solamente a los de la raza judía, sino a todos los marginados y pobres del mundo.[19] No

---

[18] Damico, Linda, *The Anarchist Dimention of Liberation Theology* (New York, Peter Lang, 1987), pp. 84-89.

[19] Comblin, 1979, *Op. Cit.*, p. 151.

era el objetivo de Jesús restablecer el pasado reino de David sino el futuro Reino de Dios.

Jesús y los zelotes según Comblin

Para Comblin, hay una segunda razón por la cual Jesús se opuso a los zelotes: las tradiciones de los fariseos y las leyes del Antiguo Testamento. Estas leyes y tradiciones sirvieron para separar y considerar a los demás pueblos fuera de la actividad salvadora de Dios. Puesto que Jesús enseñaba que toda la humanidad es parte del pueblo de Dios, le fue necesario abolir la antigua ley de Israel que dividía a la humanidad entre judíos y gentiles. Según Comblin, el judaísmo nacionalista del primer siglo es semejante al estado de seguridad nacional en América Latina. El judaísmo intentó infundir en las gentes un temor de los gentiles mientras que el estado de seguridad nacional trata de infundir en la gente un temor al comunismo. Este temor es lo que lleva a las personas a preocuparse sobremanera de su propia seguridad y resulta en el encerramiento en sí mismas. La iglesia que fundó Jesús es completamente contraria a lo que era Israel. No es una iglesia encerrada en sí misma sino orientada hacia al mundo y dedicada a servir al mundo, y no a sí misma. La iglesia fundada por Jesús es el viejo Israel librado de la compulsión para buscar su propio espacio social y político (Lebensraum). La iglesia es el viejo Israel que ha llegado a ser ecuménico y universal, habiendo renunciado a su propio territorio, su propia raza, su origen biológico, sus sinagogas, sus costumbres y sus tradiciones.[20] Todas estas cosas que distinguieron el viejo Israel de los gentiles pueden ser resumidas en una sola palabra: ley. En la perspectiva de Comblin, la ley es una colección de costumbres, tradiciones, ritos y deberes que sirvieron para hacer de Israel un pueblo particular. Jesús vino para abolir esa vieja ley y reemplazarla con la ley del amor.[21]

La ley como instrumento del statu quo

Hay una tercera razón dada por Comblin para explicar la antipatía de Jesús hacia la ley. Las leyes son los instrumentos utilizados por las

---

[20] *Ibid.*, p. 188.

[21] *Ibid.*, p. 188.

clases sociales para expresar y confirmar su status y roles tradicionales. Las leyes funcionan como una fuerza conservadora, es decir, como un mecanismo de defensa que sirve para impedir los cambios. La cultura científica y técnica del occidente ha mantenido que no hay acciones legítimas fuera de las leyes y los canales oficiales del sistema. Por lo tanto, toda revolución es imposible y las personas tienen que conformarse al lugar fijado para ellos por el sistema. La sumisión al sistema es la ley racional de la ciencia y la tecnología; por medio de éstas los burgueses orientan sus vidas. De esta manera, las leyes tienden a crear una sociedad estática, es decir, una sociedad que se opone a las maneras usadas por el Espíritu de Dios para revolucionar la historia. Porque la ley es por naturaleza estática, Jesús rehusa aceptar la designación de "doctor de la ley." Los doctores de la ley juegan con palabras que son "interpretadas, comentadas y explicadas" sin cambiar nada.[22] Según Comblin, Jesús vino para hacer la voluntad y el trabajo del Padre y no solamente para hablar. Jesús estaba interesado "en praxis, en cambio, y en transformación." (Juan 4.34)

Según Comblin, Jesús también quiere que sus discípulos sean agentes de transformación y no doctores de la ley. La obra de Jesús, que consistía en transformar al mundo, ha quedado incompleta. Él quiere que esta obra sea terminada por sus seguidores.[23] Para Comblin, la sociedad es dinámica y caracterizada por un proceso continuo de cambio. No necesitamos leyes para preservar el statu quo y para impedir el proceso de cambio y transformación. Las únicas leyes que Comblin considera como necesarias son aquéllas que están en conformidad con el nuevo mandamiento de amor que Jesús dio a sus discípulos. Este mandamiento de amor toma preeminencia sobre todas las leyes de la iglesia y del estado. El mandamiento de amor es la medida por medio de la cual todas las leyes humanas tienen que ser juzgadas, o como demoníacas, o como liberadoras.

Lo que busca afirmar Comblin, en su larga discusión del lugar de la ley y el amor, es que una verdadera teología de la liberación tiene que basarse en el amor y no en la ley. Esto se debe a que la ley no tiene dentro de sí el poder para libertar o para transformar a los individuos y a las sociedades. Ninguna ley, civil, ceremonial, moral, o revolucionaria es capaz de transformar al mundo y crear la nueva sociedad justa e igualitaria

---

[22] Comblin, José, *Sent From the Father* (Maryknoll, New York, Orbis Books, 1979), p. 42.

[23] Ibíd., p. 22.

que es el Reino de Dios, porque todas las leyes son formas de dominación y esclavitud.[24]

Lo que puede transformar a los individuos, a la iglesia y a la sociedad es el Espíritu, el cual puede ser encontrado en el corazón de cada ser humano. Los reformadores, Martín Lutero, Felipe Melanchthon, y Martín Chemnitz también enfatizaron que solamente el Espíritu Santo puede producir en los seres humanos y en el mundo una verdadera transformación. Ellos también afirmaron que la ley en sí es incapaz para producir el nuevo hombre y el nuevo mundo del futuro. Pero los reformadores insistieron que el Espíritu Santo viene solamente a través de los medios de gracia, es decir, la Palabra y los sacramentos. A diferencia de los reformadores, Comblin y los teólogos de la liberación declaran que aparte de los medios de gracia, el Espíritu y la ley de amor residen en los corazones de todos los seres humanos en virtud de la creación. En otras palabras, el Espíritu y la ley del amor son equivalentes funcionales de la ley natural en la teología de Santo Tomás de Aquino.[25]

Aquí podemos notar que en la teología de la liberación en general, y en la teología de Comblin en particular, la naturaleza precede a la gracia. Comblin, por sus malas experiencias con el estado de seguridad nacional y por su análisis de cómo la ley ha servido en tantas oportunidades como un instrumento de opresión, ha adoptado una postura sumamente anti-legalista. Ha hecho todo lo posible para eliminar la ley, y proclamar un evangelio sin ley. Pero siempre sucede que cuando los teólogos tratan de eliminar la ley y de predicar un evangelio sin ley terminan convirtiendo el evangelio en una nueva ley. Esto es precisamente lo que ha ocurrido en la teología de la liberación. Éste es precisamente uno de sus defectos principales: ha confundido la ley con el evangelio, y ha convertido al evangelio en una nueva ley.

En oposición a lo que creen los teólogos de la liberación, la Biblia no apoya la idea de que todos los seres humanos nacen con el Espíritu Santo en sus corazones. Según la Biblia, la evangelización no consiste en despertar una salvación latente en los corazones de todas las personas. Tanto la salvación como el Espíritu Santo nos vienen de fuera, extra nos, como decían los reformadores. Jesús le dijo a Nicodemo que le era

---

[24] *Ibíd.*, 1979, p. 147.

[25] *Ibíd.*, pp. 148-149.

necesario nacer de nuevo por medio del agua y del Espíritu Santo. Los teólogos de la liberación como Comblin, Boff y Gutiérrez creen que todos los seres humanos tienen dentro de sí mismos poder y capacidad de amar al prójimo como a sí mismos, de vivir vidas auténticamente dedicadas a la liberación de los pobres y marginados, y de comenzar la construcción del Reino de Dios aquí en este mundo. Tal confianza en las capacidades del hombre natural se debe más al humanismo griego de los filósofos que a la antropología bíblica. Si en verdad tenemos la salvación ya dentro nuestro, como afirman los teólogos de la liberación, entonces no necesitamos a Cristo como nuestro salvador; podemos ser salvos sin la muerte, la resurrección y la ascensión de nuestro Señor Jesucristo. Podemos ser salvos por medio de nuestro compromiso con los pobres, por nuestra identificación con los marginados y por nuestra praxis de liberación. En otras palabras, somos salvos por la ley y no por el evangelio.

En la discusión anterior se ha visto la energía con la cual Comblin ha luchado contra la ley y el legalismo. Se ha notado cómo Comblin ha insistido que la liberación y la salvación no dependen de la ley sino del amor. Comblin aparentemente ignora que cuando el amor al prójimo se convierte en una exigencia de la cual depende nuestra justificación ante Dios, entonces el amor hacia el prójimo llega a ser una nueva ley que es capaz de producir en las personas un terrible complejo de culpabilidad y sujetarlas nuevamente a la esclavitud espiritual. Cuando se exige que se ame, el amor se convierte en ley. Un amor exigido no es el amor de Cristo. El amor verdadero es un fruto de la gratitud que el Espíritu Santo obra en nuestros corazones cuando llegamos a confiar en la salvación gratuita, que es nuestra por medio del gran amor y sacrificio de Cristo en la cruz por los pecadores. El verdadero amor es un fruto de nuestra fe en el sacrificio de Cristo. El Dr. C. F. W. Walther declaró que "las verdaderas obras buenas son las obras producidas por nuestra gratitud hacia Dios. Los que tienen la fe verdadera nunca piensan en merecer algo para sí mismos en virtud de su servicio. El verdadero cristiano no puede hacer otra cosa que expresar su gratitud por medio del amor y buenas obras. Su corazón ha sido cambiado, ha sido ablandado por la experiencia del amor de Dios." [26]

---

[26] C. F. W. Walther, *The Proper Distinction between Law and Gospel* (Saint Louis, Missouri: Concordia Publishing House, 1929), p. 226. Véase versión castellana publicada con permiso bajo el título *Ley y Evangelio* (Buenos Aires: Iglesia Luterana-Sínodo de Missouri, 1972), pp. 181-182).

La mayoría de los teólogos de la liberación declaran su adhesión a la fórmula paulina: Somos justificados por fe sin las obras de la ley (Romanos 3.28). Pero la fe de la cual hablan los teólogos de la liberación es parecida a la que la teología escolástica llamaba fides formata, es decir, una fe formada por el amor o una fe a la cual se ha añadido el amor. Pero si la fe justifica porque el amor ha sido añadido a la fe, entonces la justificación es por el amor y no por la fe. El Dr. Walther ha declarado que no distinguimos correctamente entre la ley y el evangelio cuando describimos a la fe como algo que nos justifica porque produce en nosotros el amor y una transformación en la manera de vivir.[27] Lutero en su comentario sobre Gálatas 2.19 declara:

> Cuando he asido a Cristo por la fe, cuando he muerto a la ley, estoy justificado del pecado y libre de la muerte, del diablo y del infierno... entonces ejecuto buenas obras, amo a Dios, le agradezco y practico amor hacia mi semejante. Sin embargo, este amor u obras, que siguen a la fe, ni le dan a ésta su forma apropiada, ni la adornan, más bien es mi fe la que da al amor su forma apropiada y lo adorna. Caritas non est forma fides, sed fides est forma caritatis.[28]

La gran diferencia entre Lutero y el escolasticismo católico que todavía está presente en la teología de la liberación se pone de manifiesto aquí. Según Lutero, el amor no es el amor verdadero ni es "una buena obra a menos que sea una función de fe, de la misma fe que justifica. . . . las obras de un cristiano no son buenas a pesar de su justificación por la fe, ni son adición a su justificación por la fe, sino que es justificado solamente por la fe."[29] Es una equivocación creer que el amor necesita ser añadido a la fe para que se produzca una fe salvadora, más bien la fe necesita ser añadida a las buenas obras a fin de que sean verdaderamente buenas obras. Otro problema observado en Comblin, y otros teólogos de la liberación, es su tendencia para aceptar las partes de la Biblia que apoyan las ideas predeterminadas por su praxis de liberación, y rechazar otras partes

---

27 *Ibíd.*, p. 210.

28 *Ibíd.*, p. 232. Véase p. 186 de la versión castellana.

29 Bertram, Robert W., *The Radical Dialectic Between Faith and Works in Luther's Lectures on Galatians (1535)*, en *Luther for an Ecumenical Age*, ed. Carl S. Meyer (Saint Louis, Concordia Publishing House, 1967), p. 222.

catalogándolas como productos de las élites dominantes del establecimiento eclesiástico de Israel. Esto ha llevado a Comblin a establecer una brecha entre el Jesús histórico del Nuevo Testamento y el Dios transcendente de la ley, de quien leemos en ciertos pasajes del Antiguo Testamento. La tendencia de poner unas partes de la Biblia por encima de otras es muy evidente también en otros teólogos de la liberación.[30] Siempre es peligroso sujetar la Palabra de Dios a criterios propios y descartar o menospreciar una parte de la revelación divina basándose en conceptos predeterminados.

Al ofrecer estas críticas a la teología de la liberación, no se intenta socavar todos los valiosos análisis hechos de la realidad latinoamericana, ni las responsabilidades que tienen las iglesias ante la opresión que sufren las clases marginadas en América Latina hoy. Es nuestra intención llamar a la teología de la liberación a un compromiso no solamente con los pobres, sino con todo lo que Dios ha revelado en su Palabra a fin de que nuestros criterios y praxis sean analizados y corregidos por las Escrituras, y no las Escrituras por la praxis. Además, es nuestra intención que la praxis liberadora de los cristianos sea un fruto de la verdadera fe en Jesucristo y no una exigencia legalista que puede ser utilizada por nuestro viejo hombre como una base para justificarnos delante de nosotros mismos o delante de Dios.

También es nuestra intención señalar que el concepto de la naturaleza humana que tienen los teólogos de la liberación es demasiado optimista. Afirmar que todos los seres humanos han nacido con el Espíritu Santo y la salvación latentes en sus corazones es ir más allá del testimonio de las Escrituras. Si la salvación ya está dentro de nosotros, entonces no necesitamos el sacrificio que Cristo hizo en la cruz para reconciliar la humanidad caída con el Dios de la justicia. Si los seres humanos serán declarados hijos de Dios en el día del juicio final en base a su actitud hacia los pobres y marginados, entonces el mandato de ir a bautizar a todas las naciones en el nombre del Padre, del Hijo y del Espíritu Santo es innecesario. Se verá más adelante que el papel de Jesús ha cambiado radicalmente en la teología de la liberación. Los teólogos de la liberación casi nunca hablan de la necesidad del sacrificio de Cristo para efectuar la reconciliación entre Dios y los hombres porque, según ellos, los seres humanos no necesitan un sacrificio divino para reconciliarse con Dios. Jesús no vino para reconciliar a los pobres con un Dios que se había apartado de ellos a

---

30 Véase el capítulo 15

consecuencia de los pecados. Jesús vino más bien para revelar a los pobres que Dios siempre había vivido entre ellos y que siempre ha querido librarlos de los sistemas y estructuras humanas que los tenían oprimidos y marginados en el mundo. Aquí se observa que en la teología de la liberación existe una forma de universalismo, según el cual toda la humanidad (o por lo menos los pobres y los oprimidos) son el pueblo de Dios; los pobres y los oprimidos son un pueblo escogido en medio del cual Dios vive, actúa y hace posible la salvación. La iglesia ya no es necesaria para la salvación; la distinción entre iglesia y humanidad comienza a borrarse. Se puede ver esta tendencia más claramente en los escritos de Juan Luis Segundo acerca del papel de la iglesia y la relación entre la iglesia y el mundo.

La iglesia y el mundo en la teología de Juan Luis Segundo

La tesis principal de Juan Luis Segundo en su libro *La Comunidad Llamada Iglesia* es que toda la humanidad es el pueblo de Dios. Dentro de esta comunidad, la iglesia existe como una minoría creativa cuya función es servir como una señal de la presencia y el propósito de Dios para con toda la raza humana. La misión de la iglesia es anunciar que el Reino de Dios está presente y que viene. La misión de la iglesia es llamar a todos los seres humanos a cooperar con Dios en la construcción de su reino.

Segundo comienza a articular su idea de lo que es la iglesia con una pregunta que la mayoría de los escritores prefieren ignorar, a saber: ¿Cuál será el destino de los millones de seres humanos que nunca han tenido la oportunidad de escuchar al evangelio y de llegar a ser miembros de la Santa Iglesia Católica y Apostólica? Al contestar su propia pregunta, Segundo afirma que la iglesia es una señal visible de la presencia de Dios en el corazón de cada ser humano. Basándose en Mateo 25, Segundo, como Gutiérrez, Boff, y Comblin cree que todos los seres humanos serán juzgados teniendo como base el amor mutuo que han demostrado en sus vidas. Todos aquellos que aman son hijos de Dios, sean miembros de la iglesia institucional o no. El papel de la iglesia institucional es proclamar a los seres humanos que Dios ha dado gracia a toda la humanidad a fin de que todos sean miembros del pueblo de Dios.

Según Segundo, la salvación de los individuos no tiene nada que ver con su adhesión o no, a la iglesia visible e institucional. Entonces pregunta Segundo: "Si la salvación no depende de la iglesia visible, ¿para qué, entonces, sirve la iglesia institucional? ¿Cuál es la ventaja, entonces, que tiene el cristiano?" Para Segundo, la ventaja que tiene el cristiano es el estar libre de la necesidad y angustia de obrar su propia salvación. Librados de esta necesidad, los cristianos pueden dedicar sus vidas al servicio y a la liberación. Los cristianos son aquéllos que han sido liberados para amar y servir a los demás.

La iglesia institucional tiene como propósito la transmisión de la verdadera fe al mundo. La iglesia no existe como un fin en sí mismo, sino como un instrumento de la misión de Dios. Los misiólogos evangélicos estarían de acuerdo con esta definición de la función de la iglesia, pero al mismo tiempo estarían en desacuerdo con la descripción que da Segundo al contenido de la fe. La fe, según Segundo, consiste en la proclamación de la presencia del Reino en medio de la humanidad. Es el mensaje de que Dios y los hombres tienen que trabajar juntos en la construcción del Reino de Dios por medio del amor al prójimo.

A diferencia de los otros teólogos de la liberación, Segundo afirma que la iglesia debe ser una aristocracia muy selecta de personas muy comprometidas con la humanización de nuestro planeta. Tienen que ser una élite dedicada al sacrificio, al servicio y, tal vez, al martirio. Solamente de esta manera la iglesia puede librarse de la imagen negativa que ha obtenido en virtud de los millones de miembros nominales y tibios que dan vergüenza a la causa de Cristo. En la perspectiva de Segundo, la iglesia debe mantener altos requisitos para sus miembros. Solamente de esta forma puede funcionar como sal de liberación y sacramento de salvación. Para bien de la iglesia, la mayoría de los seres humanos, y de los latinoamericanos, deben oponerse al intento de ser miembros de la iglesia institucional. Segundo justifica esta posición con la declaración de que no es necesario para la salvación ser miembros de la iglesia institucional. Según Segundo, si hubiera sido la intención de Cristo fundar una iglesia universal con millones de miembros, hubiera convertido las piedras en pan, y saltado del pináculo del templo. Aunque la mayoría de los teólogos de la liberación concuerdan con Segundo en su afirmación de que la iglesia no es necesaria para la salvación, no todos están de acuerdo con su recomendación de que la iglesia sea un cuerpo elitista. Esto sería negar lo que es para muchos teólogos de la liberación (pero no para Segundo), uno de los conceptos fundamentales del movimiento: la opción preferencial por los pobres.

La opción preferencial por los pobres

Los sacerdotes, pastores, monjas, y obreros laicos que han perdido sus vidas por apoyar a la teología de la liberación sufrieron el martirio por su compromiso con los pobres y oprimidos de América Latina. La mayoría de los teólogos de la liberación hablan, no solamente de un compromiso con los pobres, sino de la opción preferencial por los pobres, una frase que ha figurado no solamente en las teologías de liberación sino en los documentos oficiales de los obispos católicos elaborados en las conferencias celebradas en Medellín y Puebla. Al hablar de la opción preferencial por los pobres, los teólogos de la liberación no solamente están abogando a favor de una iglesia y una sociedad para los pobres, sino de y desde los pobres. Una iglesia de y desde los pobres es una iglesia donde los pobres, y no solamente un élite sacerdotal, tendrán derecho a dirigir las asambleas eclesiásticas, predicar y celebrar los sacramentos. En una iglesia de los pobres, ellos confeccionarán sus propias liturgias y estarán activos produciendo su propia teología.

Un principio hermenéutico basado en la opción preferencial por los pobres es que los textos de las Escrituras pueden ser entendidos solamente desde el campo de los pobres. Esto es porque Dios estará cerca de los pobres, quienes son los destinatarios primarios del evangelio. Al acercarnos al pobre y solidarizarnos con él, estamos en capacidad de oír el evangelio.[31]

Según muchos teólogos de la liberación, el evangelio es buena nueva solamente para los pobres, pero no para los ricos ni los opresores. Para estos últimos, el evangelio es una mala noticia, una palabra de condenación y juicio. Según Sobrino, el evangelio consiste en el anuncio de que "Dios ha roto su simetría de lejanía y cercanía, y en su gracia se ha hecho cercano."[32]

Muchos pobres han creído que Dios es un Dios lejano, o que oye solamente las rogativas de los poderosos. Pero el evangelio anuncia que el Dios que hizo los cielos y la tierra es un Dios que no solamente oye el grito de los pobres, sino que les da prioridad, así como Jesús en su vida terrenal dio prioridad a los pobres.

---

[31] Sobrino, Jon, *Resurrección de la Verdadera Iglesia* (Santander, España, Editorial Sal Terrae, 1984), p. 158.

[32] *Ibíd*, p. 158.

Dar prioridad a los pobres quiere decir, entre otras cosas, hacer un compromiso para ayudar a cambiar las estructuras injustas. Como ya hemos mencionado en varias oportunidades, los teólogos de la liberación están convencidos de que los pobres son pobres porque los ricos son ricos. Se presupone una estructura social y económica de nivel internacional injusta y deshumanizante. Los teólogos de la liberación consideran que aquéllos que oprimen a los pobres nunca cambiarán voluntariamente un orden social que tanto les beneficia. Afirman además, que es la voluntad de Dios que las estructuras injustas sean cambiadas. Esto quiere decir que tenemos que ser convertidos a la causa de los pobres. La teología de la liberación rechaza el desarrollismo o el reformismo como soluciones al problema de la pobreza y la injusticia, por ser éstos paliativos o meros calmantes que no cambian las estructuras. Solamente sirven para aumentar la dependencia de los pobres. La solución no es convencer a los ricos a dar ayuda a los pobres, sino que los pobres mismos tengan el poder para construir una sociedad más justa. Esta sociedad más justa es el comienzo del Reino de Dios. Según la mayoría de los teólogos de la liberación, el Reino de Dios comienza en el mundo y termina en la eternidad. Se cree que las comunidades de base son los instrumentos por medio de los cuales el cambio puede ser efectuado.

Al hablar de los pobres, Clodovis Boff, hermano de Leonardo, hace una distinción entre dos clases de pobres: 1) los que son pobres en el sentido socio-económico; 2) los que son pobres por causa del evangelio. Los de la segunda categoría son aquellos miembros de la clase media o alta que se comprometen con Dios, y con sus hermanos y hermanas de las clases marginadas. Son aquéllos que no se ponen a sí mismos en primer lugar, ni creen que su seguridad y el significado de la vida dependa de la acumulación de posesiones, honor, poder y gloria. Son aquéllos que se consagran a Dios y sirven a otros, aún a su enemigos. Ante una sociedad de consumo, usarán los bienes de este mundo con moderación y los compartirán con los demás. No son ascéticos que desprecian la buena creación de Dios y las buenas cosas que Dios ha puesto a disposición de todos. Tampoco son derrochadores y despilfarradores que egoístamente acumulan todo lo que pueden para satisfacer sus apetitos desenfrenados. Los que son pobres por causa del evangelio son los que se ponen a disposición de Dios, y se prestan para la realización del proyecto de Dios en el mundo. Los que son pobres por causa del evangelio se identificarán con los oprimidos y se solidarizarán con ellos, así como hizo Jesús de Nazaret.[33]

Al describir a los latinoamericanos pobres en el sentido socio-económico, Leonardo Boff demuestra su romanticismo, como Bartolomé de Las Casas en su famosa descripción del salvaje noble, que citamos en una de nuestros capítulos anteriores. Boff afirma lo siguiente: "La piedad [del pobre] y su sentido de Dios, su solidaridad, hospitalidad, fortaleza, sabiduría innata alimentada por el sufrimiento y la experiencia, su amor para sus propios hijos y los de otros, su capacidad para la celebración y el gozo en medio de los conflictos más dolorosos, la serenidad con que se enfrentan a las duras realidades en su lucha por la vida, su percepción de lo que es posible y viable, su moderación en el uso de la fuerza, su poder de resistencia casi sin límites ante la agresión persistente y diaria de un sistema socio-económico con su consecuente marginalización social, son cualidades otorgadas por el Espíritu Santo, y formas de su presencia inefable y de su actividad entre los oprimidos."[34]

Como Gustavo Gutiérrez, Clodovis Boff también cree que los pobres, en el sentido socio-económico, son un sacramento de salvación por causa del evangelio. Boff declara al comentar sobre Mateo 25.31-46: "En el momento supremo de la historia, cuando nuestra salvación eterna o nuestra condenación será determinada, lo que será el factor determinante será nuestra actitud de aceptación o rechazo de los pobres. Solamente aquéllos que en su historia han tenido comunión con los pobres y necesitados, los cuales son los sacramentos de Cristo, tendrán comunión definitiva con Cristo."[35]

Algunos críticos de la teología de la liberación como Roger Vekemans S. J. y el cardenal Alfonzo López Trujillo han acusado a los hermanos Boff, Sobrino, Richard, y a otros teólogos de la liberación de atribuir a los pobres cualidades y virtudes que no poseen. Específicamente se ha acusado a Gutiérrez y a Boff de creer que Dios no ama igual a todos sus hijos. Se ha dicho: "Si Dios ama más a los pobres que a los ricos,

---

[33] Boff, Leonardo, & Boff, Clodovis, *Introducing Liberation Theology* (Maryknoll, New York, Orbis Books, 1987), p. 48.

[34] *Ibíd.*, p. 56.

[35] *Ibíd.*, p. 45.

entonces Dios es parcial e injusto. Entonces los pobres son escogidos, llamados y salvados en virtud de ser pobres y no por su fe en Jesucristo." Boff ha respondido a esta crítica de la siguiente forma: Dios ama por igual a todos sus hijos, así como una madre ama a todos sus hijos por igual. Pero la madre dará preferencia en sus actos de amor a su hijo paralítico, no porque el hijo paralítico es mejor o más santo que los demás hijos. Le dará preferencia por el simple hecho de que el hijo es paralítico y necesita más amor.[36] De igual manera Dios da preferencia a los pobres, no porque ellos merecen más la salvación que los ricos, sino porque Dios en su soberanía ha decidido mostrar su amor a los pobres. Los pobres no han merecido el favor y el amor preferencial de Dios por el hecho de aguantar la pobreza, pero necesitan más el amor que Dios les da en su gracia.[37] Si Dios ha actuado así por medio de su hijo Jesucristo, nosotros también debemos seguir el modelo dado por Dios en Jesucristo. Por lo tanto, la iglesia es el instrumento de Dios en este mundo solamente en la medida en que demuestra una opción preferencial por los pobres. En el siguiente capítulo se tratará acerca del papel de Jesús como ejemplo o paradigma en la teología de la liberación. La posición reflejada en este trabajo será que en la teología de la liberación, Jesús funciona primordialmente como un ejemplo, un modelo, y no como sacramento o como el Salvador.

---

[36] Boff, 1988, Op. Cit., p. 24.

[37] Gutiérrez, 1987, Op. Cit., p. 4.

15

La cristología de la teología de la liberación

Una de las críticas lanzadas contra la teología de la liberación durante los primeros años del movimiento fue que los teólogos de la liberación habían desarrollado su teología basándose principalmente en el libro del Éxodo, y no a base de conceptos neotestamentarios. Los que criticaban al movimiento lamentaron el hecho de que se había dado poca importancia a la cristología y al mensaje de Jesús de Nazaret. Desafiaron a los teólogos de la liberación a mostrar que la liberación fue la preocupación principal de Jesucristo en su ministerio en la tierra. Ante este desafío, varios teólogos de la liberación comenzaron a dedicar sus esfuerzos a la producción de una cristología de la liberación. Los autores que hasta ahora han dedicado más tiempo al análisis de la cristología a la luz de la liberación son Leonardo Boff, José Comblin, Juan Luis Segundo, y Jon Sobrino. En sus obras estos teólogos pretenden comprobar que el paradigma o modelo supremo de la liberación no es el Éxodo, sino la praxis liberadora del Jesús histórico. Puesto que ya se ha mencionado algo de la teología de Boff, Segundo, y Comblin en capítulos anteriores, se pasará a analizar las ideas de Jon Sobrino, uno de los más conocidos y polémicos de los teólogos de la liberación.

Como ya se apuntó en el caso del belga José Comblin, no todos los teólogos de la liberación son latinoamericanos por nacimiento. Sobrino tampoco nació en América Latina. El proviene de la región vasca en la madre patria, España. Este prolífico sacerdote jesuita estudió teología en Alemania y en los Estados Unidos; ha pasado la mayor parte de su ministerio en la república centroamericana de El Salvador, donde ha trabajado como profesor de teología en la Universidad Jesuita de El Salvador. Sobrino estaba fuera de El Salvador dictando una serie de conferencias durante el otoño de 1989, cuando la Universidad Jesuita sufrió un ataque a manos de un escuadrón de la muerte. Durante el ataque otro profesor vasco, Ignacio Ellacuría, y otros cinco jesuitas fueron asesinados supuestamente por sus actividades a favor del movimiento de liberación.

Los libros de Sobrino sobre Jesús y su ministerio han provocado mucha discusión y controversia dentro de la Iglesia Católica Romana en América Latina. Muchos lo consideran un hereje por sus libros sobre cristología. En su libro más famoso sobre la cristología, *Cristología Desde*

América Latina, Sobrino enfatizó tanto la humanidad de Cristo, que muchos obispos católicorromanos lo acusaron de haber negado la divinidad de Cristo. Para defenderse de estas críticas Sobrino se vio obligado a escribir un segundo libro sobre cristología: Jesús en América Latina. [1–2–3]

El Jesús de la historia en la teología de Jon Sobrino

Al escribir acerca de Jesús, Sobrino da más importancia a los dichos y hechos del Jesús histórico que encontramos en los evangelios sinópticos que a las construcciones teológicas que encontramos en las epístolas, el libro de los Hechos, y los escritos de Juan. Según Sobrino, se puede dividir la vida de Jesús en dos períodos principales. Sobrino asevera que Jesús, antes de la muerte de Juan el Bautista, proclamaba la inminente venida de un reino escatológico. Según Sobrino, Jesús equivocadamente creía que el fin de la historia era inminente, y que sus discípulos iban a presenciar el fin del mundo.[4] Puesto que el reino escatológico de Dios estaba cerca, Jesús llamaba al pueblo a volverse a Dios. Este retorno a Dios no se lograba por medio de servicios en el templo, sacrificios o ceremonias, sino solamente por medio del establecimiento de una verdadera hermandad con los pobres y marginados. El único camino hacia Dios es el camino de la entrega al servicio del pobre y oprimido.

Durante la primera parte de su ministerio Jesús empleaba poder en forma de milagros en el servicio del reino. Estos milagros, sin embargo, no eran fines en sí mismos, sino señales de que el Reino de Dios estaba cerca. Según Sobrino, todos los milagros de Jesús, sus exorcismos, y los banquetes con los pecadores son reflejos del reino venidero.[5] El punto culminante en

---

1 Sigmund, *Op. Cit.*, pp. 89-92.

2 Ferm, *Op. Cit.*, pp. 41-44.

3 Sobrino, Jon, *Jesus in Latin America* (Maryknoll, New York, Orbis Books, 1987), p. 6.

4 Sobrino, Jon, *Christology at the Crossroads* (Maryknoll, New York, Orbis Books, 1979), pp. 354-355.

5 Sobrino, Jon, *Spirituality of Liberation: Toward Political Holiness* (Maryknoll, New York, Orbis Books, 1988), p. 123.

la vida de Jesús fue la crisis en Galilea. Basándose en esta crisis, Jesús vio que su ministerio iba a resultar en fracaso y no en el establecimiento inmediato del reino de Dios. A pesar de ser consciente de ello, Jesús no abandonó su misión, sino que se entregó a la lucha a favor de la liberación de los oprimidos, aunque eso significara una muerte segura. En la perspectiva de Sobrino, Jesús, durante su ministerio terrenal, no sabía nada de una segunda venida en el futuro, o de la fundación de una iglesia que iba a continuar con su misión de liberación. Según Sobrino, lo que llegó a comprender Jesús, era que Dios no opera a base del poder coercitivo, o a base de una justicia retributiva. Dios no se manifiesta por medio de despliegues de poder o fuerza, sino por medio de sufrimiento y debilidad.

Sobrino afirma que durante la segunda parte de su ministerio, Jesús comprendió que sus milagros no serían suficientes para transformar la sociedad. La representación de poder en los milagros tiene que ceder ante el poder del amor y la verdad.[6] Después de la crisis de Galilea, la tarea principal del discípulo es seguir a Jesús hacia la cruz, y no el servicio activo en el reino. Para Sobrino, la cruz de Jesús sirve como una línea de demarcación que separa la fe cristiana de toda otra clase de religión porque sirve para revelarnos un Dios que está completamente opuesto a todos los conceptos de Dios que encontramos en las religiones de la humanidad. En Jesús encontramos a un Dios tan comprometido con las personas que ha tomado la decisión de ser débil e impotente para poder ayudarles. En Jesús experimentamos un Dios que quiere sufrir y morir. El poder de este Dios no descansa en la justicia retributiva sino en el amor. La revelación de este Dios en la cruz nos muestra que todos los otros conceptos de Dios son pura idolatría.[7]

En unión con muchos otros teólogos de la liberación, Sobrino afirma que es una equivocación interpretar la cruz y la muerte de Jesús como parte del cumplimiento de un misterioso plan divino, o como un paradigma accesible a todos los seres humanos. Sobrino afirma que es una equivocación interpretar la muerte de Jesús en términos de una satisfacción o sacrificio por los pecados del mundo, o en términos de un sacrificio que se repite en la misa, y que está a nuestra disposición cuando comulgamos.[8]

---

6 Sobrino, 1979, *Op. Cit.*, pp. 359-360.

7 *Ibíd.*, pp. 365-368.

8 *Ibíd.*, p. 372.

En otras palabras, Jesús no murió porque era la voluntad de Dios o porque Dios había planeado salvar a los pecadores por medio del sacrificio de Jesús. Jesús murió porque luchaba contra la injusticia y la opresión que sufrían los pobres, oprimidos, y marginados.

La resurrección y el Jesús histórico en la teología de Sobrino

Para Sobrino la importancia de la cruz estriba en el hecho de que nos muestra quien es, en realidad, Dios el Padre. A la luz de la cruz vemos al Padre como un Dios sufriente quien realiza sus propósitos en la historia por medio de la debilidad y el amor, y no por medio de la retribución y la fuerza. Sobrino se opone a toda forma de triunfalismo en su definición de la persona y el ministerio de Jesús. Por lo tanto, se preocupa por interpretar la resurrección de Jesús en una manera anti-triunfalista. Esto quiere decir que Sobrino tiene que interpretar la resurrección de Jesús en términos de la cruz, y no la cruz en términos de la resurrección. Sobrino no desea que la resurrección sea usada para definir a Dios en términos de poder, ley retributiva, y la sacralización de estructuras sociales. Por lo tanto, enfatiza que la resurrección sirve para mostrarnos que Dios siempre busca librarnos por medio del amor y el perdón, y no a base de una justicia retributiva.[9]

La resurrección es importante para Sobrino porque significa que la esperanza humana tiene que basarse en una transformación total de las personas y la historia. La resurrección nos da esperanza en nuestra lucha contra la injusticia y la muerte. Pero la esperanza que da la resurrección es, según Sobrino, una esperanza que se realizará dentro de la historia, y no más allá de la historia. En este sentido la resurrección sirve para iniciar la misión de los discípulos. Los llama a establecer una nueva creación, y para servir activamente en la transformación del mundo. Para Comblin, la resurrección es un evento por medio del cual Dios nos llama a dedicarnos a cumplir con la misión que Jesús empezó pero no llegó a terminar, esto es, la misión de transformar el mundo y convertirlo en un reino de igualdad, justicia y hermandad.[10]

Según Sobrino, la iglesia siempre está en peligro de malinterpretar el significado de la resurrección y de olvidar al Jesús histórico y su praxis

---

[9] *Ibíd.*, p. 377.

[10] *Ibíd.*, p. 38.

de transformar al mundo. Como los oponentes de San Pablo en Corinto, muchos cristianos han perdido todo interés en la transformación del mundo, y están dedicados a satisfacer una hambre impía por dones sobrenaturales y ultrahistóricos que solamente sirven para trasladarles del mundo a una esfera celestial. En vez de seguir la praxis libertadora del Jesús histórico, han cambiado al Jesús de la historia por una deidad cúltica. Han remplazado la praxis con los sacramentos y una liturgia que celebra un salvador celestial que da dones sobrenaturales en vez de liberación histórica. Para Sobrino, el único don espiritual auténtico es el don de servicio a la comunidad ofrecido en amor.[11] Para Sobrino la única función válida que tiene la liturgia es la de ayudar a la iglesia a fijar su mirada en el Jesús de la historia y su praxis. Los evangelios fueron escritos para llamar a la iglesia a seguir al Jesús histórico y su praxis libertadora en vez de adorar a una deidad cúltica. Los evangelios ayudan a los cristianos a poner su mirada en la cruz, es decir, en la misión que tienen los discípulos de trabajar y servir aquí en el mundo donde la pasión de Cristo sigue. La cruz sirve para llamarnos a trabajar en la tierra, en vez de fijar nuestra mirada en las imaginadas regiones celestiales.[12]

En base a las ideas expresadas arriba, ahora se entiende el motivo por el cual muchos obispos católicos creen que Sobrino ha dejado de seguir la enseñanza de la iglesia referente a la divinidad de Cristo.[13] En su defensa, Sobrino asevera que sus ideas están en conformidad con la enseñanza del Concilio de Calcedonia. Sin embargo, es evidente que este sacerdote jesuita y profesor de teología ha reinterpretado a Calcedonia en una manera sumamente radical y revolucionaria. El mismo Sobrino afirma que "Una fidelidad absoluta a la fórmula de Calcedonia sería la peor forma de infidelidad."[14] Sobrino prefiere hablar de Jesús como aquél que llegó a ser hijo de Dios por la obediencia en lugar de hablar de Jesús como aquél que ha sido el Hijo desde la eternidad. En la teología de Sobrino, Jesús no es el Salvador por cuya cruz somos salvos, sino un modelo o una nueva ley

---

11 *Ibíd.*, p. 301.

12 *Ibíd.*, p. 382.

13 Sigmund, *Op. Cit.*, pp. 89-92.

14 Sobrino, 1979, *Op. Cit.*, p. 388.

que debemos seguir. Por medio de seguir a Jesús como nuestro ejemplo, nosotros también podemos llegar a ser personas auténticas e hijos de Dios. Según Sobrino:

> La formula de Calcedonia afirma positivamente que Jesús es el hijo eterno de Dios. El modelo que quisiera proponer nos ayudaría a ver que la filiación es un modelo de la unidad personal con el Padre que experimentó Jesús. Esto quiere decir que necesitamos tener un entendimiento del concepto de persona. . . . persona representa el fin de un largo proceso de auto-reconciliación por medio del cual el sujeto llega a entregar su ser a otro. Por medio de esta entrega concreta e histórica al Padre, Jesús llega a ser Hijo en un sentido real y no en un sentido idealista. Jesús llega a ser Hijo al enfrentar los conflictos producidos por una situación pecaminosa que está en contra de la realidad del Padre. Puesto en términos concretos, Jesús vive por el Padre al vivir por otros seres humanos, Por medio de estas dos maneras de "vivir" Jesús llega a ser Hijo. Así es cómo Jesús alcanza el cumplimiento, tanto en relación con Dios, como en su realidad como ser humano.[15]

Es fácil ver que palabras como éstas pueden ser interpretadas en términos adopcionistas y usadas para afirmar que nosotros también podemos ser adoptados por Dios al tomar nuestra cruz y seguir la praxis libertadora de Jesús.

La divinidad definida en términos de la humanidad de Jesús

En su análisis de la vida y ministerio de Jesús de Nazaret, Sobrino ha llegado a la conclusión de que Jesús no vino para llamar a las personas para adorar a Dios por medio de ritos religiosos, sacramentos, sacrificios, asistencia a oficios en el templo, oraciones o ceremonias. Según Sobrino, Jesús no estaba interesado en enseñar cómo es Dios, sino en lo que es un verdadero ser humano. Sobrino no habla de Jesús como Dios, sino como un verdadero ser humano, como el ser humano auténtico. La importancia que tiene Jesús para los hombres estriba en el hecho de que en Jesús se aprende a ser verdaderos seres humanos. Un verdadero ser humano, en la perspectiva de Sobrino, es uno que rechaza la tentación de dominar y señorear sobre otros, y de progresar a expensas de otros. Un verdadero ser

---

15 *Ibid.*, p. 387.

humano es uno que da prioridad a su prójimo necesitado, y considera eso como la cosa más importante en la vida. El verdadero ser humano es aquél que ha venido para servir y no para autorealizarse. Es la revelación de la verdadera humanidad lo que constituye el meollo de las buenas nuevas proclamadas por Jesús.[16] La soberanía de Jesús puede ser entendida solamente en términos de servicio, no en términos de dominio sobre otros. En la perspectiva de Sobrino es una equivocación tratar de definir a Jesús en términos divinos. La tarea para la teología, según Sobrino, es definir a Dios en términos de Jesús y su praxis libertadora.[17]

Sobrino, al igual que Comblin, asevera que Dios no está interesado en ser adorado por los seres humanos. Lo que busca Dios es que las personas se comprometan con la liberación de los pobres y oprimidos. Sobrino cree que en su forma original, el gran mandamiento dado por Jesús a sus discípulos en Mateo 22.34-40 no decía nada acerca de la necesidad de amar a Dios sobre todas las cosas. Según Sobrino, en su forma original, el mandamiento hablaba solamente de la necesidad de amar al prójimo. Sobrino considera que la parte que habla de la necesidad de amar a Dios fue añadida por un escriba que había malentendido la intención original de Jesús.[18] Sobrino afirma que la única adoración verdadera a Dios consiste en amar y hacer justicia a los pobres. "La praxis de Jesús muestra que Dios no puede ser hallado en el templo, el culto, o los esquemas éticos de los fariseos. Los pobres constituyen el lugar privilegiado donde tenemos acceso a Dios."[19] Según Sobrino, fue este concepto de Dios que provocó el conflicto entre Jesús y los líderes religiosos de su tiempo. El Dios de los fariseos no fue el Dios de Jesucristo, sino un ídolo. Durante todo su ministerio Jesús tuvo que luchar en contra de la tentación de malentender la naturaleza de Dios. Según Sobrino, Jesús llegó a ver que un Dios que

---

[16] Sobrino, Jon, *Jesus, Theology and Good News*, en *The Future of Liberation Theology*, ed. Marc H. Ellis & Otto Maduro (Maryknoll, New York, Orbis Books, 1989), p. 200.

[17] Sobrino, 1987, *Op. Cit.*, p.15.

[18] Sobrino, 1979, *Op. Cit.*, pp. 170-171.

[19] *Ibid.*, p. 207.

utilizaría el poder, la violencia, y la ley para obligar a las personas a cumplir la voluntad divina no sería Dios, sino un ídolo.[20]

Jesús y la ley en la teología de Sobrino

Según Sobrino, se tiene que definir a Dios en términos de Jesús y no a Jesús en términos de Dios. A los seres humanos se les ha enseñado que Dios es el defensor y sustentador de las instituciones humanas; de la sociedad como ha sido constituida y estructurada; del statu quo y de los derechos de aquéllos que tienen en sus manos las riendas del poder. Se cree que Dios es el todopoderoso que echa mano de la fuerza para obligar a los mortales rebeldes e independientes a fin de que se sujeten a la voluntad divina. Se cree que Dios es un poder sobrenatural que usa milagros, castigos retributivos, amenazas, y leyes para obligar a las personas a fin de que hagan lo que no quieren hacer. La mayoría de las personas creen que Dios actúa a base del poder y de la ley. Pero Sobrino está en desacuerdo con esta manera de ver las cosas. Sobrino sostiene que Jesús siempre rehusó el empleo de la fuerza y la violencia. La única motivación empleada por Jesús, en su trato con la gente, es el amor. El único poder que deben usar los seguidores de Jesús en la construcción del reino de Dios es el amor, el sacrificio y la verdad. Todas las otras clases de poder son pecaminosas. El dios del poder es un ídolo. El poder de Dios es el poder del amor y del sacrificio.[21]

En la perspectiva de Sobrino, lo que las personas generalmente consideran como su Dios es en realidad un ídolo. Este ídolo, que es el deseo humano de dominar y controlar a otros, ha sido inventado por personas injustas para justificar su abuso del poder. Para Sobrino, todo pecado es, en una forma u otra, un abuso de poder. Puesto que la ley se relaciona con el uso del poder y la fuerza, hay una conexión muy estrecha entre el pecado y la ley.[22] Sobrino ha llegado a creer que en América Latina la ley ha llegado a ser sierva del pecado, y por lo tanto ha adoptado una actitud ambivalente en cuanto a la ley.

---

20 *Ibíd.*, p. 98.

21 *Ibíd.*, p. 55.

22 *Ibíd.*, p. 54.

Por un lado, Sobrino sostiene que la Torah escrita es un reflejo de la voluntad de Dios. Al mismo tiempo cree que muchas leyes humanas, al igual que la interpretación que dieron los fariseos a la ley de Dios, son contrarias a la voluntad de Dios. En otras palabras, existe una ley más alta por la cual las leyes menores tienen que ser interpretadas y juzgadas. Esta ley suprema no es la ley natural de San Tomás Aquino y los teólogos escolásticos porque no puede ser deducida de la naturaleza. La ley suprema por medio de la cual todas las otras leyes tienen que ser evaluadas es, más bien, lo que demuestra la praxis de Jesús. La función de Jesús en la teología de la liberación se asemeja o funciona en una forma analógica a la función de la ley natural en las teologías tradicionales.

Esta observación ayuda a entender el por qué teólogos como Sobrino, Comblin, Boff, y Segundo están tan interesados en emprender una nueva búsqueda liberacionista para encontrar al Jesús de la historia. Puesto que Jesús funciona como una nueva Torah en la teología de la liberación, es de suma importancia poder leer correctamente lo que dice esta Torah. Por lo tanto, una de las tareas primordiales de los teólogos de la liberación es separar lo que el Jesús histórico verdaderamente dijo e hizo, de las interpretaciones posteriores de la iglesia, las glosas, y comentarios de los escribas y teólogos. Las palabras y hechos auténticos de Jesús constituyen para los teólogos de la liberación, el ejemplo que debemos seguir en nuestra praxis libertadora. Constituyen además la norma para evaluar todas las demás leyes, civiles, eclesiásticas, y humanas. Aunque los teólogos de la liberación no se adhieren a la doctrina de la inspiración plenaria de las Escrituras, son más optimistas que los teólogos académicos del primer mundo en cuanto a la posibilidad de descubrir el mensaje del Jesús histórico. Sin embargo, la mayoría de los teólogos de la liberación, como Sobrino, hacen una distinción muy marcada entre el Jesús de la historia y el Cristo de la fe.

Según Sobrino, la preocupación primordial del Jesús de la historia era defender los derechos de la vida que el Padre había otorgado a cada ser humano. Las leyes existen solamente para garantizar los derechos de los pobres y oprimidos contra quienes buscan enriquecerse a expensas de ellos. Se nota este énfasis en la exposición que hace sobre Marcos 2.23-28. Cuando los fariseos se opusieron a los discípulos que recogieron espigas para alimentarse en el día de reposo, Jesús defendió a sus seguidores enseñando que cada ley tiene que ceder ante las necesidades humanas básicas. El hecho de que Dios quiera que los seres humanos tengan comida, albergue, salario justo, y decentes condiciones de vida y trabajo, es la ley primordial que pone en tela de juicio a todas las leyes humanas, civiles, y religiosas. En base a esta ley primordial, o ley de la vida, Jesús atacó las leyes y tradiciones de los escribas y los fariseos, porque eran motivadas por la codicia y el interés propio, y porque limitaban la vida que deben gozar todos los seres humanos. Cualquier "ley que perjudica la vida de los seres humanos no es de Dios."[23]

La ley primordial, o la ley de la vida, es la ley suprema que Jesús utilizó para evaluar y criticar la legislación de los escribas. Según Sobrino, la ley humana, como un mecanismo humano, no puede sobrevivir independiente de la ley de la vida, que es la voluntad de Dios.[24] Por interés propio los seres humanos han abusado de la ley para hacer su propia voluntad y no la voluntad de Dios. Según Sobrino, la discusión en cuanto al mandamiento principal en Mateo 22.34-40 tiene que ver con cuál mandamiento tiene prioridad sobre los otros mandamientos. No todas las leyes tienen el mismo valor o la misma autoridad. Algunas leyes tienen que ser evaluadas en términos de otros mandamientos. La ley suprema es el amor al prójimo, y ni siquiera la ley que nos llama a amar a Dios debe ser puesta por encima de la ley para amar al prójimo.[25]

Sobrino no opina que Jesús llegó automáticamente a la consciencia de que el prójimo tiene la prioridad más alta en la voluntad de Dios. Esto es algo que Jesús aprendió a través de sus muchas tentaciones y de la praxis. "Jesús gradualmente llegó a darse cuenta de que la tradición que había aprendido en el Antiguo Testamento no era absoluta ni divina."[26] Poco a poco Jesús aprendió que Dios era el amor encarnado.[27] Entre todos los ídolos en el mundo, y entre todas las leyes injustas, Jesús descubrió que hay un solo Dios verdadero y una sola ley verdadera. Este Dios verdadero y ley verdadera se descubren solamente en la humanidad de Jesús de Nazaret. En él, vemos a una persona que rechaza todas las tentaciones que tratan de llevarlo a afirmarse y a realizarse a expensas de otros. El único Dios

---

[23] Sobrino, 1987, *Op. Cit.*, p. 113.

[24] *Ibíd.*, p. 114.

[25] *Ibíd.*, p. 115.

[26] *Ibíd.*, p. 133.

[27] *Ibíd.*, p. 136.

verdadero no se revela en la teología natural, sino en nuestra imitación de la entrega y sacrificio de Jesús a favor del prójimo oprimido.[28]

Al hablar del Jesús humano, Sobrino asevera que no está en contra de las cristologías tradicionales. Aunque las acepta, rechaza la manera en que estas cristologías han sido utilizadas.[29] Sobrino cree que el Cristo de Calcedonia y los cristologías tradicionales se han empleado para justificar el sufrimiento de los pobres al prometer recompensas en el más allá.

Sobrino afirma que antes de confesar a Cristo como divino, la divinidad tiene que ser redefinida en términos de la humanidad del Jesús histórico que nunca intentó sacralizar el statu quo, ni permaneció pasivo cuando otros explotaban a los pobres. Luchó en pro de su liberación. Para Sobrino, una de las tareas primordiales de la teología no es demitologizar a Jesús, sino depacificarlo. La tarea de la cristología es demostrar que Jesús es aquél que se limita, encarna, y se sacrifica con el fin de liberar a hombres y mujeres.[30] Sobrino dice que Arrio no pudo aceptar la divinidad de Cristo porque no podía entender cómo Jesús podía ser divino cuando estaba sujeto a la limitación, sufrimiento y muerte en la cruz. Todo esto era contrario al concepto de divinidad que mantenía Arrio. Sin embargo, según Sobrino, es precisamente en estas cosas que se manifiesta la verdadera divinidad de Jesús.[31] El único milagro que puede ser utilizado para comprobar la divinidad de Jesús es el hecho de que las personas se sacrifican los unos por los otros bajo la influencia de Jesús.[32] Según el teólogo vasco, los únicos que pueden confesar a Cristo como Dios son aquéllos que le siguen y que continúan su praxis.

El significado de la fe en la teología de Sobrino

En la teología kerigmática de Rudolf Bultmann y sus seguidores, Cristo está presente en la proclamación del evangelio, pero en la teología

---

28 Sobrino, 1984, *Op. Cit.*, p. 168.

29 Sobrino, 1987, *Op. Cit.*, p. 18.

30 *Ibíd.*, p. 59.

31 *Ibíd.*, p. 23.

32 *Ibíd.*, p. 24.

de la liberación promulgada por Sobrino, la presencia de Cristo es algo que experimentan solamente aquéllos que concienzudamente se humillan para hacer causa común con el pueblo crucificado de Dios en su lucha contra la opresión.[33] Como en la teología de Gutiérrez, los pobres llegan a ser un sacramento de salvación para quienes no son pobres. Para Sobrino, existen dos maneras distintas por el que los seres humanos pueden llegar a ser miembros del reino. Los pobres reciben el reino por medio de la fe y de la esperanza. Esto quiere decir que los pobres y oprimidos que viven sumergidos en la desesperación se salvan cuando ponen su confianza en el reino proclamado por Jesús, y cuando no aceptan su condición subhumana como la voluntad de Dios para ellos. Fe quiere decir recibir la promesa del reino, y orientar la vida hacia la realización de ese reino. Fe quiere decir que los pobres aceptan el llamado de Dios y llegan a ser los sujetos de su propia liberación. Fe es confiar en la resurrección del pueblo crucificado de Dios a pesar de las apariencias y las amenazas de los enemigos del reino. Fe es confiar que el verdugo no triunfará sobre sus víctimas.[34] La persona que mantiene esta esperanza sin apostatar es un hijo o una hija del reino.

La incredulidad consiste en seguir cautivo a una resignación fatalista; es aceptar la injusticia y la opresión como la voluntad de Dios para los pobres sin ofrecer resistencia. Según Sobrino, la persona espiritual no es la persona que acepta tristeza, dolor, sufrimiento e injusticia sin quejarse, sino la persona que sigue a Jesús en el intento de transformar la situación que ha producido la injusticia.[35] Aceptar lo malo y lo injusto sin ofrecer ninguna resistencia no es espiritualidad sino estoicismo y masoquismo. Es una excusa para no seguir a Jesús.[36] Sobrino dice que el Viernes Santo es más importante que la Pascua de la Resurrección para las masas de América Latina porque el sufrimiento y el abandono de Jesús reflejan mejor la situación de los latinoamericanos. Los oprimidos se pueden identificar más con el grito de Jesús en la cruz que con cualquiera otra parte del relato evangélico. En el pasado, el Cristo crucificado se ha empleado como un símbolo para llamar a la gente a una aceptación pasiva de la injusticia, la pobreza y el sufrimiento, pero ahora la teología de la liberación llama a los

---

[33] *Ibíd.*, p. 167.

[34] Sobrino, 1984, *Op. Cit.*, p. 173.

[35] Sobrino, 1979, *Op. Cit.*, p. 216.

[36] *Ibíd.*, p. 217.

hombres y mujeres de América Latina a luchar contra la realidad latinoamericana, así como hizo Jesús, que perdió su vida por causa del reino.[37]

Se ha apuntado lo que la fe significa en la teología de Sobrino, pero es importante notar, a la vez, lo que la fe no significa para este teólogo de la liberación. La fe por medio de la cual los pobres llegan a ser miembros del reino no es una fe en la reconciliación sustitutiva de Cristo. No es una fe en la persona de Cristo, quien nos reconcilia con un Dios airado; no es una fe en la obra perfecta del Hijo de Dios. En la teología de Sobrino, la muerte de Jesús no hizo nada para cambiar la relación entre Dios y los seres humanos. Lo que hace la crucifixión es demostrar a las personas la seriedad del compromiso de Dios para con los oprimidos. Según Sobrino, la muerte de Cristo en la cruz no era necesaria para la salvación de la humanidad. Para Sobrino, la cruz no es un evento único en la historia del universo por medio del cual las consecuencias de la caída se han superado; es más bien un modelo de sacrificio que nos llama a seguir a Jesús y a comprometernos con el reino. La fe por medio de la cual las personas llegan a ser miembros del reino es aquella fe en la presencia del reino y en su futuro. Es la fe en la presencia de Dios que ha venido, no para salvar a los seres humanos, sino para afirmar las posibilidades humanas y para concientizar a las personas a fin de incorporarlas en la lucha contra la opresión y las fuerzas que se oponen al reino.[38] Las buenas nuevas que se proclaman a los pobres y oprimidos son que Dios se ha encarnado entre ellos para hacerles los recipientes privilegiados de su actividad libertadora.[39]

Los que no son pobres no pueden llegar a ser miembros del Reino de Dios de la misma forma que aquéllos. Los que no son pobres pueden llegar a ser miembros del reino cuando no se oponen al reino y cuando se ponen a disposición de los pobres, ayudándoles en la construcción del reino. Es en su participación al hacer las obras del reino que hombres y mujeres llegan a ser personas justas e hijos de Dios.[40] Los que no son pobres pueden encontrar a Dios cuando se acercan a los oprimidos, y cuando demuestran su solidaridad con ellos por medio de una praxis de amor y

---

37 *Ibid.*, p. 180.

38 *Ibid.*, p. 49.

39 Sobrino, 1984, *Op. Cit.*, pp. 158; 173.

40 Sobrino, 1979, *Op. Cit.*, pp. 57-61.

justicia en un mundo de conflicto y martirio. "Amor significa entregarse a los oprimidos. El que ama, ha guardado la ley y los profetas."[41] "Los fariseos que ven la liberación como una continuación de la situación presente y como un premio por sus obras, no reciben el perdón de Jesús."[42] Los que no son pobres llegan a ser miembros del reino, no por su fe en Cristo, sino por dedicar sus vidas a la liberación de los pobres. "El contacto con Jesús se hace posible solamente cuando nuestra actitud es una de servicio en pro del Reino de Dios." Según Sobrino, los pobres pueden llegar a salvarse por gracia pero los que no son pobres se salvan por medio de su obediencia a la nueva ley, la que consiste en seguir la praxis de Jesús.[43]

Ley y Evangelio

Sobrino cree que describe el evangelio, o las buenas nuevas, cuando habla de las personas que llegan a ser miembros del reino de Dios por medio de seguir a Jesús en una vida de servicio y sacrificio. Sin embargo, en realidad, Sobrino está proclamando una nueva forma de ley. Los luteranos no estamos en contra de seguir a Jesús. No nos oponemos a la necesidad de identificarnos con los pobres y oprimidos, y de trabajar en pro del establecimiento de una sociedad más humanitaria, más igualitaria, y más justa. No estamos en contra de cambiar las estructuras injustas y de permitir que los pobres participen activamente en la construcción de una nueva sociedad. Todo esto está implícito en el mandato de Jesús que exige que amemos a nuestros prójimos como nos amamos a nosotros mismos.

La diferencia entre la posición de Sobrino y la reforma luterana es la siguiente. Para Sobrino, el seguimiento de Jesús es necesario como un medio para obtener el acceso a Dios. Un cambio en nuevo estilo de vida es una precondición de nuestra salvación. Pero según la Biblia y según las Confesiones Luteranas, el seguimiento de Jesús, una praxis libertadora y una vida cambiada no son medios para alcanzar el Reino de Dios, sino consecuencias de haber recibido el Reino de Dios como un don de pura gracia. Cuando se convierte a la praxis en un medio de gracia se establece,

---

41 Sobrino, 1984, *Op. Cit.*, p. 173.

42 Sobrino, 1979, *Op. Cit.*, p. 49.

43 *Ibíd.*, p. 50.

en realidad, una nueva ley. Tal ley, tarde o temprano, funcionará para atormentar la conciencia humana y obrar en nuestros corazones la ira. La ley, según la declaración de San Pablo en Romanos 3.19-20, sirve para producir en nosotros un conocimiento del pecado, pero no para obrar la justicia de Dios.

El único medio de acceso a Dios no es la praxis libertadora, sino la fe. Uno es justificado por fe sin la obras de la ley, sin la praxis libertadora, sin la opción preferencial por los pobres, sin la identificación de los oprimidos, y sin el amor. Todas estas cosas son necesarias, no como medios de gracia, sino como frutos de la fe, y como buenas obras que el prójimo necesita. Pero hay que tener cuidado en no confundir la fe con sus frutos y de no confundir la justificación con la santificación.[44]

Para Lutero y Calvino el mensaje central del evangelio consistía en la proclamación del perdón de los pecados. Para Sobrino, el perdón de los pecados no es parte del contenido del evangelio sino (como los milagros) una señal de la llegada del Reino de Dios. Sobrino ha declarado que la buena nueva no consiste en la proclamación de perdón, sino en la praxis de Jesús y en la presencia libertadora del reino en medio de los pobres.[45]

Según Sobrino, el perdón de los pecados no es proclamado a los pecadores en virtud del sacrificio o la reconciliación obrada por Cristo. Los pobres reciben más bien el perdón de los pecados porque creen que Dios está actuando para establecer su reino entre ellos. Son perdonados porque abandonan su fatalismo y ponen su confianza en el establecimiento del Reino de Dios. La fe consiste en creer que, a pesar de los obstáculos y las injusticias, Dios establecerá su reino por medio de los pobres y oprimidos, los cuales serán los sujetos de su propia liberación.[46] En la teología de Sobrino, los pobres son perdonados a fin de ser incorporados a la misión libertadora de Jesús. Aunque los fariseos han descalificado a los pobres de la participación en la construcción del Reino de Dios, Jesús los llama a ser los instrumentos privilegiados de la acción divina en el mundo.

---

44 Hoeferkamp, Robert T., *The Viability of Luther Today: A Perspective from Latin America*, en *Word and World Vol. VII:1*, pp. 32-42 (Saint Paul, Luther Northwestern Theological Seminary, 1987), p. 38.

45 Sobrino, 1979, *Op. Cit.*, p. 47.

46 *Ibid.*, p. 49.

La penitencia de los ricos y los poderosos

Según Sobrino y los teólogos de la liberación, existe una diferencia muy importante y fundamental entre los pecados de los ricos y los pecados de los pobres. El pecado de los ricos y poderosos no es tanto un pecado contra Dios y la ley, sino un pecado contra el Reino de Dios. Este pecado puede ser quitado o perdonado solamente con la eliminación del pecado en contra del Reino de Dios, o sea, el plan de Dios de establecer una nueva humanidad por medio de los pobres y marginados. Lo que sirve para eliminar este pecado no es la sangre de Cristo, sino un cambio en la manera de vivir, es decir, en un nuevo estilo de vida. Lo que puede salvar al rico no es la cruz de Cristo, sino una penitencia que se expresa por medio de la ortopraxis.[47] La ortopraxis que requiere Jesús de los ricos es que utilicen su poder y sus posesiones en una manera nueva, a favor de los pobres.[48] El Reino de Dios se actualiza solamente cuando los que no son pobres se comprometen voluntariamente con la causa de los pobres. El pecado de los ricos en contra de los pobres puede ser borrado solamente cuando los ricos se adaptan a las condiciones de los pobres. La tentación de los ricos consiste en creer que pueden ser hijos del reino sin una identificación radical con los pobres. Las tentaciones contra las cuales Jesús tuvo que luchar consistieron en creer que podía ser hijo de Dios sin una identificación con los oprimidos, pobres y marginados. Así como Jesús se despojó de todo lo que le daba seguridad para poder dedicar su vida a los pobres, así también tenemos que hacer nosotros.[49] Según esta manera de pensar, Jesús no es el salvador de los ricos y los poderosos, sino el modelo que deben seguir los ricos si quieren alcanzar la salvación.

Aquí se pone de manifiesto que Sobrino no ha abandonado el concepto tradicional de la Iglesia Romana que entiende la conversión como un proceso que incluye la contrición, la confesión y la penitencia. La penitencia de la cual estamos hablando es la de identificarse con los pobres y de seguir a Jesús en su praxis libertadora en pro de un reino de justicia y paz aquí en la tierra. La santidad de la cual habla Sobrino no es la justicia perfecta de Cristo, que se otorga a los pecadores como un don de gracia; es más bien algo que se adquiere al seguir a Jesús en el servicio a los pobres.

---

[47] *Ibíd.*, p. 52.

[48] Sobrino, 1987, *Op. Cit.*, pp. 92-93.

[49] *Ibíd.*, p. 102.

Afirma Sobrino: "Es imposible alcanzar la santidad aparte del combate mortal en contra del pecado que tanto le oprime a los pobres."[50] En nuestra opinión, hay en la teología de Sobrino una seria confusión de ley y evangelio, que consiste en hacer la santificación una parte de la justificación en vez de un fruto de la justificación.

Un acto de penitencia o una vida transformada de ortopraxis, o el seguimiento de Jesús en su misión de humanizar y liberar al mundo no es a fin de cuentas algo realizado por Dios, sino por nosotros mismos. Para Lutero y los teólogos de la Reforma, el meollo de la buena nueva es la proclamación de que nuestra salvación depende de lo que ha realizado Dios en la cruz y en la resurrección de Jesucristo. Dios ha realizado lo que nosotros somos incapaces de realizar. Para los que entienden que no son capaces de salvarse a sí mismos, este evangelio es buena nueva. Para los teólogos de la Reforma, todo lo que hacen o no hacen los seres humanos no es evangelio sino ley.

Lo que constituye el corazón de la teología de Sobrino no es el evangelio sino la ley disfrazada de evangelio. Sobrino, al igual que Comblin, se expresa en una manera muy negativa cuando habla del papel de la ley en la teología. Se nota una tendencia a eliminar referencias a la ley cuando Sobrino habla de la naturaleza de Dios, la misión de Jesús, y el discipulado cristiano. Pero como ha sucedido en otros intentos de eliminar la ley en nombre del evangelio, la buena nueva ha sido convertida en una nueva ley. Desde la perspectiva de la reforma luterana, se puede concluir que uno de los problemas más grandes de la teología de la liberación no es la falta de la ley, sino la falta del evangelio. A fin de cuentas, el Jesús de Sobrino no funciona como Salvador, sino como medio, no como sacramento, sino como ejemplo. Jesús, en vez de librarnos de la ley, ha llegado a ser la nueva ley de la teología de la liberación.

La cristología de Leonardo Boff

Otro teólogo de la liberación que ha dedicado mucho tiempo al estudio de la cristología es el franciscano brasileño Leonardo Boff. Como Sobrino, Boff comienza sus investigaciones cristológicas con el Jesús de la

---

50 Sobrino, 1988, *Op. Cit.*, p. 129.

historia y no con el Cristo del dogma. Según Boff, los teólogos tradicionales han hablado de Jesús en términos de Cristo Rey, es decir, una figura poderosa, rica dominante, y transcendente que vive alejado de los sufrimientos de los pobres. La figura de Cristo Rey ha sido utilizada como símbolo de las clases sociales dominantes para perpetuar las divisiones sociales injustas, y para justificar las estructuras políticas y económicas que han resultado en una distribución injusta de los recursos que el Creador ha querido dar a todas las criaturas. Este dios es incapaz de ser amado por los pobres y marginados de América Latina. Los representantes del Cristo del dogma, los emperadores, papas, y obispos que han gobernado en su nombre, han utilizado la fuerza y la violencia para destruir a los que consideraron sus enemigos.[51–52]

Como muchos teólogos modernos, Boff es de la opinión de que hay muchas partes del Nuevo Testamento que no reflejan el mensaje y la misión de Jesús. Según Boff, muchas partes del Nuevo Testamento son simplemente interpretaciones de la iglesia primitiva, y no palabras de Jesucristo. Boff cree que el Jesús de la historia fue mucho más revolucionario y radical de lo creen sus seguidores hoy. Según Boff, los miembros de la iglesia primitiva, en su intento de esquivar la persecución y el martirio, suavizaron las enseñanzas más revolucionarias presentando a Jesús como una persona más inofensiva políticamente de lo que era en la realidad. Por lo tanto, los teólogos de la iglesia primitiva presentaron a Jesús como un líder netamente religioso y no como un líder político. Según Boff, los líderes de la iglesia primitiva espiritualizaron muchas de las enseñanzas y parábolas de Jesús.[53] Sin embargo, Boff cree que todavía existe un sustrato de material original en el Nuevo Testamento que puede ayudarnos a redescubir el mensaje original de Jesús.

Es la opinión de Boff que los textos que hablan de Jesús como libertador son más antiguos y más auténticos que los textos que hablan de

---

[51] Boff, Leonardo, *Jesus Christ Liberator* (Maryknoll, New York, Orbis Books, 1978), p. 27.

[52] Boff, Leonardo, *Images of Jesus in Brazilian Liberal Christianity*, en *Faces of Jesus: Latin American Christologies*, ed. José Míguez Bonino (Maryknoll, New York, Orbis Books, 1984), pp. 9-27.

[53] Boff, 1978, *Op. Cit.*, p. 9.

Jesús como el sacrificio por los pecados del mundo, el sustituto por los pecadores, y el redentor. Los textos que hablan de Jesús como salvador, sustituto, sacrificio, o redentor son, según Boff, interpretaciones de la iglesia primitiva que distorsionan el significado original del mensaje de Jesús. En la opinión de Boff, no es necesario que creamos en estas interpretaciones hoy. El mensaje de Jesús como libertador es la norma normata por medio de la cual los otros textos tienen que ser juzgados. Son los textos que hablan de Jesús como libertador los que deben servir como base del ministerio y la misión de la iglesia hoy.

Jesús y el Reino de Dios en la teología de Boff

Boff asevera que Jesús, al igual que sus contemporáneos en Israel, creía en la venida del Reino de Dios por medio del cual todas las estructuras deshumanizantes serían eliminadas. Creía en el establecimiento de una sociedad justa, igualitaria y humana. Pero a diferencia de los otros judíos de su tiempo, Jesús no esperaba el establecimiento del reino en el futuro, sino en el presente. Según Boff, Jesús creyó que él iba a ser el instrumento de Dios en el establecimiento del reino y, por lo tanto, llamó a sus contemporáneos a orientar sus vidas y sus valores a las normas del reino. Al anunciar la venida del reino, Jesús proclamaba buenas noticias a los pobres, y malas noticias a las élites poderosas y ricas que controlaban la sociedad y la usaban para su propio bienestar.

La estructura crística en las enseñanzas de Jesús

Leonardo Boff cree que las enseñanzas de Jesús acerca del reino revelan la existencia de una estructura divina en la parte más íntima de cada ser humano. Esta estructura es llamada por Boff: estructura crística. La estructura consiste en poder entregarse a otros, y en saber cómo recibir el don de otros.[54] Esta estructura crística, o poder latente en el alma, es lo que funciona en la humanidad y ayuda a guiarla hacia el Reino de Dios. El Reino de Dios es la meta del proceso de evolución, y consiste en la divinización de los seres humanos. Al fin del proceso de evolución la humanidad será divinizada y llegará a ser asumida por Dios así como Jesús llegó a ser divino. De esta manera, Jesús llega a ser un paradigma de lo que

---

[54] *Ibíd.*, p. 253.

va a pasar con los seres humanos y con la totalidad de la creación.[55] Según Boff, Jesús hubiera tenido que nacer como ser humano aún si el mundo nunca hubiera caído en pecado, porque la divinización y la adopción de la humanidad en Dios fue la meta de Dios aún antes de la creación del mundo.

La estructura crística es, según Boff, un principio universal o ley divina que está en operación en la historia del universo, y que lo guía hacia la meta de Dios. Este principio o ley puede ser deducido de la historia o de las relaciones humanas, pero se revela más perfectamente en la praxis libertadora de Jesús y en sus parábolas. Según este principio o ley todos aquéllos que responden al amor divino y humano con amor recíproco serán salvos. Todos aquéllos que dan su espalda al amor que se les ofrece, y se cierran hacia los demás, están lejos del Reino de Dios. La existencia de este principio, con su universalismo implícito, hace innecesaria la evangelización en su sentido tradicional. Para Boff, evangelismo quiere decir ser un buen samaritano al prójimo necesitado, explotado y oprimido, y no la proclamación de las buenas nuevas de perdón en el nombre de Jesús a fin de que los hombres y mujeres se conviertan a él y lleguen a hacerse miembros responsables de su iglesia. A pesar de sus muchas ventajas, la teología de la liberación es una negación de la gran comisión. Éste es su mayor error.

Leonardo Boff y la imitación de Cristo

En los escritos de Boff, el seguimiento o la imitación de Cristo es una de las notas más constitutivas de su teología. Lo que hace de una persona un cristiano, o un cristiano anónimo, es seguir el ejemplo que Cristo nos ha dado de abrirse en amor hacia los demás. Una lectura cuidadosa de Boff y de otros teólogos de la liberación, revelará que en la teología de la liberación Cristo funciona primordialmente como ejemplo de un nuevo estilo de vida y de una nueva manera de ser un ser humano. Su vida de servicio, liberación, y sacrificio en pro de los pobres constituyen un paradigma que debemos imitar, a fin de que podamos realizar la verdadera humanidad que está latente en todos nosotros. Esto quiere decir que en la teología de Boff, la función de Cristo como ejemplo, o exemplum, toma precedencia sobre la función de Jesucristo como sacramento o sacramentum. En otras palabras, la meta de Dios para la humanidad se logra más por

---

55 *Ibid.*, p. 260.

medio de la imitación de Cristo, que por la recepción en fe de la reconciliación obrada, una vez y para siempre, en la encarnación, muerte, y resurrección de Jesucristo.

La muerte de Jesús en la teología de Leonardo Boff

En armonía con Comblin, Ellacuría, y Sobrino, Boff afirma que Dios no había decretado la muerte de Cristo. En otras palabras, la muerte de Jesús no era necesaria para nuestra salvación. Su muerte no fue una expiación por los pecados del mundo. No fue necesario que Cristo muriera para reparar el daño causado por la caída de Adán y Eva.[56] Jesús no vino para morir, sino para establecer el Reino de Dios. No fueron nuestros pecados, sino la oposición de las élites dominantes que provocaron la muerte de Cristo. En la perspectiva de Boff somos salvos, no por la crucifixión y muerte de Cristo, sino por seguir su actitud de amor, entrega y perdón. El Padre permitió que la crucifixión tomara lugar para demostrar la profundidad de su compromiso con la liberación de la humanidad. Boff dice que se proclama correctamente el mensaje de la cruz cuando se invita a hombres y mujeres a seguir el ejemplo del amor de Cristo aunque nos cueste la muerte.[57]

Al eliminar las interpretaciones tradicionales que enseñan que Jesús murió para redimir a los hombres del pecado, el diablo y la muerte, Boff ha dejado la puerta abierta para una nueva interpretación de la muerte de Jesús. ¿Cuál es su nueva interpretación? Según Boff, la muerte de Cristo es un ejemplo de lo que quiere decir servir y sacrificarse por causa de la liberación. La muerte de Cristo sirve como un ejemplo de la esperanza a la cual somos llamados. En medio del fracaso de su ministerio, abandonado por sus amigos, y aún por el Padre, Jesús no abandonó su esperanza en el reino. Nosotros, siguiendo su ejemplo, tenemos que seguir luchando por el reino, venga lo que venga. Así, una vez más, se presenta la cruz de Cristo, no como sacramento, sino como ejemplo. Jesús sirve principalmente como un modelo para ser imitado, *imitatio Christi*. La cruz enseña la forma de vencer el odio por medio del amor, y cómo vivir y morir en esperanza, amor

---

[56] Boff, Leonardo,*Trinity and Society* (Maryknoll, New York, Orbis Books, 1988), p. 118.

[57] *Ibid.*, p. 119.

y servicio. Esto no es malo, lo malo es que Boff no enseña cómo la sangre de Jesús limpia de todo pecado.[58] Al interpretar la muerte de Cristo como un paradigma que se debe imitar y no como un sacramento, Boff ha transformado lo que es el centro, el meollo del evangelio, en una ley

La resurrección de Jesús como paradigma

En su discusión del significado de la resurrección de Jesús, Boff dice que cuando Cristo resucitó con un cuerpo espiritual y con una presencia cósmica-neumática, se nos reveló la meta final del proceso evolutivo. Siguiendo la teología del jesuita francés, Teilhard de Chardin, Boff cree que Dios está dirigiendo el proceso de la evolución hacia la realización de una humanidad perfecta, o mileu divin. Aunque esta realización, o Punto Omega, queda en el futuro lejano, el Punto Omega se ha anticipado y manifestado antes del fin en la persona del Cristo resucitado. En el Jesús resucitado, Dios nos revela el producto final del proceso de la evolución, así como Dios lo había planificado en el principio de la creación. El Jesús resucitado es el modelo de lo que será la humanidad en la realización final del Reino de Dios. En Jesús vemos lo que seremos al final de los millones de años que quedan del proceso de evolución. Cuando la humanidad llegue a ser completamente humana, será divina. En Jesús vemos, no solamente la verdadera naturaleza del ser humano, sino la verdadera humanidad de Dios.[59] En Jesús vemos a los seres humanos tal como deben de ser, no encerrados en sí mismos, buscando su propia auto-realización, sino abriéndose hacia los otros y hacia Dios.

Según Boff, Jesús como meta y finalidad del proceso de evolución, ya existía en la mente de Dios antes de la creación del universo. En este sentido, Jesús existió antes de Adán. Existió en la mente de Dios como el modelo para la humanidad en su peregrinaje hacia el Punto Omega. En la teología de Boff, Cristo tenía pre-existencia en la mente de Dios como espíritu, logos, principio, o ley que guió a Dios en su dirección del proceso de evolución. En este sentido Jesús llega a ser un tipo, o gestalt para nosotros.[60] Es esta gestalt la que sirve para activar las fuerzas humanas y

---

58 *Ibid.*, p. 119.

59 Boff, 1978, *Op. Cit.*, pp. 234-238.

60 *Ibid.*, p. 233.

movernos hacia la meta de la perfecta humanidad, la cual se anticipó para nosotros en la encarnación, muerte y resurrección de Jesús.

Todavía siguiendo la teología de Teilhard de Chardin, Boff dice que Jesús es el modelo y meta, no solamente de la humanidad, sino también del cosmos. Como meta y modelo de lo que va a ser, Cristo está presente en lo más profundo e íntimo de cada ser creado. Por medio de la resurrección Cristo está presente, no solamente en cierto lugar o tiempo, sino en todo el cosmos. Por lo tanto, todos los elementos materiales son señales de su presencia. El Cristo neumático está en el corazón de todas las cosas, y todas las cosas son sacramentos de su presencia.[61] Cristo mismo es el modelo supremo o logos que está en todos. Cristo es el contenido de la ley cósmica. Cristo es la ley cósmica suprema a la cual nos conformamos al someternos al plan divino para el universo. A fin de cuentas, la cruz y la resurrección de Jesús funcionan en la teología de Boff como eventos únicos y decisivos que han sucedido (pro nobis- para nosotros) para reconciliarnos con Dios. Sirven más bien como paradigmas del proceso por el cual los seres humanos tenemos que pasar en nuestro peregrinaje hacia el Punto Omega.

Cristo como exemplum y sacramentum

Cristo funciona en la teología de Leonardo Boff principalmente como logos eterno o Torah encarnado, es decir, como un ejemplo de lo que debemos ser y de lo que seremos. Jesús es, sobre todo, lo que Lutero llamaba exemplum y no lo que llamaba sacramentum.

Durante las últimas décadas, los términos exemplum y sacramentum han llegado a cobrar gran importancia para los teólogos que están investigando el desarrollo de la cristología en la teología de Martín Lutero. Lutero descubrió los términos exemplum et sacramentum en las obras de San Agustín, y comenzó a usarlos al explicar su entendimiento del lugar de Cristo y su cruz en la vida del creyente. En sus primeras obras, Lutero, al igual que sus contemporáneos, entendió los sufrimientos de Jesús en la cruz primordialmente como un ejemplo o paradigma que el cristiano es llamado a imitar.

Tras la idea de Cristo como paradigma o ejemplo queda la doctrina de que Dios cambió nuestras penas eternas en penas temporales. Por lo

---

[61] *Ibid.*, p. 214.

tanto, debemos recibir con gozo los sufrimientos temporales y las cruces que nos son enviadas por Dios y la iglesia, porque por medio de estas cruces llegamos a ser más justos y más dignos.[62] La aceptación de la cruz y los sufrimientos de parte de Cristo deben ser vistos como un paradigma o ejemplo de cómo el cristiano debe aceptar los sufrimientos y las cruces con el fin de que el hombre viejo sea humillado, crucificado, condenado y mortificado. Al conformarse a las mortificaciones y los sufrimientos de Cristo, los cristianos se acercan a Cristo y tienen comunión con él. Así enseñaba la Iglesia Romana en los días de Lutero.

Al profundizar en el estudio del evangelio, Lutero llegó a entender el significado de la muerte de Jesús a la luz de la enseñanza paulina de la justificación por la fe. Con una claridad cada vez más intensa, Lutero llegó a ver que la función primordial de la cruz de Cristo era como sacramento, sacramentum, y no la imitación de Cristo, imitatio Christi. Lutero llegó a entender la muerte de Jesús, no como un paradigma que nos enseña cómo morir, sino como una muerte sustitutiva y única, es decir, una muerte salvífica que solamente Cristo pudo morir. Sacramentum quiere decir que la salvación no es algo que sucede en mí por medio del despertamiento de un amor latente o durmiente, sino por medio del evangelio. La salvación no se aprende por medio de la imitación de Cristo, sino por medio de la recepción del perdón y la vida como un don gratuito, donum. La salvación es algo que ocurre fuera de nosotros, extra nos, en Cristo.[63] En su sermón del tercer domingo de adviento en 1524 Lutero declaró:

> El diablo puede soportar la proclamación de Cristo como nuestro ejemplo. . . . El diablo logra su victoria si tomamos la doctrina de Cristo como ley y su vida como ejemplo. Sólo Cristo es un don; los otros santos pueden ser ejemplos. Él está encima de los otros porque él es un don. . . . El evangelio no es la predicación de Cristo como ejemplo sino su proclamación como don.

Se llega a ser cristiano cuando Cristo es recibido como un sacramento o como un don. Esto no quiere decir que Cristo no sea el mejor ejemplo de amor y servicio para el prójimo. Cristo es el ejemplo del

---

[62] Nagel, Norman, *Sacramentum et Exemplum in Luther's Understanding of Christ*, en *Luther for an Ecumenical Age*, ed. Carl S. Meyer, pp. 172-199 (Saint Louis, Concordia Publishing House, 1967), p. 186.

[63] *Ibid.*, pp. 172-178.

cristiano, pero solamente después de ser primero el sacramento y don de la salvación. Esto es algo que ha enfatizado Lutero en su sermón de Navidad del año 1532:

> Entonces, fíjate bien que es Cristo como don quien te otorga la fe y te hace un cristiano. Cristo como ejemplo te ayuda en el ejercicio de las obras. Las obras no te convierten en cristiano, pero salen de ti como de uno que ya es cristiano. La diferencia entre don y ejemplo es una diferencia tan grande como la diferencia entre fe y obras. La fe no tiene nada en sí misma, sino sólo en Cristo, sus obras y vida. Las obras tienen algo propio, pero tus obras no te pertenecen, pues pertenecen al prójimo.[64]

A fin de cuentas, tanto la teología de Lutero como la de Boff nos presentan a Cristo como un ejemplo de amor hacia el prójimo. En la teología de Lutero la idea de Cristo como ejemplo es subordinada y dependiente a la idea de Cristo como sacramento y don. Pero en la teología de Boff la idea de Cristo como sacramento ha sido desplazada y remplazada por la idea de Cristo como ejemplo. En la teología de Boff, Cristo funciona, no solamente como ley, sino como ley que ha sido separada del evangelio. En última instancia, una ley que ha sido desplazada de la buena nueva funcionará como mala noticia que atemoriza y condena. Ante un Cristo que representa todo lo que debo ser y que no soy, sentiré, no un amor que me libra de la angustia, sino un espantoso remordimiento de conciencia como aquél que experimentó Simón Pedro cuando clamó: "Apártate de mí, Señor, porque soy hombre pecador." (Lucas 5.8) o que experimentó Isaías al exclamar: "¡Ay de mí! que soy muerto; porque siendo hombre inmundo de labios, y habitando en medio de pueblo que tiene labios inmundos, han visto mis ojos al Rey Jehová de los ejércitos." (Isaías 6:5). Es solamente cuando Cristo como ejemplo es acompañado como Cristo como sacramento y don que puedo, en amor, tomar mi cruz y seguirle sin miedo, en un servicio de sacrificio voluntario hacia el necesitado, el pobre y el oprimido.

---

64 Citado en Nagel, *Op. Cit.*, p. 189.